JN093430

地元を生きる

沖縄的共同性の社会学

岸 政彦・打越正行
上原健太郎・上間陽子

ナカニシヤ出版

序文——沖縄にとって「地元」とは何か

本書は、沖縄社会の内部の多様性を描く、社会学的エスノグラフィである。ここで描かれるのは、沖縄における「地元」——つまり「沖縄的共同性」——というものが、さまざまな人びとにおいてどのように経験され、どのように語られているか、という物語である。ふつうは「地元」とは、それぞれが生まれ育った地域とそのつながりのことを指すが、いうまでもなくこうした単純な定義からは、その多様な物語すべてを理解することができない。したがって以下では、地元、あるいは共同性・共同体という言葉を特に区別せず、沖縄の地域社会の、インフォーマルなネットワークのこととしてゆるやかに使用する。必ずしもそれは、そこで「生まれ育った」場所だけを意味するのではない。家族、親族、あるいは出身小中学校の先輩後輩関係、同じ地域でバイトしたり仕事したりする仲間、会社のつながり、こうしたものすべてを包含する言葉として使用したい。

それは単一の、固定した、だれにでも共通のものではない。それは例えば、地域性や階層、あるいはジェンダーによって、さまざまなものになり得るし、さまざまなかたちで経験され、語られるのである。本書ではまず何よりも、この「さまざまであること」を描きたいと思う。だから私たちは、本書で「地元」の物語を描くために、エスノグラフィという形を選択した。沖縄の「地元」というものの、多様性や流動性、あるいは階層やジェンダーによるその経験の差などは、まだまだ十分に理論化されてない。それどころかその研究は、始まってもいないと言ってもよいのだ。私たちは、まずこの問題について「描く」ということの必要性を痛感している。したがってまずは、私たちがフィールドの現場で出会った物語を、そのまま書きとめ、記録することを選んだのである。

そして、その「さまざまであること」を描くために、ここでは階層という視点を導入した。後述するように、沖縄は階層格差の大きな社会である。そして、階層の視点よりは控えめではあるが、ジェンダーという視点も取り入れたいと思った。沖縄はジェンダー規範の強い社会でもあるからだ。沖縄はただ「いろいろ」であるわけではない。その「いろいろさ」は、社会構造や歴史的状況によって、大きく拘束され、規定されている。もちろん、「地元」の多様性は、階層やジェンダーという変数だけによって決定されているわけではない。ここではただ、その多様性を「具体的に」描くために、階層とジェンダーという視点が採用されている。しかし同時に、沖縄の社会を理解するために、このふたつの変数が決定的に重要であるということもまた、確かなことだ。

そしてより重要なことは、これは本書で何度も触れることになると思うが、私たちは地元との関わりの多様性や流動性の「原因」として階層やジェンダーを設定しているわけではない、ということだ。ここにはどんな因果的なつながりも、法則的な結びつきもない。同じ階層のなかでも、地元との関わりは、さらに多様であるだろう。ある特定の階層に所属する人びとが、必ず同じような地元との関わり方をしている、という意味のことは一切述べていない。本書はあくまでもケーススタディである。しかしまた、階層やジェンダーという視点で地元の共同体的な社会を考察すると、いろいろなことが理解できる、ということも言える。本書に登場する人びとは、私たち執筆者四名が、そのフィールドワークのなかでたまたま出会ったにすぎない。ここからは、法則的なことは何も言えない。まして、沖縄の階層格差やジェンダー規範の原因を特定したり、安易に処方箋を出すこともできない。しかし、ある特定の状況のなかで、それぞれの行為を選択し、せいいっぱいに人生を生きる人びとの〈合理性〉を、いくつかの構造的な条件のもとで理解しようと願った。そこが私たちの調査の出発点だったのだ。

私（岸）はかつて、『同化と他者化——戦後沖縄の本土就職者たち』（ナカニシヤ出版、二〇一三年）という本で、復帰前後の沖縄の「本土就職」とUターンを調査し、本土との移動のなかで「沖縄的アイデンティティ」が歴史的に構築される過程を描いた。六〇年代の本土就職や単身出稼ぎとその後のUターンは、単なる労働力移動ではなく、当時の沖縄の多くの人びとによって経験された「歴史的事件」だった。そのプロセスで沖縄的アイデンティティがどのように経験され、また語りのなかでどのように語られるかを綴った本だ。その聞き取りをしているとき、たくさんの印象的な語りと出会った。例えば、このような語りである。

――「このとき七〇年ですね……そろそろ沖縄も復帰……」

復帰の、二ヵ月前ぐらいかなあ、もうあの当時から決まりかけていたんじゃないかなあ。

――「なんか復帰運動に関わったとか、そういうことは」

ううん、ないないない。あれはもう公務員がやる仕事で（笑）。あれたちはもう、日当もらいながら運動しているよ。（『同化と他者化』一四五頁）

これは、同書のなかで引用した、一九五二年生まれの沖縄の男性の語りである。中学を卒業したあと一年だけ職業訓練校に通い、しばらく地元で働いたあと、友だちと一緒に大阪で数年働き、すぐにUターンした。生い立ち、子ども時代の記憶、家庭環境、学校での様子、本土就職のきっかけ、大阪での暮らしぶり、Uターンの理由、その後の生活など、さまざまなことがらについて聞き取りをしたが、そのなかで上記の言葉は、私の記憶の片隅にずっと残っていた。もちろんそれは、半分冗談のような軽い語りで、それほど重い意味がこめられているわけではない。しかしそれでもこれは、象徴的な語りだと思った。

復帰運動が「公務員の仕事」であり、「日当もらいながら」やっているという、どことなく覚めた視線で揶揄するような表現は、Uターンの生活史の長い語りのなかで、ほんの一瞬、一言だけ語られたにすぎないが、それでも私はこの調査が終わったあと、そしてそれを本に書き記したあと、この言葉をときおり思い出しては、その意味を考えている。中卒で本土に渡って、そこで楽しく「第二の青春」を過ごし、すぐにUターンして、自営業者として沖縄南部の小さな街で静かに暮らしていた彼からみて、「公務員」という言葉の持つ意味は、どういうものなのだろうか。

「沖縄的なもの」の象徴としての地元社会の共同性は、沖縄の人びと自身にとってどのような意味があるのだろうか。おそらく沖縄の共同性は、きわめて多様で、流動的で、個別的な経験のされ方をしているはずだ。そうした沖縄の内なる多様性を描くために、私たちは階層という視点を選択した。ただ、ここでいう階層はもちろん、大規模な量的調査などによって特定され、確定され、明確に決められたものではない。それはあくまでも私たちの日常生活や調査活動のなかで、経験的に、主観的に浮かび上がってきた、沖縄の社会のひとつの「イメージ」である。あるいはそれは、沖縄の地元がもつ多様性をエスノグラフィとして描くための「枠組み」である。沖縄の階層概念をもっとも効果的に理論化・精緻化できるのは、おそらく理論や計量という方法を通じて、である。しかしここでこの概念をこのように、あえて大雑把に、ゆるやかに定義することによって、かえって私たちは、豊かな物語を描くことができると信じている。

著者の四人はそれぞれ分担して、以下のような人びとを対象にして、調査をおこなった。琉球大学や本土の名門大学を卒業して公務員や教員、大企業社員になった人びとの生活史（岸）、高卒や大卒で地元で飲食店などのサービス業をしている若者たちの情熱（上原）、暴走族や風俗店、日雇い労働者など、沖縄の地域社会からも排除されてしまった集団の過酷な生活（打越）、沖縄の下層出身の若い女性の、セックスワークと暴力、そして家族の解体と再編成の物語（上間）である。

沖縄的な地元社会の共同性というものが、階層やジェンダーによってどのように経験され、構築され、語られるか、ということが、本書の問題設定である。沖縄の人びとのつながりとしての共同性、あるいは共同体規範は、沖縄の人びと自身によってどのように「生きられているか」ということを考えようと、私たちは集まり、共同で調査をおこなった。それぞれのフィールドワークは、ほとんどがそれぞれ個人で、別々におこなわれている。

わずか四人からなる私たちの調査では、言うまでもなく、それぞれがそれぞれのささやかな参与観察や聞き取り調査で出会った人びとの相互行為や語りを記録できるだけで、とても沖縄社会の全体像を描くことはできない。だが私たちはどうしてもこの、沖縄の共同性というものが、階層とジェンダーによってどのように違った形で経験され、語られているのか、ということを描いてみたかったのである。

「沖縄的なもの」とは、何だろうか。

私たちナイチャー（本土の人びと）は、沖縄という特別な場所について、何度もなんども繰り返し語る。それは私たちにとって、ほんとうに大切な場所だ。日本とは異なるその固有の歴史や文化、社会慣習などについて、私たちはとめどなく語り続ける。エキゾチックな、南国の、あるいはのんびりとした、平和な、ゆるやかな時間が流れるこの島は、単なる観光地ではなく、私たちからほとんど信仰ともいえるほどの愛情を注がれている。

そして、沖縄に関するさまざまな知識、愛着、経験、物語の中心にあるのが、「沖縄的共同性」だ。私たちは、沖縄の家族や親族の、あるいは地域や同窓会のつながりの「濃さ」について、あるいは先祖を祀る伝統的な慣習について語る。沖縄社会が、近代的な日本、あるいは東京が失った人びとのつながりをまだ保持していることを、私たちはある種の情熱や希望を持って語り続けるのである。

沖縄的なものとは、その共同性、共同体規範そのものである。私たちはこの、人びとの濃密な、前近代的な、農村社会的な紐帯の強さを通じて、沖縄的なものを発見する。

そしてこのことは、沖縄の「社会学的研究」もまた例外ではない。むしろ学術的な研究のなかで、私たちの沖縄イメージはより素朴な形で保存され、より明確な形で書き表されている。そしてそのなかで、沖縄的共同性は常に、より「純粋な」かたちで描かれている。そして、非常に興味深いことに、その「純粋さ」の語りは、その政治的立場とはまったく無関係に思える。保守的な論者からリベラルな研究者まで、ほとんどの研究者が、沖縄的なものの純粋さを語っているようにみえるのである。

しかし、沖縄的共同性は、ほんとうに本来的で自然な、自明なものであるだろうか。それは、沖縄の人びとがすべて等しく包摂されそのなかで生きるような、普遍的な規範なのだろうか。沖縄的共同性は、沖縄の人びとによって「実際には」どのように生きられ、経験され、またどのように語られるだろうか。

沖縄の人びとは、みずからの共同性や同郷的つながり、あるいはアイデンティティというものを、自動的に引き継ぎ、無意識のうちに身体化し、そのなかに閉じ込められて、そのなかで生活しているのではない。おそらく、人びとは（沖縄だけでなく、どの地域の人びともそうするように）そこに没入し、そのただなかで暮らすのだが、しかしまた同時にそこから距離をとり、再帰的に語り、道具的に利用し、あるいはまた、そこから排除されもしているに違いない。そしてまたその、共同体との関わりの仕方は、階層やジェンダーによってもかなり異なるに違いない。

これらの沖縄の共同性に関する調査研究も、あいついで出版された上間陽子と打越正行の本によって大きく変化することになる。

上間陽子の『裸足で逃げる――沖縄の夜の街の少女たち』（太田出版、二〇一七年）は、次に紹介する打越正行の『ヤンキーと地元』と並んで、間違いなくこの数年のあいだに出版されたなかでももっとも優れたエスノグラフィである。上間が描くのは、沖縄の若い女性たちの過酷な日常だ。経済的に厳しい条件のなかで育った彼女たちは、男たちから毎日のように暴力をふるわれ、学校へも行かず、一〇代のうちに妊娠・出産し、キャバクラや風俗で働いている。上間は彼女たちの生活史を、「かわいそう」とも「たくましい」とも言わず、ただ淡々と記録する。

優歌という女性がはじめに登場する。一六歳で妊娠していちど結婚し、出産するが、夫から暴力をふるわれ、彼女は逆に包丁を持ちだして、離婚されてしまう。そして一八歳のときに彼女は子どもからも引き離される。

その後、二一歳のとき新しい恋人ができる。五歳年上のとび職の男性で、やはり過剰に束縛し、優歌が稼いだ金を取り上げるような男だ。

実は彼女は、子どものころから、実の兄からも暴力を受けていた。その兄について、彼女はこう語っている。

……いつもあのひとにくるされてた（＝ひどくなぐられること）。

——あのひと？

……にぃにぃ。……家出してから。怖くて家出してから……。あのひとの知り合い、沖縄じゅうにいるわけ。……名護も、糸満もどこにも。あれこそＤＶ、ＤＶ男。

——うん。

逃げて、いつも逃げて。捕まるさ。またくるされて。それが怖くて、また逃げて。

——うん。

家出するさ、家出して男のところ行っても、にぃにぃに見つけられて、それが怖くて、また逃げて……いつも逃げる、いつもだよ。怖くて逃げる。逃げて、くるされる。……なんで私はいつも逃げるかね……。（四一－四二頁）

優歌は二人めの夫の子どもを妊娠する。しかし夫の龍輝は、優歌に中絶をせまる。彼はその費用を出そうともしない。そして龍輝には別の女性がいること、その女性もまた妊娠していることが発覚する。龍輝は家に帰らなくなり、優歌は不眠とストレスで居眠り運転をしてひきにげ事件をおこしてしまう。

龍輝は働いていた飲み屋の金や参加していた模合の金を持ち逃げし、地元から姿を消す。龍輝は最後にはわずかな金を払ったのだが、彼が金を渡したのも、謝ったのも、優歌ではなく優歌の兄だった。

お金を持ち逃げされた龍輝の地元の先輩が、龍輝を半殺しにしたという噂も耳にした。私は優歌に「いーばーやさ（＝ざまーみろ）」といった。

その後、龍輝は優歌の兄に謝罪して、「いまはこれだけしか払えない」と五万円を払った。優歌に暴力をふるっていた優歌の兄は、龍輝の高校の先輩だった。要するに龍輝にとって謝罪するべき相手は、妊娠させて放り出した優歌や生まれてくる子どもではなく、優歌の兄でしかなかった。(五一－五二頁)

膨大な事例が記述されている本書からの、ほんのわずかの引用だが、たったこれだけのことからも、沖縄の共同性というものの、特に階層とジェンダーという面について、多くを学ぶことができる。

本書に登場する女性たちは、基本的に、きわめて複雑な家庭事情のなかで生まれ育ち、地縁や血縁のネットワークから、ほとんど庇護されることがない。もちろん、そのつながり方は濃厚で密接で、だから本書の女性たちも、ほとんど自分がその過酷な人生を送った地元社会から出ることがない。それはまず何よりも、その経済的条件の厳しさによるものだろう。ここには相互扶助のための資源がほとんど存在しないのだ。彼女たちは共同体から助けてもらえないどころか、むしろ排除されてさえいる。

そしてそうした階層格差とともに重要なのが、ジェンダーによる差異である。優歌の兄も夫も、「男たちのネットワーク」のなかで生きていて、女性たちを踏みつけながら、そのネットワークのなかで働き、遊び、暮らしている。「名護でも糸満でも」そのネットワークは広がっていて、女たちはその外に出ることができない。そしてまたその男たちもそのネットワークのなかで生きていくしかない。だから龍輝が謝るべき相手は優歌ではなく、優歌の兄なのだ。ここでは彼女たちは、まず共同体から排除され、そして同時に、共同体に縛りつけられている。

上間陽子のこの『裸足で逃げる』と同じような衝撃を与えたのが、その共同調査者でもある打越正行の『ヤンキーと地元——解体屋、風俗経営者、ヤミ業者になった沖縄の若者たち』（筑摩書房、二〇一九年）である。

打越正行は、後述するように、およそ一〇年間にわたり、沖縄本島中部のある暴走族に「参加」し、現在にいたるまで人間関係を維持し、参与観察を継続している。上間の調査も打越の調査も、それはすでに調査という枠をはるかに超えて、毎日の生活を共にする、なにかもっと深くて分厚いものになっているのだ。

打越がこの本で描くのは、ある暴走族の若い男たちが、ある「アジト」で共同生活を送り、そしておなじ土建屋に所属して、日雇い労働者として建築現場での過酷な労働を経験する物語である。上間陽子が描いた女性たちを抑圧し縛り付ける男たちの世界は、実はそこで生きる男たちにとっても非常に過酷なものなのだ。

彼はとくに、「しーじゃ」と「うっとぅ」という役割関係を詳細に記述している。しーじゃとはもともと長男の意味で、転じて兄貴分、先輩の意味である。うっとぅはもともとは弟を意味するが、弟分、後輩である。どちらも沖縄では日常的によく使われる言葉だ。

本書ではこのしーじゃとうっとぅの、きわめて濃厚で密接で、そして理不尽なほど暴力的な関係の事例が大量に記述されている。この関係性は一方で沖縄的共同性そのものでもあるが、他方で同時にきわめて暴力的で抑圧的な制度なのだ。その関係性について打越がまとめた文章を、長くなるが、引用する。

しーじゃ〔先輩〕とうっとぅ〔後輩〕という上下関係には、時に暴力を伴うほど厳しいものがあった。それはT地区だけではなく、他の地域にも見られるものだったし、中学を卒業してからも続いた。下積み時代を経て後輩たちは、しーじゃとなっていき、自分たちがされたことをする側に回る。少なくとも、二〇〇七年に調査をした段階では、こうした継承がなされていた。

その頃、地元の中学を卒業したうっとぅたちは、しーじゃたちのいる建設会社で働くのが当たり前となっていた。建設業における職種は土木、型枠大工、鳶、左官、鉄筋と多様だが、どの職種にするかは、うっとぅの適性ではなく、しーじゃがどこで働いているかで、ほぼ自動的に決まっていた。仕事はどれも体力的にハードで、一〇代の頃はなかなか長続きせず、何度も現場を逃げ出したり、キセツに行ったりする。無職になることも珍しくない。しーじゃにとって、地元の無職のうっとぅは、遊びにも仕事にも気軽に誘える都合のいい存在だった。

……

しーじゃからすると、地元のうっとぅは使いやすい働き手であった。建設現場だけでなく、平日の深夜や週末のプライベートな時間でも、さまざまな雑用を引き受けさせられるのが、地元のうっとぅという存在だった。なかでも、無職であったり、職業がなかなか定まらないような地元のうっとぅは、しーじゃたちによって地元社会の中に囲い込まれていた。

一〇代の頃にしーじゃの雑用係をすることは、地元社会では特別なことではなく、多くのしーじゃが経験してきた道だった。うっとぅにしても、下積み時代における雑用係は当然のこととして受け入れてきた。その過程でうっとぅは地元での人間関係を拡げ、建設業で必要な仕事のスキルを身につける。しかし、それは地元に縛り付けられることでもあった。しーじゃから呼び出しがあればいつでも動けるよう、常にうっとぅは地元周辺で過ごすようになっていく。

……

このように、しーじゃとうっとぅの関係は、沖縄の下層の若者たちの生活と仕事の基盤をなすものである。それは生活全体を貫き、支配的で、暴力を含む過酷なものだ……。（一四八－一五〇頁）

そして、この関係性に近年の少子化が加わり、さらに深刻な事態になっている。つまり、この制度は常に「下から新しいうっとぅが加わってくる」ことによって、現在「パシリ」をさせられているうっとぅたちにとってもそれに耐えることが可能になっていたのだが、最近は若い世代からの新たなうっとぅの「供給」が減り、いつまでもうっとぅという役割から離脱できなくなっているのである。

そうした過酷な地元社会のなかで彼らは、先輩を怒らせないための、うまく立ち回って最大限の利益を得るための、そして殴られ排除される危険性を最小限にとどめるための、さまざまな日常的で実践的な感覚と技術を磨いていく。

以上のように、上間陽子は沖縄社会のなかで排除されると同時に縛り付けられる若い女性たちの過酷な世界を描き、打越正行はその女性たちに暴力をふるうような男たちの、それはそれでまた過酷な世界を描いたのである。そうすることでこの二人は、これまでの沖縄的共同性についての私たちの「語り方」を、永遠に変えてしまったのだ。

この二人の調査と並行して、本書のプロジェクトは進められた。

私は、先行した沖縄の本土就職についてのフィールドワークや、沖縄戦体験者への聞き取り、あるいは沖縄での個人的な活動や交流を通じて、琉球大学をはじめとする県内各大学の研究者や、学校の教員、あるいは公務員、新聞記者、銀行員、アーティスト、ＮＰＯの活動家などと個人的なつながりをつくっていた。その多くは琉球大学や本土の有名大学を出て、公務員などの安定した仕事に就いている人びとだが、かれらとの日常的な交流のなかで、私はよく沖縄についての再帰的な語りとでもいうべきものを耳にすることがあった。これらの人びとは、大雑把に沖縄における「安定層」とでもいえばよいだろうか、一般の沖縄の人びとよりは、学歴も高く、安定した収入を得ているのだが、そうした人びとから、「沖縄的なもの」と距離をとって語るような語りや、あるいは沖縄的なものをよりはっきりと批判する語り、そして沖縄を相対化し、冷静に、いわば「外側から」眺めるような語りを、しばしば耳にした。それは沖縄的な共同性から「離脱」し、そこから「距離化」する語りであった。それはおそらく、生きていくうえで地元社会のネットワークの「しがらみ」から、相対的に自由な生活を送ることができるという、かれらの生活条件と関係しているだろう。

一方、沖縄県出身の上原健太郎は、地元の高校でバスケ部のキャプテンをしていたという経歴を持っている。その出身地は沖縄本島のなかでもつながりの濃いところだとされている。かれはその地元での強固なネットワークのなかで暮らし、大学進学を機に関西へと出てくるのだが、振り返ってみて沖縄の「地元社会」の共同性の濃さを改めて実感するようになり、研究テーマに自らの地元社会の沖縄的ネットワークを選んだ。本書では、上原はある若者集団に焦点を当てる。かれらはある高校の同級生グループでひとつのチームを結成し、資金を出し合って那覇の繁華街のなかに一軒の居酒屋を開いた。たまたま上原は、このうちの中心メンバーに、居酒屋開店のかなり前から生活史を聞いていた。こうして、開店前から開店準備、そして開店してから現在まで、上原はこのチームに密着し、その「沖縄的経営」をつぶさに観察することができた。

ところで、かれらのような若者たちは、沖縄社会全体のなかではどのように位置付けられるだろうか。多くが高卒で、相対的に不安定なサービス産業で働くかれらにとって、沖縄的共同性は文字通り「資源」である。そのネットワークのなかでの人づきあいは、かれらにとっては死活問題である。なぜなら、沖縄の零細なサービス業、特に飲食業の多くが、そうした共同体的つながりのなかで経営を成り立たせているからである。そして、のちに述べるように、沖縄の産業構造は第三次産業にきわめて偏っていて、その事業所の多くが零細であり、廃業率も高い。そうした条件のもとでは、沖縄的な共同体規範に基づいた飲食業の経営は、ひとつの「典型的」な経営方法となるだろう。私たちは、高校や専門学校などを卒業して、県内の地域社会のつながりのなかでサービス業などに従事する人びとのことを「中間層」と名付けた。上原健太郎は、この「中間層」の人びととの生き方や語りを、この居酒屋を中心とした若者のチームの生活に参与観察をおこなうことで考察した。おそらくこの中間層の人びとは、もっとも沖縄的なつながりのなかで生きて、働いている。あえていうなら、その共同性のなかに「没入」しているのである。

打越正行も、すでに述べたように、もう一〇年にもわたり、沖縄の中部地方のある若者集団に密着した参与観察をおこなっている。かれがともに暮らし、仕事をしているのは、多くが中卒の、その日暮らしを送っている若い男性たちである。

打越がもともと調査していたのは、沖縄の暴走族だった。かれらはいわば「不安定層」の若者たちである。打越は県内各地の暴走族に直接接触し、実際にその暴走に参加し、メンバーとともに生活をおくった。沖縄の複数の暴走族を対象に参与観察をおこない、またその「ギャラリー」（ファン）の女の子たちにもインタビューをした。暴走族が五八号線を走るときは、いつもかならず自らの原付バイクでその最後尾で一緒に付いて走った。また、ある暴走族のメンバーが溜まり場にしていた倉庫にもあししげく通い、その族の「パシリ」として——打越のほうが年長ではあったが——役割と居場所を確保し、ほかのどんな社会学者にもできないような、深く入り込んだ調査をした。メンバーが暴力事件を起こして逮捕されたときも留置場に何度も面会に行っている。学校を卒業あるいは中退したかれらが働く建設会社の飯場にも通い、そこで一緒に汗を流して働いている。

　そういう参与観察を何年も続けているうちに、メンバーも二〇代後半から三〇歳前後になり、暴走族からは引退して、それぞれの道を歩みだしたが、その人生はきわめて過酷なものだった。かれらの多くは家族もバラバラになり、地元の共同体からも排除され、帰る場所を失っている。同じような境遇の友人と集まり、共同生活をおこなったりもするが、お互いの暴力によってそれも長くは続かない。打越はもう一〇年もかれらの生活を追いかけ、大量のフィールドノートとインタビューデータを残している。本書ではそのごく一部を紹介できるだけだが、帰るべき実家もなく、暴力的なトラブルを起こして地域社会からさえ排除された若者たちが、どのような条件で暮らし、どのような道を歩んでいるか、その一端をここで描いている。それはまさに、「排除と暴力」の生活史である。

　この三名は、大阪市大の社会学教室を中心とする「都市下層問題研究会」などで知り合った。あるとき、それぞれが沖縄の安定層、中間層、不安定層に深く関わって調査をおこなっていることに気づき、二〇一二年に当時私が所属していた龍谷大学の人権問題研究委員会から研究助成を受け、三名による調査が始まった。そして、調査が進行するうちに、沖縄の共同性を考えるうえでジェンダーの視点はどうしても外せないと考え、たまたま別の調査プロジェクトを打越と共同でおこなっていた、上間陽子にも参加してもらった。

　上間が本書で描くのは、あるひとりの少女の生活史である。一読で理解できないほど複雑に流動する家庭環境のなかで生まれ育ち、一五歳のときから売春をして暮らしてきた彼女は、いままさにその「家族」を取り戻そうとしている。詳しくは本書の上間論文を読んでいただきたい。

上間がその少女の生活史を通じて描くのは、沖縄の不安定層の女性たちが、おなじような層の男性たちから受けるすさまじい暴力の経験であり、きわめて深刻な貧困のすがたである。貧困は暴力を必然的に生み出す。そしてその暴力は、多くが男性から女性に向けられる。もちろん、女性への暴力は、貧困のなかだけで発生するのではないが、上間の聞き取りの対象になった女性たちは、貧困と暴力のふたつに向きあわなければならないのである。そしてそのときに頼りにできるのは、自らの性的身体しかない。上間が聞き取りをした少女の生活史から浮かび上がるのは、沖縄の貧困と暴力の過酷な状況と、家族も親戚も地域社会もだれも彼女を助けてくれなかったという端的な事実である。

本書で描かれるのは、以上のような、安定層の「共同体から距離化する語り」、中間層の「共同体に没入する実践」、不安定層あるいは下層の「共同体から排除された生活」である。

私たち自身にとっても、はたして質的調査で階層格差やジェンダーの差異を描こうとすることがどのくらい可能なのか、定かではない。すくなくとも私たちのプロジェクトが、きわめて不十分で、断片的で、あやふやで曖昧なものであることは確かだ。

何度もなんども断っておかなければならないのは、私たちが構成した「安定層」「中間層」「不安定層」というカテゴリーは、私たちの長年にわたる沖縄調査のなかで経験的に醸成された、ある種の理念型的な構成物である、ということだ。この三つで沖縄の階層構造を余すところなく表現できるとも思っていないし、それらが沖縄社会の代表的な三つの層であるという、計量的に確かめられた証拠を手にしているわけではない。それらはあくまでも、私たちの調査経験から仮説的に構築された、暫定的な、あるいはこう言ってよければ、発見的なカテゴリーである。

したがって、私たちは、たとえば安定層の人びとであれば必ず「距離化」をおこなっているとか、中間層の人びとであれば必ず「没入」しているとか、不安定層の人びとが必ず「排除」されているとか、ということを主張しているのでは、まったくない。

私たちがしたのは、沖縄の階層構造を特定し、そのそれぞれのセクターから代表性のある人びとをサンプリングし、標本集団ごとの共同性のあり方を測定し、そうすることで母集団である沖縄社会全体のプロフィールを描く、という作業ではないのだ。そうではなく、私たちはある種の問いを投げかけたかったのである。沖縄の社会の多様なあり方を階層という観点から見た場合に、特定の階層的状況にある人びとは、沖縄の共同性や「沖縄的なもの」を、どのように経験するだろうか、そしてそれを、私たちはどのように描けるだろうか、という問いである。

本書で描かれているケースはどれも、それぞれのセクターの人びとの経験を代表するものではない。ある階層的な位置にいる人びとは、「必ず」ここで描かれたような地元社会との距離の取り方をするわけではない。そのような雑な因果的な説明は、ここではおこなっていない。

しかし、特定の状況に置かれた人びとがそれぞれのやり方で、なんとか人生に対して向きあい、それを自分にとってできるだけ良いものにしていく姿は、ただ他者には理解できない「特殊」なものなのではない。私たちはそうした人びとの個人的な生活史の語りや活動のあり方を「理解する」ことができるし、そのことはおそらく、ある特定の状況や文脈のなかでのそれぞれの個別の語りや実践というものがもつ、ある種の「合理性」、あるいは「一般性」をあらわしているのである。このようにして本書は、少数の事例を「ナラティブ」や「ストーリー」に還元することなく、社会構造や歴史的状況のなかで「一般化」することを試みている。すべての人びとがこのように暮らしているというわけでは、まったくない。しかし、このように暮らしている人びとは、決して少なくないはずである。

あるいは、こういう言い方もできるかもしれない。私たちは、私たちの日常的な調査や生活の経験のなかで、長い時間をかけて徐々に、安定層や中間層という集団的カテゴリーと「出会った」のである。私たちは、母集団からあらかじめサンプリングするのではなく、たくさんの断片的な出会いを積み重ねて、あるひとつの沖縄社会に関する「像」に到達したのだ。つまり、構造から個人へ向かったのではなく、個人から構造へ向かったのである。

なぜ私たちが沖縄の内部の多様性――あるいはことによると、本書で描かれた多様性と複雑性は、ある種の「分断」として解釈されるかもしれない――を描くのか。それは、いまこそ沖縄がもういちど「ひとつ」になる必要があると痛感しているからだ。沖縄社会は現在、いやこれまでもずっと、複雑に交差しねじれる複数の境界線によって分断され、異なる利害がぶつかりあっている。このもつれを解きほぐし、足元で何が問題になっているのかを考えるために、まず沖縄の人びとの「生活」がどのように構成されているかという問題から出発することが必要であると、私たちは考えている。

そしてもうひとつ、本書では応えることができなかった問いかけがある。それは、戦後の沖縄経済史のなかから、現在の沖縄社会の多様性と複雑性を考える、という課題である。沖縄の経済的な分断は、戦後のアメリカと日本の政策のなかで生み出され、維持されてきた。零細なサービス業に大きく偏った産業構造や相対的な賃金の低さは、占領期の為替政策や金融政策、あるいは復帰後の公共投資先行型の経済政策や軍用地料などと密接に関連している。沖縄の階層的現実について考えることは、戦後にアメリカと日本がこの小さな島に何をしてきたかを考えることにつながる。私たちは、沖縄の貧困や格差が、かなりの程度「人為的に」作られたのではないかと考えている。この点については、目的を限定した本書のなかでは触れることができなかったが、そのような問題関心のもとで書かれた本であることを、ここで書きとめておきたい。

以下、まず沖縄の経済状況についての基礎的なデータをまとめ、沖縄的共同性に関する先行研究を参照する（第一章）。ここではまず、沖縄の経済的な厳しさが描かれ、そして階層的格差の大きさが指摘される。戦後すぐの沖縄経済は、B円が日本円に対してきわめて高く設定されたことによって、人工的にデフレの状態に置かれた。これは基地の建設物資を日本から安く輸入するためである。戦後の日本は第二次産業の輸出によって成長したのだが、沖縄では輸出できるような製造業は育成されず、零細なサービス業がその就業人口のほとんどをしめるようになった。沖縄が「零細サービス業の島」である、ということは、本書にとってもっとも重要な、基底的な事実である。まずはこのことを押さえておきたい。そして、社会学的な先行研究では、沖縄の地元共同体というものが、いかに「本質主義的に」書かれてきたかが述べられる。そうした社会学的な研究でも、最近になって階層やジェンダーの視点が必要であることが主張されるようになった。これはまさに本書のプロジェクトと共通する問題意識である。

次に、安定層の人びととの生活史から、共同体から距離を置くことについて考える（第二章）。そして、ある中間層の人びとの、インフォーマルなネットワークに依拠する居酒屋の経営のドラマを記述する（第三章）。そのあと、建築労働者の男性たちの参与観察（第四章）とある不安定層の女性の生活史（第五章）とを通じて、もっとも厳しい生活条件のもとで暮らす人びとの生活を描く。全体を通じた結論のようなものは、あえて付け足していない。本書で何が描かれているかは、この序文で十分明らかになっただろう。あとは私たちのエスノグラフィそのものを通じて、沖縄の社会において、「地元」の共同性、階層格差、ジェンダー規範などがどのように構成され、どのように経験されているかを、それぞれの読者が読み取って、それぞれに解釈してほしい。

繰り返すが、私たちの調査は、沖縄そのものも、それぞれの階層の人びとをも、代表するものではない。ここにあるのは、私たちがたまたま出会った、小さな、ささやかな、断片的な記録である。しかしこの「生活の欠片たち」を通じて、私たちなりのやり方で沖縄社会を描こうと思う。その欠片たちには、それなりの「普遍性」があるはずなのだ。おそらく沖縄の人びとにとっては、本書で描かれた物語は、「どこかで見た風景」と感じられるのではないだろうか。

私たち内地の、あるいは大和の、あるいは「日本」の人間にとって、沖縄という場所は、ほんとうに特別な、大切な場所だ。

この本は、沖縄の人びとだけではなく、そういう「日本人」に向けても書かれている。沖縄を愛して、惚れ込んで、何度も通い、そこで癒されて、やがて帰っていく日本人たち。特別な、独特の文化や習慣を色濃く残す沖縄の「シマ社会」を本質化し、まるで「文化的DNA」のように思い込む日本人。

本書で描かれているのは、非常に制約された条件のもとで、多様で複雑な、ときに過酷な現実を必死で生きようとする個人たちである。そしてその「合理性」は、私たちと何もかわらない。

私たち日本人は、一方で「共同性の楽園」のなかでのんびりと豊かに生きる沖縄人のイメージを持ちながら、他方で同時にその頭上に戦闘機を飛ばし、貧困と基地を押し付けている。

本書は、少なくともそうした沖縄イメージから離脱し、沖縄的共同体に対するロマンティックで植民地主義的なイメージが、基地や貧困とどのように結びついているかを、日本人自身が理解するための、ささやかな、ほんとうに小さな一歩でもあるのだ。

岸　政彦

地元を生きる——沖縄的共同性の社会学

＊

目　次

地元を生きる——沖縄的共同性の社会学

第一章　沖縄の階層と共同性

上原健太郎

一　沖縄の経済と階層

本節では、全国との比較を通じて沖縄経済の現況を概観し、沖縄県の厳しい経済状況を確認する。そのうえで、沖縄県内に視点を移し、沖縄県内にも不平等ともいえる社会状況が存在することを指摘する。

経済的に厳しい地域としての沖縄と、県内の経済的格差が大きい地域としての沖縄。この両側面を、次の『沖縄タイムス』の記事は端的に言い表している。

所得が全国一低い沖縄で、さらに低賃金労働を強いられる「ワーキングプア」が増えている。沖縄内部における格差も広がり、その固定化が新たな問題として浮上している。「頑張っても報われない」構図から抜け出すことが難しい人びとのもがきと、支援のあり方を取材した。（『沖縄タイムス』二〇〇八年九月一日付）

この記事は、二〇〇八年に沖縄タイムス社が企画した特集「未来が見えない・格差社会を問う」の第一回目の記事である。(1) 沖縄が全国に比べて経済的に過酷な地域であるとする議論は、それこそ近世琉球の時代まで遡ることができるが（宮城 2016）、注目すべきは、「沖縄内部における格差も広がり、その固定化が新たな問題として浮上している」の一文である。「新たな問題」として浮上したとされる県内の経済的格差の問題は、例えば、貧困の問題として捉えることもできるだろう。

試しに、『沖縄タイムス』のデータベースを使って「貧困　沖縄」のワードを検索してみると、貧困の問題に言及した記事が増加していることが指摘できる(2)（表1・図1）。さらに、それらの記事から、沖縄「県内」の経済的特性や生活状況に直接的に関連した記事だけを抜き出してみると、二〇〇〇年代後半以降に「貧困の問題」が注目されていることが確認できる。(3) この時期は、『沖縄タイムス』による先の特集記事「未来が見えない・格差社会を問う」（二〇〇八年九月一日〜二〇〇八年一一月一日）の連載時期と重なっており、いかにこの時期に「沖縄県内の貧困」に注目が集まったのかが窺える。

さらに詳しくみていくと、貧困の問題が、「子どもの問題」と結びつけられていることに気づく。詳細な検討は別の機会に譲るが、沖縄県内の経済的特性や生活状況に直接的に関連した記事の中から、さらに、「子ども」に関連したワードがタイトルに含まれている記事をカウントすると、やはり、二〇〇〇年代後半以降に増加傾向にあることがわかる。(4)こうした傾向はたとえば、同時期に『沖縄タイムス』で組まれた特集「オキナワ・子どもの今」（二〇一〇年一月一五日〜二〇一〇年三月一九日：全九回）、「なくせ　子どもの貧困」（二〇一五年一一月三日〜二〇一六年一二月三〇日：全九三件）、「ここにいるよ、沖縄　子どもの貧困」（二〇一六年一月一日〜二〇一六年一〇月一八日：全六六回、全七三件）に端的に現れている。

（1）特集「未来が見えない・格差社会を問う」は、二〇〇八年九月一日から二〇〇八年一一月一日にかけて組まれた全二七回の企画であり、第一回目の記事タイトルは「非正規雇用（1）／正社員　開かぬ扉／低賃金　若年者／「家庭持てない」」である。

（2）「貧困 and 沖縄」がタイトルと本文に含まれる文字列を検索。

（3）二〇〇〇年の記事数増加は、二〇〇〇年七月二一日から七月二三日にかけて開催された「第二六回主要国首脳会議（九州・沖縄サミット）」において、「世界の貧困撲滅」に関する議題がたびたび言及されたことが影響していると思われる。また、二〇一〇年の記事数増加に関しては、本文でのちに触れるように、『沖縄タイムス』の特集記事「オキナワ・子どもの今」（二〇一〇年一月一五日〜二〇一〇年三月一九日：全九回）をめぐる議論が活発化したことが一因として考えられる。いずれにせよ、沖縄の新聞記事の詳細な内容分析に関しては、別稿に譲る。

（4）「子ども」「子供」「子」「こども」「児童」「児」がタイトルに含まれている記事をカウントした。そのうち、直接的に「子どもの貧困」の問題に関連しないと思われるタイトル記事は対象から外した。

表1 『沖縄タイムス』にみる「貧困　沖縄」記事の経年的変化

	「貧困沖縄」	「県内」関連	「子ども」関連
1997	51	11	0
1998	41	9	0
1999	47	6	0
2000	139	5	0
2001	60	4	0
2002	55	5	1
2003	42	7	1
2004	47	4	0
2005	79	10	0
2006	52	8	0
2007	68	18	1
2008	84	36	0
2009	107	41	6
2010	175	103	45
2011	120	78	25
2012	122	80	16
2013	80	36	13
2014	170	127	25
2015	204	145	53

それに関連して、ここで指摘しておかなければならないのは、「子どもの貧困問題」に関する全国初の沖縄県独自調査が二〇一五年度に実施されたことだろう。そしてこの調査によって浮き彫りとなったのは、沖縄の子どもの相対的貧困率二九・九%の驚愕の実態である(5)。県内の子どもの三人に一人が経済的困窮状態にあることを受けて、当時の沖縄県知事の翁長雄志は、二〇一六年度を子どもの貧困問題対策の「元年」と宣言し、多額の予算を計上した。加えて、沖縄の振興策を所管する内閣府も、二〇一六年度の沖縄予算に貧困対策費として一〇億円を追加した(嘉納 2017)(6)。

このように、一九九〇年代以降の沖縄県の経済状況について述べる際、全国との比較だけでなく、沖縄県内の経済状況にも言及する必要があることがわかる。

次項では、まず、戦後沖縄経済の社会的背景に

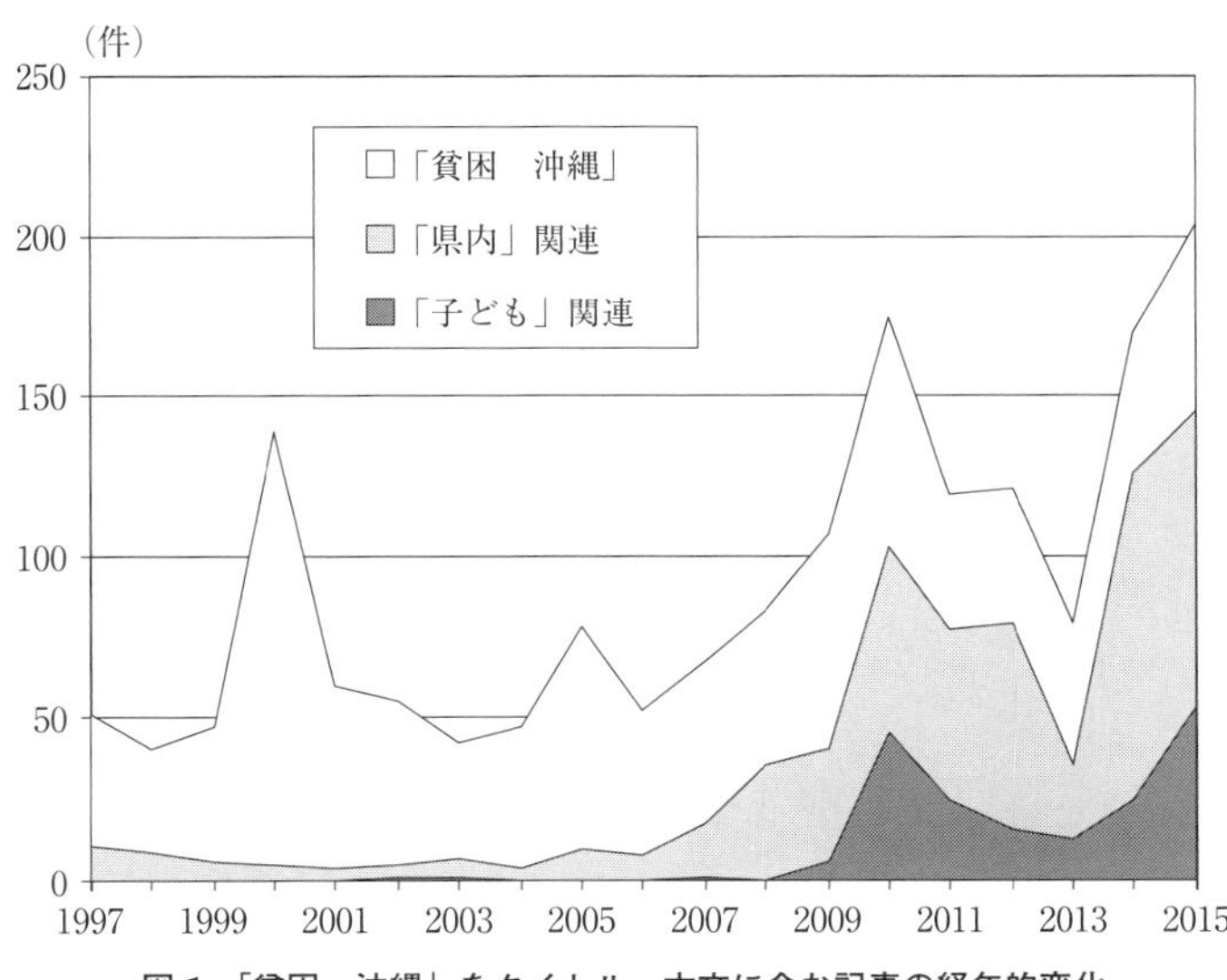

図１「貧困　沖縄」をタイトル・本文に含む記事の経年的変化

ついて概観する。というのも、戦後沖縄の高度経済成長期に、現在の沖縄の産業構造や雇用環境の「雛型」が形成されたからである(7)。そのうえで、一九九〇年代以降の沖縄県の経済状況について述べる。具体的には、経済的に厳しい地域としての沖縄と、県内の経済的格差が大きい地域としての沖縄を順に述べる(8)。

戦後沖縄経済の社会的背景

周知の通り、戦後から一九七二年五月一五日の本土復帰までのおよそ二七年間、沖縄は米政府の統治下に置かれた。その間、米政府は、「米軍基地の建設」と「沖縄経済の復興」を戦後沖縄における重要な政策課題として位置づけた（牧野 1996：25-30）。具体的には、労働者、建設業者、商業およびサービス業など諸々の生産要素を基地建設に動員してドル外貨を稼がせ、このドルで大量の物資を輸入し、もって経済復興の手段とする施策の推進である。つまり、「基地依存型輸入経済」という枠組みが戦後復興の初期条件となり、その結果、基地建設に伴うおよそ一万五〇〇〇人の新たな労働力を確保する必要がでてきたのである。[9]「したがって米軍としてもこうした基地建設を可能にする経済的条件を整えなければならず、その具体的施策として布令第七号「琉球人の雇用職種および賃金」(〔一九〕五〇年四月)を発効した。同布令によって基地労働者の賃金は、職種によって違いはあるものの、全体的にはおよそ三倍の大幅引き上げをみることになる」(与那国 2001：77)。

また、基地建設に必要な大量の物資をいかにして安価で供給するかという命題に対し、米政府は一九五〇年四月、「一ドル＝一二〇B円[10]」という極端な「B円高」のレートを設定した。これにより、当時「一ドル＝三六〇円」であった日本円との交換比率は一：三となった。その結果、日本が輸出型の経済を形成したのに対し、一方の沖縄は、米政府主導の経済政策により、輸入依存型の経済構造を形成することになった。しかも、沖縄の必要とする物資は可能な限り日本から輸入させることにし、さらに基地建設工事にできるだけ日本の業者を活用する方策がとられた点も看過できない。このことは、戦後日本が製造業、とくに重化学工業を中心に工場や建物といった生産手段を蓄積していく一方で、戦後沖縄は基地に依存する形で輸入経済を形成し、生産手段を蓄積することができなかったことを意味している(眞榮城 1999：155)。つまり、工業化として高度成長期を迎えた日本本土に対して、戦後沖縄は輸入中心の経済を、つまり、商業化として高度成長期を迎えたのである(富永 1995)。

（略）高度成長の過程で産業構造は急速に変化していた。このことは全国についても同様である。しかし、全国の高度成長が工業化の過程として特徴づけられるのに対して、琉球の高度成長は商業等を中心とするという意味で商業化の過程であった点が異なる。（同：153）

（5）調査の詳細については沖縄県子ども総合研究所編（2017）を参照。ここでは、「沖縄の子どもの貧困問題」について、学校・暮らし・地域・歴史など、多角的なアプローチが展開されている。

（6）嘉納（2017）は、大学の地域貢献の側面から「沖縄の子どもの貧困問題」に迫っている。本書の末尾には、「沖縄の子どもの貧困問題に関する主な新聞記事タイトル一覧（二〇一六年度）」が資料として収録されており、参考になる（同：90–100）。

（7）戦後沖縄の社会経済的な変動過程について、本章では詳細に論じることはしない。詳しくは岸（2013）、与那国（2001）を参照。また、戦後の米軍占領から二〇一五年までの沖縄現代史を、政治・社会・経済・文化・思想などの多面的な側面から描いたものに櫻澤（2015）がある。

（8）本節でいう県内の経済的格差は、職業的地位や世帯別の所得格差を想定している。ただし、本書では言及するにとどめるが、県内の経済的格差という場合、都市化が進行した沖縄本島中南部と、沖縄本島北部や宮古・八重山をはじめとする離島部との所得格差も重要な論点としてある（眞榮城 1999：156）。

（9）与那国（2001）は、琉球銀行調査部編『戦後沖縄経済史』（一九八四年）を参照し、ピーク時には五万五〇〇〇人におよぶ基地労働者が必要であったと述べている。

（10）B円とは、「米軍が発行した円表示B型軍票（Type"B"Military Yen）のこと。一九四八年（昭和二三）七月から五八年九月までの一〇年間にわたり、沖縄で唯一の法定通貨として使用された」（沖縄大百科事典刊行事務局編 1983：276）。

このように、戦後沖縄も日本本土と同様に高い経済成長率を記録し（内田 2002）、経済環境は劇的に変化していった[11]。しかし繰り返すが、米政府主導の経済政策もあいまって、そのプロセスが商業化の過程であったという点に、日本本土との経済成長の内実の差異を確認することができる。その結果、戦後沖縄の産業構造は第三次産業に偏ることになったのである（図２）。

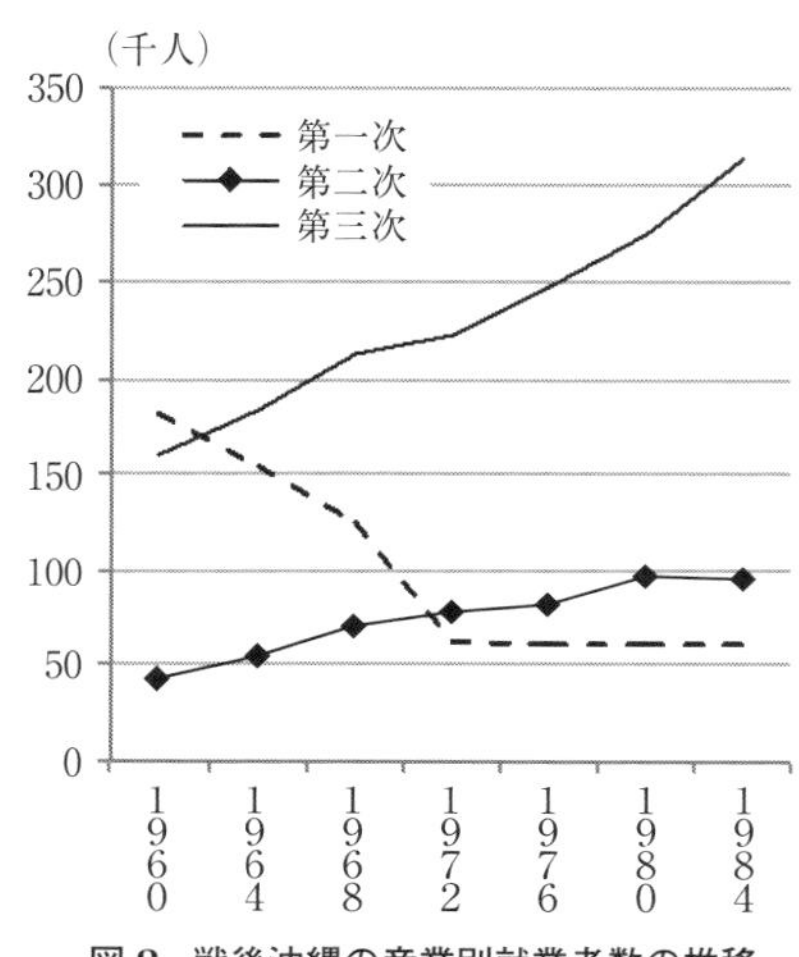

図２　戦後沖縄の産業別就業者数の推移

注：1972 年以降は年平均。1971 年以前の時期は不明。
出所：『琉球統計年鑑』

さらにいうと、零細企業を中心とした経済構造を形成した点も、戦後沖縄の経済的特性を把握するうえで見逃すことができない。藤島洋一は、戦後沖縄の高度経済成長期の就業構造の特徴として、（１）第三次産業の雇用者比率が異常に大きいこと、（２）第二次産業、とくに製造業の雇用者の構成比が低いこと、（３）中小零細企業労働者が大部分を占めていることを指摘している（藤島 1979：79‒83）。藤島によれば、一九七〇年当時の規模別従業員構成比として、一〜四人の零細事業所は全国が一九・三％、沖縄が三四・五％となっている。こうした戦後沖縄の企業規模の零細性を指摘した研究は枚挙にいとまがない（例えば内田 2002：北原 2004）。

このように、戦後沖縄経済の社会的背景として、基地経済という側面は決して無視することはできない。ただし基地経済としての特徴は、一九七二年の日本復帰以降、徐々に後景化していく。というのも、日本復帰に伴い、本土との格差是正や自立発展の基礎条件の整備を目標に様々な沖縄振興策が計画され、国から多額の補助金が沖縄県に流入するようになったからである[12]。加えて、復帰時には一五・五％であった県民総所得に占める軍関係受け取りの割合も、復帰以降は徐々に低下し（越野2007：仲地2007：櫻澤2015）、二〇一二年時点で五・四％となっている。要するに、復帰前の基地依存型の経済は、復帰後には財政依存型の経済へとシフトしていったのである（眞榮城1998：内田2002：松島2002）。

最後に、所得格差の問題にも触れておきたい。多くの経済学者が指摘しているように、全国との所得格差が大きい点に沖縄経済のもうひとつの特徴がある（嘉数1989）。例えば、一九七三年から一九

(11)　復帰前の沖縄の人びとの労働力移動とアイデンティティについて論じた岸（2013：55-65）は、経済学的な議論をいくつも参照しながら、復帰前の経済成長の背景には米政府主導の経済政策だけでなく、県内の人口移動（特に那覇都市圏への人口集中）と、それに関連した「消費と投資の循環」があったと説明している。

(12)　もっとも代表的な振興計画として、「第一次沖縄振興開発計画」（一九七二～一九八一年度）、「第二次沖縄振興開発計画」（一九八二～一九九一年度）、「第三次沖縄振興開発計画」（一九九二～二〇〇一年度）、「沖縄振興計画」（二〇〇二～二〇一一年度）、「沖縄二一世紀ビジョン基本計画」（二〇一二～二〇二一年度）がある。経済面にとどまらず、沖縄の現代史との関連から、一連の振興計画を整理したものとして櫻澤（2015）がある。

八六年までの所得の地域間格差を検討すると、沖縄の所得は全国平均のおよそ七割から八割程度に過ぎない（田中 1990）。九〇年代以降の所得格差については次項で検討する。

以上、基地依存型輸入経済という枠組みが戦後復興の初期条件となり、その帰結として、戦後沖縄は零細サービス業中心の産業構造を形成するに至った。そして復帰以降は、財政依存型の経済へとシフトしていった。一方で、零細サービス業中心の産業構造は、九〇年代以降も大きくは変わっておらず、依然として、沖縄の経済的特性の中核を占める。

次項では、九〇年代以降の沖縄経済を概観する。具体的には、経済的に厳しい地域としての沖縄と、県内の経済的格差が大きい地域としての沖縄の両側面に着目する。

沖縄経済の現況

以下のデータは主に、沖縄県企画部統計課が発刊する『100の指標からみた沖縄県のすがた』（各年）を参考にした。

はじめに、内閣府の『県民経済計算』（一九九四年度のデータのみ経済企画庁）のデータをもとに沖縄の実質経済成長率の推移をみていこう。経済成長率とは県内総生産（実質）の対前年度増加率を指す。はじめに全国の経済成長率を確認すると、〇・五％（一九九四年度）、マイナス一・四％（二〇〇一年度）、一・〇％（二〇〇七年度）、〇・三％（二〇一二年度）と推移しており、一度マイナス成長を経て、微増ながら再びプラス成長をみせている。それに対し沖縄の成長率は一・四％（一九九四年度）、〇・五

%（二〇〇一年度）、〇・七%（二〇〇七年度）、〇・八%（二〇一二年度）と年度によって変動はあるものの、基本的にはプラス成長を維持していることがわかる。また、沖縄の経済成長率はそれぞれの年度で四七都道府県中三〇位、四位、二三位、一一位となっている。

それでは次に、産業構造について検討する。経済企画庁（一九九四年度のデータ）および内閣府の『県民経済計算』をもとに県内総生産に占める産業別の割合をみていくと、第一次産業構成比は全国が一・八%（一九九四年度）、一・三%（二〇〇一年度）、一・一%（二〇〇七年度）、一・一%（二〇一二年度）と推移しているのに対し、沖縄の場合、二・五%（一九九四年度）、一・九%（二〇〇一年度）、一・八%（二〇〇七年度）、一・六%（二〇一二年度）となっている。全国・沖縄いずれも国内（県内）総生産に占める第一次産業構成比は非常に小さい。なお、都道府県別にみると、沖縄はそれぞれ二六位、二五位、二二位、二四位となっている。

第二次産業構成比は、全国が三四・〇%（一九九四年度）、二七・一%（二〇〇一年度）、二六・三%（二〇〇七年度）、二三・六%（二〇一二年度）と下降傾向にあるのに対し、沖縄も同様に、二〇・七%（一九九四年度）、一五・四%（二〇〇一年度）、一二・一%（二〇〇七年度）、一二・三%（二〇一二年度）と下降傾向にある。そして沖縄の第二次産業構成比は全国平均を大幅に下回っており、それぞれ四七位、四七位、四七位、四六位と全国でもっとも第二次産業の割合が小さい都道府県となっている。

さらに、第二次産業についてもう少し詳しく検討すると、全国の製造業構成比が二四・三%（一九九四年度）、二〇・三%（二〇〇一年度）、二一・二%（二〇〇七年度）、一八・三%（二〇一二年度）であるのに対し、沖縄は六・六％（一九九四年度）、五・三％（二〇〇七年度）、四・五％（二〇一二年度）と全国の四分の一程度の割合で推移している。また、いずれも全国最下位である。一方で、建設業構成比をみると、全国の九・五％（一九九四年度）、六・六％（二〇〇一年度）、五・〇％（二〇〇七年度）、五・二％（二〇一二年度）に対し、沖縄は一三・九％（一九九四年度）、九・八％（二〇〇一年度）、七・四％（二〇〇七年度）、七・六％（二〇一二年度）と全国平均を上回っており、都道府県別でも六位、五位、三位、八位と上位クラスにあることがわかる。つまり、沖縄の第二次産業構成比の小ささは、製造業構成比の小ささを意味しているといえよう。

それでは第三次産業構成比はどうだろうか。全国の場合、六八・五％（一九九四年度）、七六・七％（二〇〇一年度）、七六・四％（二〇〇七年度）、七五・三％（二〇一二年度）と国内総生産の八割弱を第三次産業が占めている。沖縄も同様に、八〇・二％（一九九四年度）、八七・〇％（二〇〇一年度）、九〇・一％（二〇〇七年度）、八六・一％（二〇一二年度）と非常に高い割合で推移しており、全国平均を上回っている点に特徴がある。また沖縄はいずれにおいても全国二位と、日本の首都である東京都の次に、第三次産業構成比が大きい地域となっている。

そして当然ながら、産業構造のあり方は、人びとの就業のあり方にダイレクトに影響する。総務庁の『国勢調査報告』（一九九五年）および総務省統計局の『就業構造基本調査』をもとに、有業者に占める第三次産業就業者の割合について確認すると、全国の場合、六一・八％（一九九五年）、六七・二％（二〇〇二年）、六六・五％（二〇〇七年）、六八・〇％（二〇一二年）と推移しているのに対し、沖縄は七二・八％（一九九五年）、七六・二％（二〇一二年）、七六・六％（二〇〇七年）、七五・六％（二〇一二年）と全国平均を上回っている。都道府県別にみても一位、二位、一位、二位と有業者に占める第三次産業就業者の割合が全国でもっとも高い地域として沖縄を把握できる。

他にも、沖縄の経済的特性として、企業規模の零細性が指摘できる。ここでは、総務庁『事業所・企業統計調査報告』（一九九六年・二〇〇一年のデータ）ならびに総務省統計局『経済センサス－基礎調査』を参照することで、一事業所当たりの従業者数を確認する。全国の一事業所当たりの従業者数が九・四人（一九九六年）、九・〇人（二〇〇一年）、九・四人（二〇〇九年）、九・七人（二〇一二年）であるのに対し、沖縄は六・八人（一九九六年）、六・五人（二〇〇一年）、七・三人（二〇〇九年）、七・七人（二〇一二年）と、いずれも全国平均を大きく下回る結果となっている。また都道府県別にみても沖縄は四七位、四七位、四五位、四五位となっている。

そして、企業規模の零細性といった経済的特性は、開業・廃業といった側面からも補完的に理解することができる。具体的には、総務省の『事業所・企業統計調査』（一九九九～二〇〇一年のデータ）および総務省統計局『経済センサス－基礎調査』のデータに基づいて企業の開業率を検討する。ちなみに開業率とは、一次産業を除き、年平均開業事業所数を当該年時点事業所数で割った値である。全国の開業率が三・八％（一九九九～二〇〇一年）、六・四％（二〇〇四～二〇〇六年）、二・四％（二〇〇九～二〇一二年）であるのに対し、沖縄は六・二％（一九九九～二〇〇一年）、一〇・九％（二〇〇四～二〇〇六年）、三・二％（二〇〇九～二〇一二年）と全国平均を大きく上回っている。都道府県別にみても沖縄の開業率はそれぞれ一位、一位、二位となっており、沖縄は開業する者が相対的に多い地域であることがわかる。またそれと同時に、廃業率も非常に高い。全国の廃業率が四・二％（一九九九〜二〇〇一年）、六・五％（二〇〇四〜二〇〇六年）、六・〇％（二〇〇九〜二〇一二年）であるのに対し、沖縄は五・九％（一九九九〜二〇〇一年）、八・二％（二〇〇四〜二〇〇六年）、六・六％（二〇〇九〜二〇一二年）と非常に高く、それぞれ一位、一位、四位となっている。

さてここからは、雇用環境について検討する。まずは離職率である。離職率とは、離職者数を継続就業者・転職者・離職者数の総数で割った値である。参考にするデータは総務庁『就業構造基本調査報告』および総務省統計局の『社会生活統計指標』である。全国の離職率をみると、五・〇％（一九九七年）、六・二％（二〇〇二年）、五・二％（二〇〇七年）、五・〇％（二〇一二年）と推移しているのに対し、沖縄の場合、七・三％（一九九七年）、六・九％（二〇〇二年）、七・七％（二〇〇七年）、六・七（二〇一二年）となっている。ここからは、沖縄の離職率の高さおよび、沖縄の人びとの頻繁な職業移動の一端を確認することができる。都道府県別でみても、それぞれ一位、五位、一位、一位となっている。

こうした雇用の流動性を考えるうえで、失業率の検討も欠かすことはできない(13)。図3は、全国と沖縄の完全失業率（以下、失業率）の推移を示したものである。失業率とは、労働力人口に占める完全失業者の割合を指す。全国の失業率は、一九八〇年代のバブル経済から一九九〇年代以降の経済状況の悪化を物語るかのように上昇し、二〇一五年に若干の下降をみせている。沖縄も同様の動きをみせているが、全国の二倍近くの値で推移している点にその特徴がある。こうした傾向は、男女別でみても同様に指摘できる（詳細は省略）。

次に、失業率の推移を年齢階級別で検討する（図4・図5）。全国をみると、一〇代後半が五〜一五％程度で推移し、二〇代後半、三〇代と年齢を重ねるにつれて徐々に下降していく。それに対し沖縄は、一〇代後半の失業率が全国平均の三倍程度で推移している点に特徴がある。また、二〇代後半、三〇代と徐々に失業率が下降しているという点で全国と同様の動きをみせつつも、年齢が下るにつれて全国平均との差が縮まっていく点に最大の特徴がある。つまり、年齢を重ねていく過程で、失業率が下がり、何らかのかたちで職業移動を落ち着かせている状況が確認できるのだ。こうした傾向は性別で検討しても同様である（詳細は省略）。なお、全国と沖縄のいずれにおいても、二〇一五年の値が他の年に比べて低いが、本章では言及するに留める。

また、失業率と合わせて九〇年代以後に注目を集めてい

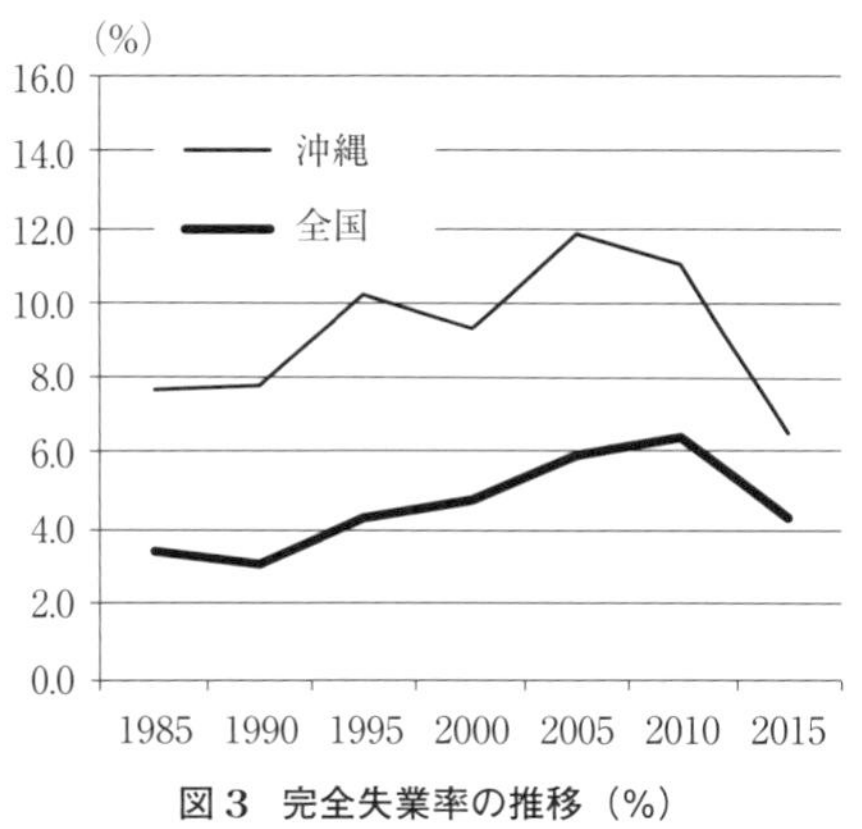

図３　完全失業率の推移（%）

出所：『国勢調査』（各年）

（13）沖縄の人びとの高い離職率および就職率に着目し、沖縄の失業のフロー分析を行ったものに新豊（2007, 2008）がある。また、沖縄の若者の離職行動に着目したものに名嘉座（2009）がある。

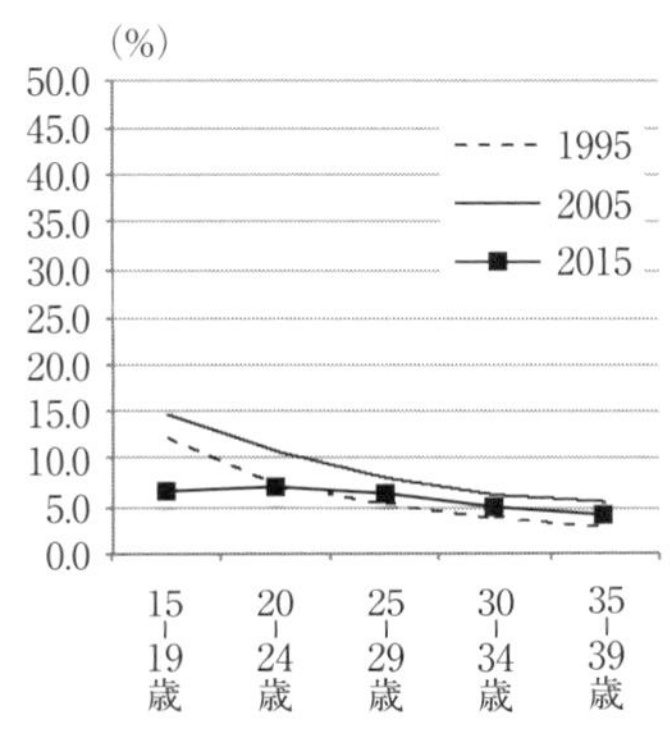

図４　年齢階級別完全失業率の推移（全国）

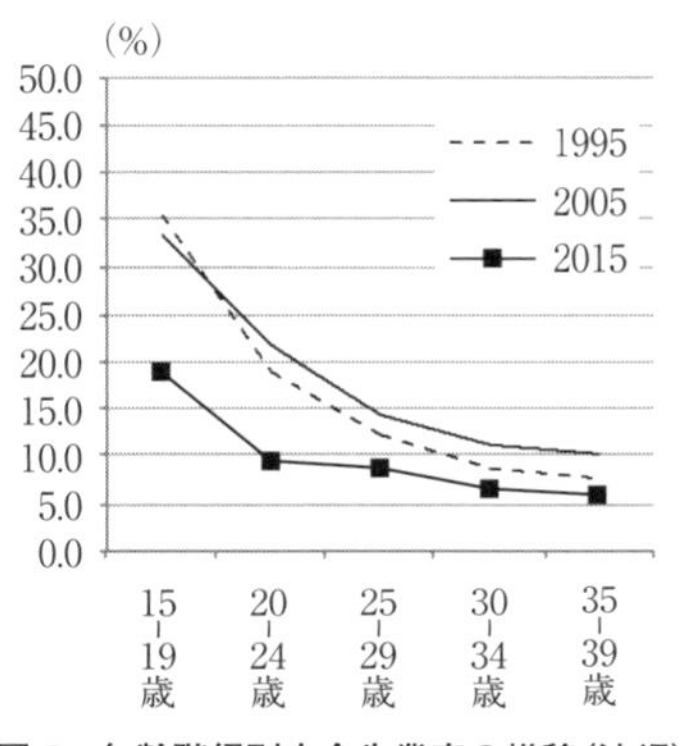

図５　年齢階級別完全失業率の推移（沖縄）

出所：『国勢調査』（各年）

るのが非正規雇用率の上昇だろう。図6によると、全国と沖縄いずれにおいても非正規化が進行しており、二〇一二年時点で、全国の就業者の約三五%が、沖縄の約四五%弱が非正規雇用となっている。全国平均を上回っている点に、沖縄の雇用環境の劣悪さを確認することができる。

次に、労働市場の需給状況を把握しよう。具体的には、有効求人倍率（有効求人数を有効求職者数で除した率）を検討する。厚生労働省の『労働市場年報』（一九九六年度のデータは労働省）『雇用状況実態調査』『一般職業紹介状況（職業安定業務統計）』のデータによると、全国の有効求人倍率（新規学卒者およびパートタイムを除く）が〇・六三%（一九九六年度）、〇・四一%（二〇〇二年度）、〇・八八%（二〇〇八年）、一・〇九%（二〇一四年度）と推移しているのに対し、沖縄は〇・二〇%（一九九六年度）、〇・二六%（二〇〇一年度）、〇・三八%（二〇〇八年）、〇・六九%（二〇一四年度）と低値で推移しており、全国平均を大きく下回っている。都道府県別でみても四七位、四五位、四七位、四七位と、全国でもっとも有効求人倍率が低い地域として把握することができる。

最後に、沖縄の人びとの収入について考えたい。まず、経済企画庁（一九九四年度のデータ）および内閣府の『県民経済計算』をもとに一人当たりの県民所得について検討する。全国一人当たりの所得は二九七万五〇〇〇円（一九九四年度）、二九七万一〇〇〇円（二〇〇一年度）、三〇五万九〇〇〇円（二〇〇七年度）、二九七万二〇〇〇円（二〇一二年度）と推移している。一方で、沖縄の一人当たりの県民所得は、二一一万八〇〇〇円（一九九四年度）、二〇五万七〇〇〇円（二〇〇一年度）、二〇四万九〇〇〇円（二〇〇七年度）、二〇三万五〇〇〇円（二〇一二年度）となっており、全国平均を下回っている。またいずれも全国最下位であり、ここからも沖縄全体が過酷な経済状況にあることがうかがえる。

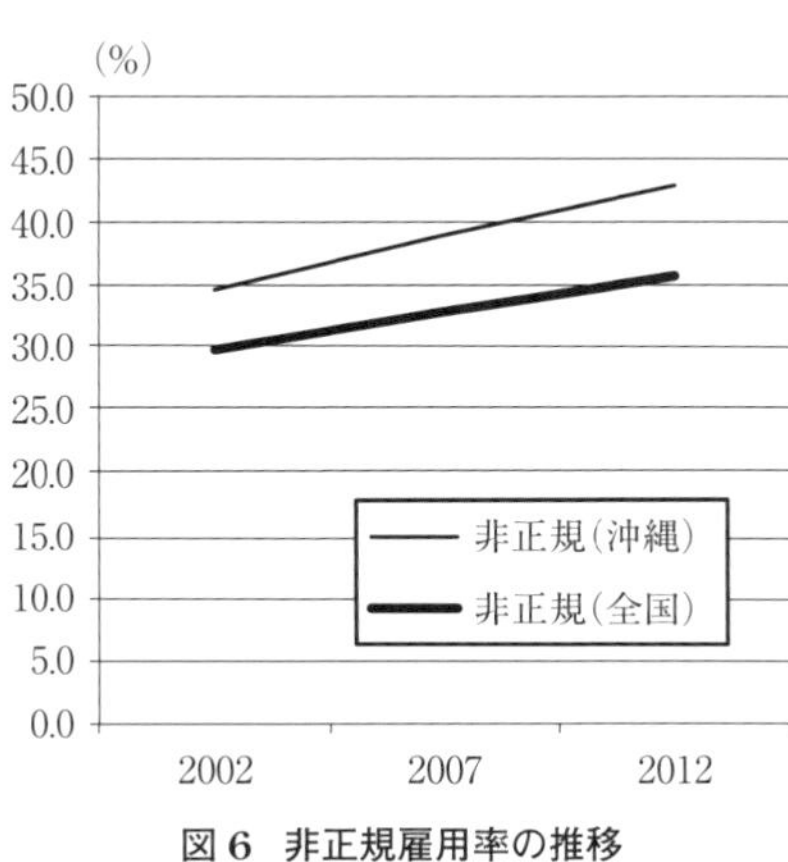

図６　非正規雇用率の推移
出所：『就業構造基本調査』

こうした側面は、新卒者の初任給額にも反映されている。用いるデータは厚生労働省の『賃金構造基本統計調査』（一九九六年データは労働省）であり、企業規模一〇人以上が対象である。たとえば、全国の高卒男子の初任給は一五万五〇〇〇円（一九九六年）、一五万四〇〇〇円（二〇〇三年）、一六万一〇〇〇円（二〇〇九年）、一六万一〇〇〇円（平成二六年）であるのに対し、沖縄の場合、一二万四〇〇〇円（一九九六年）、一二万八〇〇〇円（二〇〇三年）、一三万七〇〇〇円（二〇〇九年）、一三万七〇〇〇円（二〇一四年）である。都道府県別にみてもいずれも最下位となっている。こうした傾向は高卒女子の初任給にも該当する。全国の場合、一四万六〇〇〇円（一九九六年）、一四万四〇〇〇円（二〇〇三年）、一五万三〇〇〇円（二〇〇九年）、一五万四〇〇〇円（二〇一四年）と推移しているのに対し、沖縄の場合、一一万五〇〇〇円（一九九六年）、一一万八〇〇〇円（二〇〇三年）、一三万七〇〇〇円（二〇〇九年）、一二万九〇〇〇円（二〇一四年）となっており、それぞれ四七位、四七位、四二位、四七位である。

それでは大卒はどうだろうか。全国の大卒男子の初任給は一九万三〇〇〇円（一九九六年）、一九万円（二〇〇三年）、二〇万一〇〇〇円（二〇〇九年）、二〇万三〇〇〇円（二〇一四年）となっている。それに対し、沖縄の場合、一六万五〇〇〇円（一九九六年）、一六万五〇〇〇円（二〇〇三年）、一七万五〇〇〇円（二〇〇九年）、一六万七〇〇〇円（二〇一四年）となっており、やはり全国平均を大きく下回っている。都道府県別にみてもいずれも最下位である。一方、大卒女子の場合、年度によって学歴カテゴリーが若干異なることに注意が必要であるが、その点に留意したうえで順番にみていくと、全国の短大卒女子の初任給は一五万九〇〇〇円（一九九六年）、高専短大卒女子一五万九〇〇〇円（二〇〇三年）、大卒女子一九万五〇〇〇円（二〇〇九年）、大卒女子一九万七〇〇〇円（二〇一四年）となっている。それに対して沖縄の場合、それぞれ一三万円（一九九六年）、一三万六〇〇〇円（二〇〇三年）、一六万八〇〇〇円（二〇〇九年）、一六万六〇〇〇円（二〇一四年）となっており、やはり、いずれも全国最下位である。

さらにいうと、初任給額に関しては、先述したように、『賃金構造基本統計調査』には企業規模一〇人未満の初任給額は対象に含まれていない。沖縄の企業規模の零細性という特徴に鑑みると、沖縄の新卒者の初任給額はさらに低い値をとることが予想される。

それでは沖縄県の物価はどうだろうか。総務省統計局が『全国物価統計調査』で集計している消費者物価地域差指数を参照しよう。消費者物価地域差指数とは都道府県別の物価水準（平均＝一〇〇）を示した値であり、二〇一四年の沖縄県の消費者物価地域差指数は九八・四となっており、全国二二位である。さらに、所得と物価の関係を把握するために、日本銀行那覇支店が独自に考案した「生活物価体感倍率」という指標に着目する。[14] 生活物価体感倍率とは県民所得からみた物価水準を意味し、消費者物価地域差指数を一人当たりの県民所得指数で割って算出した値である。これによると、沖縄県の生活物価体感倍率は一・三九と全国で二番目に高い。ちなみに全国でもっとも低いのが東京都で七四、沖縄県の半分程度となっている。仮に二〇〇万円の車を購入する場合、沖縄県では生活体感物価倍率一・三九を掛けた価格二七八万円に跳ね上がるのに対し、東京都では一四八万円に相当し、両地域の価格差の実感が一三〇万円もあることがわかる。以上から、沖縄県は他の都道府県にくらべて所得が低いにもかかわらず、物価はそれほど低くはないといった厳しい経済状況にあることが確認できる。[15]

（14）『琉球新報』（二〇〇七年八月二日）を参照。

以上、全国やその他都道府県との比較を通じて沖縄県の経済的特性について述べた。次に、視点を沖縄県内に移し、沖縄県内の不平等性について検討する。

沖縄県内の不平等性

ある地域の不平等性を検討する際、「ジニ係数」という指標が参考になる。ジニ係数とは所得分配の不平等性を表す指標であり、完全な平等のときは〇、不平等のときは一をとる。それでは、沖縄県のジニ係数はどのような値を示し、また、それは他の都道府県と比べてどのような傾向にあるのだろうか。表2は、総務省統計局の『全国消費実態調査』のデータ（二人以上の世帯）をもとに都道府県別のジニ係数を示したものである。

全国が〇・三〇一（一九九九年）、〇・三〇八（二〇〇四年）、〇・三一一（二〇〇九年）、〇・三一四（二〇一四年）と僅かに不平等性が高まっているのに対し、沖縄県は〇・三五三（一九九九年）、〇・三四四（二〇〇四年）、〇・三三九（二〇〇九年）、〇・三一六（二〇一四年）と僅かながら不平等性が解消の方向に向かっているといえる。とはいえ、沖縄県のジニ係数は相対的に高水準で推移しており、都道府県別にみても四七位（一九九九年）、四六位（二〇〇四年）、四七位（二〇〇九年）、三七位（二〇一四年）と不平等性の高い地域であることに変わりはない。

それではもう少し詳しく沖縄県の不平等性について検討しよう。表3は、総務省統計局の『全国消費実態調査』のデータをもとに、沖縄県の世帯数・富量・教育関係費を年間収入階級別に表したもの

表２　都道府県別にみるジニ係数

	1999	2004	2009	2014
全国	0.301	0.308	0.311	0.314
北海道	0.292	0.294	0.281	0.308
青森県	0.294	0.291	0.311	0.327
岩手県	0.283	0.298	0.311	0.275
宮城県	0.275	0.307	0.320	0.316
秋田県	0.279	0.300	0.297	0.303
山形県	0.277	0.306	0.304	0.322
福島県	0.301	0.312	0.320	0.309
茨城県	0.295	0.295	0.305	0.302
栃木県	0.290	0.310	0.299	0.311
群馬県	0.302	0.293	0.293	0.322
埼玉県	0.281	0.295	0.305	0.305
千葉県	0.294	0.302	0.308	0.301
東京都	0.314	0.314	0.310	0.343
神奈川県	0.285	0.299	0.305	0.313
新潟県	0.292	0.312	0.303	0.291
富山県	0.276	0.303	0.309	0.300
石川県	0.285	0.286	0.287	0.307
福井県	0.291	0.304	0.313	0.300
山梨県	0.287	0.280	0.311	0.298
長野県	0.284	0.275	0.291	0.283
岐阜県	0.302	0.293	0.307	0.303
静岡県	0.287	0.298	0.301	0.296
愛知県	0.301	0.306	0.307	0.301
三重県	0.286	0.287	0.282	0.295
滋賀県	0.286	0.280	0.302	0.293
京都府	0.303	0.295	0.274	0.308
大阪府	0.296	0.323	0.336	0.315
兵庫県	0.296	0.314	0.294	0.303
奈良県	0.292	0.290	0.311	0.293
和歌山県	0.295	0.304	0.300	0.315
鳥取県	0.296	0.297	0.301	0.289
島根県	0.322	0.298	0.294	0.330
岡山県	0.291	0.303	0.310	0.293
広島県	0.311	0.301	0.292	0.293
山口県	0.294	0.293	0.284	0.299
徳島県	0.321	0.345	0.334	0.326
香川県	0.285	0.292	0.299	0.304
愛媛県	0.288	0.295	0.304	0.291
高知県	0.326	0.313	0.313	0.330
福岡県	0.317	0.302	0.316	0.305
佐賀県	0.284	0.296	0.292	0.299
長崎県	0.301	0.309	0.331	0.312
熊本県	0.310	0.316	0.298	0.311
大分県	0.283	0.299	0.312	0.333
宮崎県	0.312	0.311	0.309	0.293
鹿児島県	0.282	0.293	0.297	0.322
沖縄県	0.353	0.344	0.339	0.316

出所：『全国消費実態調査』

(15)　沖縄県の厳しい経済状況を指摘したものに橘木・浦川（2012：102–103）がある。橘木らは、『賃金構造基本調査』の賃金データを用いて勤労者の貧困率を都道府県別に算出した。その結果、沖縄県がもっとも貧困率が高い地域であることが明らかとなった。なお、ここでいう貧困率とは、東京都を除いた四六道府県における労働者の平均賃金所得の半分を貧困ラインとし、所得がこの基準より低い割合のことを指す。

表３　年間収入階級別の世帯数、富量、教育関係費の累積パーセント（沖縄県）

	1999			2004		
（万円）	世帯数	富量	教育関係費	世帯数	富量	教育関係費
200 未満	12.2	3.3	0.7	18.0	5.6	0.9
200～	26.3	10.0	4.4	33.7	14.2	4.6
300～	45.8	23.0	10.4	50.7	27.3	10.1
400～	61.2	36.2	17.2	65.1	41.5	18.0
500～	70.7	46.1	24.2	75.4	53.9	28.8
600～	83.1	62.4	38.2	88.6	74.0	50.8
800～	90.2	74.3	60.4	94.4	85.2	61.9
1000～	94.7	84.0	68.2	97.4	92.5	77.9
1250～	97.9	92.5	82.5	98.8	96.8	91.7
1500～	100.0	100.0	100.0	100.0	100.0	100.0
合計	(714)	(3,710,455)	(705,646)	(694)	(3,128,348)	(493,298)

	2009			2014		
（万円）	世帯数	富量	教育関係費	世帯数	富量	教育関係費
200 未満	14.1	4.3	0.7	12.4	3.9	4.1
200～	34.5	15.1	3.8	31.2	13.8	6.7
300～	52.9	29.1	6.5	46.5	25.0	10.6
400～	64.7	40.4	10.6	64.1	41.4	18.6
500～	73.8	51.2	17.0	75.3	54.3	29.8
600～	88.6	73.1	35.9	88.6	73.4	53.4
800～	94.7	84.7	57.3	95.1	85.4	65.5
1000～	98.1	92.9	60.8	97.9	92.1	88.0
1250～	98.8	95.1	72.7	98.5	93.7	92.9
1500～	100.0	100.0	100.0	100.0	100.0	100.0
合計	(695)	(3,209,473)	(752,582)	(669)	(3,174,459)	(178,738)

出所：総務省統計局『全国消費実態調査』

である。

富量とは、世帯数と年間平均収入の積で求められるものであり、ある階級に分配された富の総量を示している。また教育関係費とは、費目分類のひとつ「教育」（授業料、教材費、補習教育費）のほかに、「食料」の中の学校給食、「被服及び履物」の中の学校制服、「交通・通信」の中の通学定期代など教育に直接的・間接的に必要とされる経費を品目分類により再集計したものである。

はじめに一九九九年の世帯数の累積パーセントをみると、年間収入が四〇〇万円未満の世帯が全体の四五・八％を占めているのに対し、一〇〇〇万円以上の世帯は沖縄全体の五・三％にすぎないことが確認できる。しかし、全体の半分を占める四〇〇万円未満の世帯に分配された富量は全体の二三％に過ぎず、また、教育関係費に関しても全体の一〇・四％を占めているに過ぎない。反対に、年間収入一〇〇〇万円以上の世帯は全体のおよそ五・三％であるにもかかわらず、富量は全体の一六％を占めており、また教育関係費に関しても全体の三一・八％を占めている。ここに、ジニ係数で確認した沖縄県の不平等性の内実が端的に示されているといえよう。ちなみにこうした傾向は、表2にあるように、二〇〇四年以降のデータにも当てはまる。

沖縄県の不平等性についてもう少し議論を進めたい。これまでの議論では、収入の多い層とそうでない層との間に不平等な状況が存在する点が示唆された。それでは実際にどのような職業に従事する者が多くの収入を得ているのだろうか。図7は、厚生労働省の『毎月勤労統計調査』（二〇一七年）のデータをもとに、常用労働者の一人平均月間現金給与総額を産業別に示したものである。

沖縄県で給料の高い産業は、「電器・ガス・熱供給・水道」（五〇万七〇九二円）、「教育・学習支援業」（三六万二五〇三円）、「金融業・保険業」（三五万九二二六円）であり、また給料の低い産業は「生活関連サービス業・娯楽業」（一七万四六五四円）、「サービス（他に分類されないもの）」（一七万三二四二円）、「宿泊業・飲食サービス業」（一三万八四九一円）となっている。沖縄県の第三次産業従事者率の高さについては前述したが、そのことを踏まえると、サービス関連の産業が、「電器・ガス・熱供給・水道」といったインフラ関連の産業の給料の三割程度に過ぎないという事実は注目に値する。(16)

しかも、給料の高い産業に従事する人びとの学歴は相対的に高く、給料の低い産業に従事する人びとの学歴は相対的に低い傾向が確認できる（図8、図9）[17]。以上の結果には、沖縄の階層格差の社会的現実が如実に、かつ端的に表れている。

おわりに

本節では、沖縄経済の現状について、全国との比較から浮かび上がる経済状況と、沖縄県内の不平等性について概観した。全国との比較を通じて明らかとなったのは、端的にいって、非常に厳しい経済状況であった。同時に、沖縄県内にも不平等な社会状況、つまり階層格差の存在が確認できた。

それでは、社会経済的な位置が異なる場合、そのことが沖縄の人びとの暮らしや生活に、あるいは人びとの語り方や規範にどのように影響するのだろうか。次章以降、階層とジェンダーの視角から、沖縄の人びとの暮らしや語り方について詳しく記述していく。その前に、次節では、沖縄の人びとの暮らしを象徴するものとしての沖縄的共同性——強固なネットワークと独特な規範——に関する先行研究を整理し、階層とジェンダーという視角を導入することの意義について、改めて言及する。

---

(16) なお、産業別の所得格差の問題は、九〇年代以降のみならず、復帰前にも（琉球銀行調査部 1990）、そして復帰後にもみられる現象である（嘉数 1989；喜屋武 1989）。
(17) 今回は単純に男女別にわけ、その学歴構成の内訳を示したが、年齢別、コーホート別にわけ、その内訳を詳細にみていく作業が必要だろう。今後取り組むべき課題としてここに明記する。

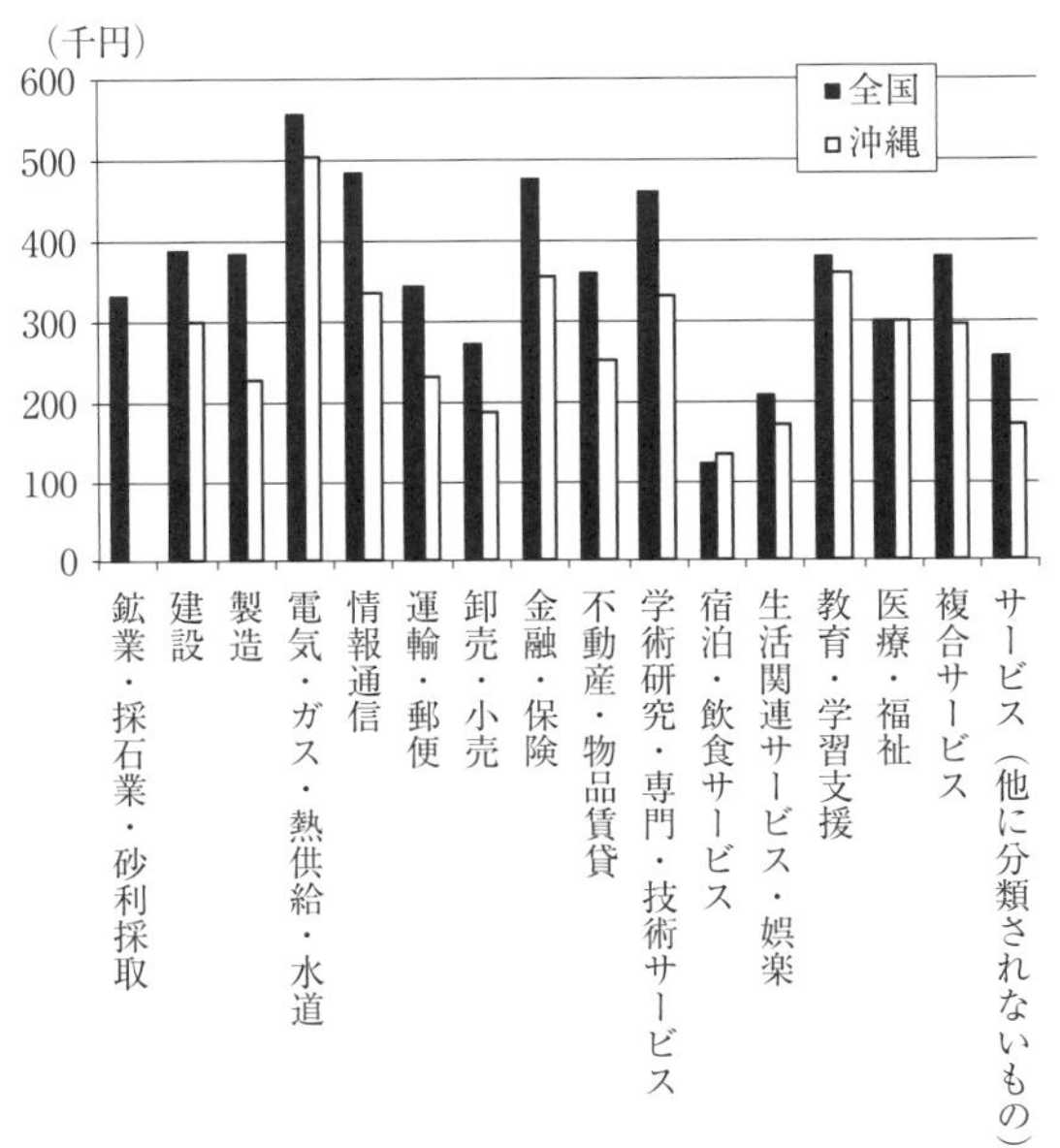

図７　産業大分類別常用労働者１人平均月間現金給与総額（2017年）

出所：『毎月勤労統計調査』

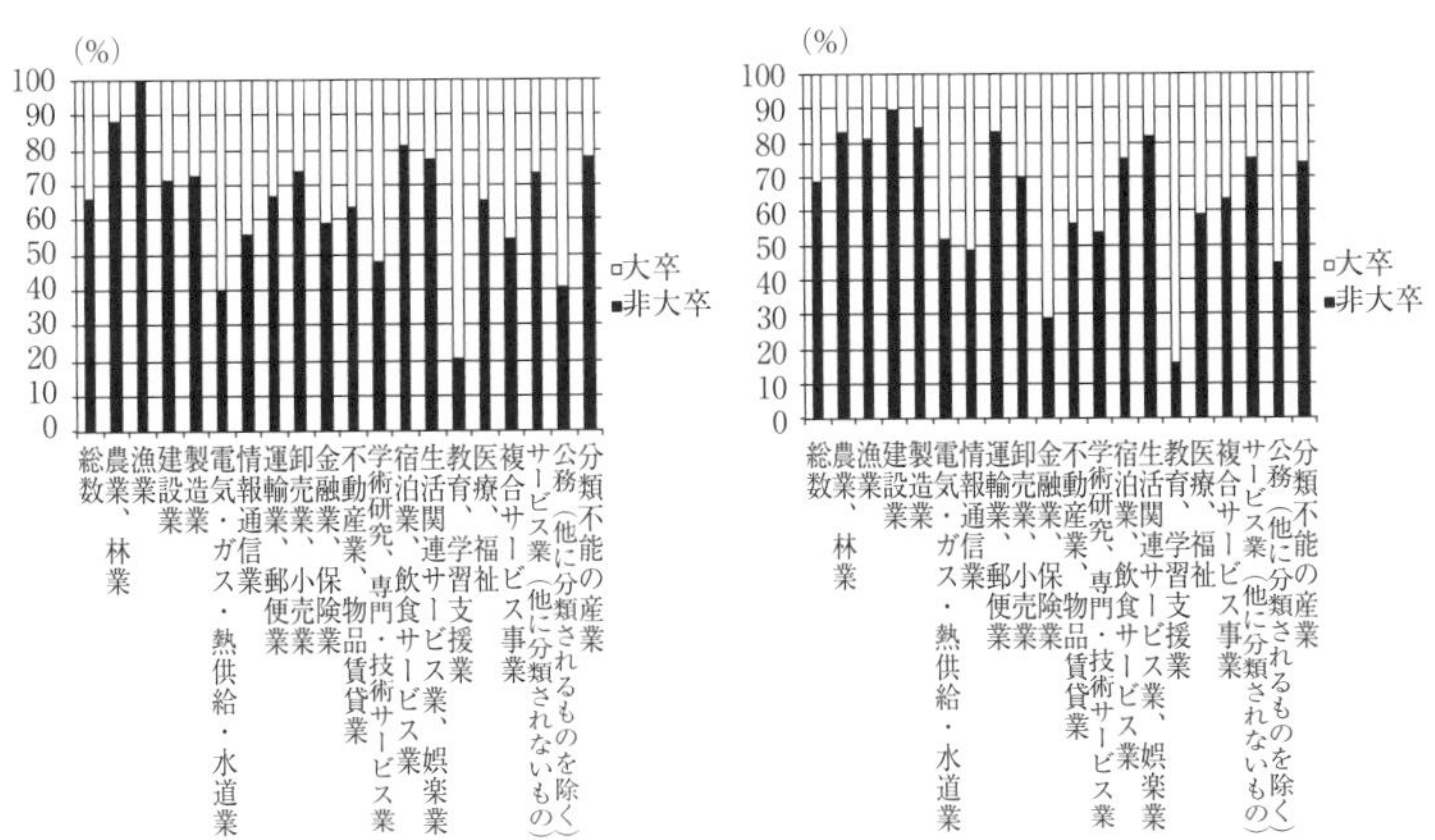

図９　産業別学歴構成比（沖縄・女）　　**図８　産業別学歴構成比（沖縄・男）**

注：非大卒とは、新制・旧制を問わず中等教育を受けた人、専門学校、各種学校に進学した人、義務教育を最終学歴とする人たちを指す。一方大卒とは新制大学、短大・高専、旧制の高等学校以上への入学者を指す。詳しい定義やその区分の有効性については吉川（2006）を参照。

注：「鉱業、採石業、砂利採取業」は沖縄県のデータが存在しないため省略。また学歴の「在学者」も省略。

出所：『就業構造基本調査』（2017）

二 「共同体の島」としての沖縄

本節では、沖縄的共同性に関する社会学的な議論について、社会学以外の隣接領域も視野に入れながら、その動向を包括的に検討する。沖縄的共同性とは、沖縄に関する従来の社会学的研究がもっとも関心を寄せてきた対象のひとつである。端的にいうと、地縁や血縁といったネットワークに基づく社会関係や集団性に関するものである。同時にその共同性は、自明かつ「所与のもの」として位置づけられてきた。岸政彦は、その著書『同化と他者化』（岸 2013）の結論部分において、沖縄に関する従来の社会学的研究を次のように整理している。

> 沖縄に関する社会学的先行研究において主な分析対象となってきたのは、マクロな歴史的状況におかれた諸個人の生活史やアイデンティティであるよりもむしろ、中間集団レベルでのネットワークや共同性、あるいは「結びあいのかたち」である。（同：387）

> それはつねにいうまでもなくそこにあるものであり、いつの時代でもどこの場所でもかわりなく持ち込まれ、維持され、再生産されるものとされている。（同：379）

沖縄的共同性の内実や先行研究の詳細については後述する。改めてここで確認しておきたいことは、岸が主張するように、沖縄に関する社会学的な先行研究が、「中間集団レベルでのネットワークや共同性」に関心を寄せ、それを「自明なもの」「所与のもの」として把握してきたという点である。そして岸は、従来の見方を批判的に捉え直すべきであるとし、階層やジェンダーといった視角を導入する必要性を説いた（岸 2014, 2016）。詳しい内容については本書の序章で述べられているのでここでは割愛する。

以下では、こうした問題関心を念頭に置きつつも、あくまでそれを論じるための前段階として、沖縄的共同性そのものに焦点を当てる。岸が指摘するように、沖縄的共同性は社会学的研究の中心課題であり、主な分析対象であった。しかしながらこれからみていくように、沖縄的共同性は、必ずしも社会学に限定された議論ではない。社会教育学や社会地理学、社会福祉学から経済学まで、社会学以外の隣接領域においても度々言及され、参照されてきた。沖縄的共同性はこれまでどのようなかたちで言及され、位置づけられ、参照されてきたのか。社会学以外の隣接領域にも視野を広げ、沖縄的共同性の輪郭をより具体的かつ包括的に把握する、これが本節の課題である。

沖縄的共同性に関するこれまでの議論は、大きく分けて次の二つに整理できる。第一に、集落・地域社会の根幹として共同性を論じたもの、第二に、共同性の機能に関するものである。後者に関しては、人びとの生活において共同性がいかに機能しているのかという議論と、逆に、その共同性がもたらす「ネガティブな側面」や、そもそも沖縄的共同性を「喪失」し、そこから排除された人びとに注目した議論に大別できる。ここでは、それぞれを共同性の「順機能論」「逆機能論」と仮に呼んでおく。とくに順機能論に関しては、都市生活への適応過程や社会移動の際に共同性が重要な役割を果たす、という点に論点が集約される。以下、順番に検討していこう[18]。最終的に、沖縄的共同性論のさらなる展開に向けて、岸が主張した階層やジェンダーといった社会学的な視点を導入することの意義を改めて確認し、次章以降のエスノグラフィックな記述の世界に議論を橋渡しする。

地域社会の根幹としての共同性

戦前から戦後への社会変動との関連で沖縄の基底的構造について論じた伊江朝章（伊江 1985）によれば、戦前の沖縄は、人口の八割以上が郡部住民で、砂糖を移出して米を買い入れるというモノカルチュア経済であり、農村村落に伝統的な共同体的気風が村落と都市を横断していた。要するに、「共同体的気風」が沖縄の社会生活の核をなすものであったという。伊江はこうした沖縄の村落共同体の基盤を、次の三つの側面から把握し、「沖縄社会のエトスともいうべき社会構造の基本的枠組み」（同：71）と表現している。すなわち、経済的側面としての「地割制」、精神的側面としての共通の祖霊神（御嶽）を尊崇する血縁・地縁の絆の強固性、社会的側面としての村落内婚制である。それぞれの詳細な説明については伊江の論文「沖縄の社会変動に関する一視点」に直接あたっていただくとして、ここでは、「血縁・地縁の絆」が戦前の沖縄社会のエトスとして理解されている点をおさえておく。かかるエトスが、急激な都市化を経験した戦後の沖縄社会においても重要な役割を果たしている、というのが伊江の見方であるが、この点については次項で再び立ち返ろう。

地縁・血縁に基づく共同性が沖縄社会の根幹をなす。かかる認識は多くの論者によって共有されている。山本英二らによって編まれた『沖縄の都市と農村』(山本ほか編 1995)は、戦後沖縄の構造的特質を「都市と農村」という軸から幅広く論じた貴重な調査研究である。編者のひとりである山本は、その九年後に単著『沖縄と日本国家』(山本 2004)を刊行し、日本国家との関連において沖縄社会――山本の言葉では「ウチナー社会」――について論じている。山本は、基本的な分析の視点として〈地域〉を採用し、その視点を採用することの意義を、琉球王国時代にまで歴史を遡ることで説明している。〈地域〉とは、地縁・血縁に基づくものであり、沖縄の人びとの「存立性の根拠」かつ「体内に深く内在しているもの」だと山本は捉えている。

すなわち〈地域〉とは、ウチナーの自然風土のなかで歴史的に形成されてきた社会的・文化的な

(18)　明治期以降の沖縄の集落や地域共同体に関する民俗学・人類学的研究は紙幅の都合上、取り上げない。沖縄集落の研究レビューについては社会教育学者である末本(2013)を参照。民俗社会学的なアプローチから日本社会における互助行為について論じた恩田(2006)もまた、その著書の中で沖縄の互助行為について考察している。一方、宮城(2016)は、沖縄村落社会研究の動向と課題についてレビューするなかで、相互扶助的な「沖縄村落共同体像」の基礎が一九七〇年代頃に形成されたとし、そのうえで、その社会学的ともいえる認識そのものを再考するべきではないかと提起している。

特徴をもち血縁的なまとまりがみられる地縁集団であって、そこに住む人の存立性の根拠となっているものである。（同：2）

すなわち、〈地域〉は、「心の紐帯」であり、「地」と「血」とが一体化されたもので、それは先に述べたウチナーの特質と深くかかわって構造化し、ウチナーンチュの体内に深く内在しているものだけに、巨大なヤマト国家権力でもってしても容易に公的システムのなかに溶解させることができない、といえる。（同：21）

山本と同様に、地縁・血縁に基づく共同性を分析の基本的視点としたのが山城千秋（山城 2007）である。山城は、沖縄の地縁・血縁共同体が沖縄独自の個性を有しているとし、青年教育の観点から、地域の青年会活動について分析を行った。山城のいう独自性とは次のようなものである。地縁・血縁結合が、シマ社会のもっとも基礎的な構成原理として機能し、それがシマ社会の生産、労働、文化、子育て、教育など、人間の生存や生活を支える相互扶助的な関係としても機能する（同：19）。そしてその「シマ社会」を根幹に青年会活動がなされている、というのが山城の認識である。

山城と同様に、社会教育の観点から沖縄のシマ社会に迫ったものに末本誠の著作（末本 2013）がある。末本は、公民館制度や字誌づくり、集落芸能である村踊りや個人のライフヒストリーなどを事例分析し、シマ社会の日常的な生活実践が多様で豊かな学びの意味世界を有していると結論づけた。ここでもやはり、部分的ではあるとはいえ、「共同性の強いシマ社会」という認識がはっきりと確認できる。末本は、沖縄社会教育の特質として七項目をあげ、その一つが「共同性の強いシマ社会」であるとし、複数の「個」が有する多様な「人生の物語」によって共同性が構成されると述べている（同：326-332）。他にも、生態人類学者である高橋そよ（高橋 2018）は、沖縄県宮古諸島の伊良部島佐良浜地区で約二〇年間のフィールドワークを実施し、素潜り漁を営む人たちの生活に奥深く入り込んでいる。そこでは、地縁社会の紐帯を基盤とした島嶼コミュニティの内実が浮き彫りとなっている。

一方で、地域社会の根幹をなす共同性に揺らぎが生じている、という指摘もある。社会地理学を専門とする前畑明美（前畑 2013）は、日本の島嶼社会のコミュニティの卓越性に着目し、そのなかでもとくにコミュニティ機能が卓越した地域として、沖縄の島嶼社会――主なフィールドは浜比嘉島と古宇利島――に目をつけた。具体的には、離島への主要振興事業である架橋化が、離島社会にどのような影響を及ぼしたのかについて分析を行っている。ここで明らかとなったのは、島内の人口構成や産業基盤の変容、そして「共同体の弱体化」であった。

こうした「共同性の揺らぎ」という論点は、今後の沖縄の地域社会を理解していくうえで、ますます重要となるだろう。なぜなら、社会状況の変化に伴い、当然ながら、地域社会のあり方やその社会的基盤にも「何らかの変容」が生じることが大いに予想されるからである。関礼子（関 2004）は、環境社会学の立場から、民俗行事や共同性に対する開発の影響について考察している。関は、沖縄の平安座島の海中道路工事と地域の民俗行事の関連性を記述するなかで、海中道路がいったん開通すると、島民の本島への通勤通学が可能となり、また、企業の職員などが本島から島内に通勤するようになったと述べる。その結果、地域社会で継承されてきた伝統的な民俗行事に企業職員が参加するなど、行事のあり方やそれを支えてきた地域の共同性にも質的な変化が生じることになったという。

> 平安座の共同性と凝集性が表出する民俗行事は、新たに石油企業を含めた共同性と凝集性を確認するものへと加工されてきたのである。（同：191-192）

社会状況の変化に伴い、地域社会の根幹にある共同性の内実が変化し、そのつながりによって維持され継承されてきた伝統文化もまた「加工」される。こうした側面は、青年会活動とそこに若者が参加することの多様な意味を考察した上間陽子の論文（上間 2007）と重なる部分がある。上間は、それぞれの「シマ」の青年会によって担われてきたエイサーという「伝統」が、「シマ」の枠を超えて現代的にアレンジされ、再創造される現状を若者たちの語りから明らかにしている[19]。

以上、沖縄の地域社会の根幹をなす共同性と、今日的な現象としての共同性の「揺らぎ」や「変容」についてみてきた。沖縄の共同性に関する評価や認識は論者によって異なるだろう。しかし、従来の研究の多くが、地縁・血縁ネットワークに基づく共同性そのものが依然として沖縄社会の根底に横たわり、何らかのかたちで沖縄の人びとの生活に作用している点を明らかにしてきたことに変わりはない。共同性とは、沖縄の人びとの「存立性の根拠」であり、「人間の生存や生活を支える相互扶助的な関係」としてある。沖縄の集落の教育文化的機能について探求した嘉納英明（嘉納 2015）は、沖縄の地域社会に対する現状認識としてこのように述べる。

沖縄においても地域社会の崩壊や共同体文化の衰退が指摘されて久しいが、一方では、今日においても強い地縁・血縁組織で結ばれ、〝結（ゆいまーる）〟と呼ばれる集落共同体の性格を色濃く残し、集落の文化の生成と継承の努力を続けている地域も存在する。（同：18）

共同性の順機能論——「都市の中のムラ」と社会移動

前項では、沖縄の地域社会の根幹をなす沖縄的共同性についてみてきた。ここからは、その共同性の役割に焦点を当てた研究群についてみていくことにしたい。それは端的にいうと、人びとの都市生活への適応過程や社会移動を支えるものとして共同性が機能しているという、いわば共同性の順機能論である。

ここで再び、伊江朝章の論文（伊江 1985）を参照しよう。沖縄は、戦前から戦後にかけて大きな社会変動を経験した。戦前まで、自己完結的な世界として営まれていた共同体であるムラは、第二次世

（19）　一九五八年創刊の月刊写真誌『オキナワグラフ』の二〇一八年七月号では、特集「ビバ！青年会」が組まれ、エイサーを支えてきた県内の七つの青年会が紹介されている。

界大戦により崩壊した。戦闘が終わると、九死に一生を得た人びとは軍政部の管理下に置かれ、各地に設置された難民収容所に集められた。戦禍や米軍による土地接収によって「帰るべきムラ」を失った多くの人びとは、収容所から解放されると、「基地の町」であるコザ（現沖縄市）や那覇市周辺部に流入することになる。こうした背景のもと、戦後の沖縄は、那覇都市圏に人口が集中し、また、米政府によるさまざまな経済政策も相俟って、都市化が進行していくことになった。すなわち、戦争によって「帰るべきムラ」を失った人びとの多くが、解放後、自らの生活を都市空間において再スタートさせたのである。

都市は、周知の通り、異質性の高さをその特徴とする。「帰るべきムラ」を失った人びとが流入した那覇都市圏もその例外ではなかった。そこで、都市流入者の生活を支えたもののひとつが郷友会であった。郷友会とは「同郷から（都市に）来ている友だちの結びつき」（鈴木 1986：407）であり、まさに「都市の中のムラ」である。郷友会では、メンバーの結束や一体感を高めるために様々な活動が行われており、運動会や敬老会などが一般的である（戸谷 1995：233–237）。そして戸谷修は、那覇都市圏への人口集中と、その時期に多くの郷友会が組織されていった当時の状況をこのように表現した。

沖縄において農村から都市へと大量の人びとが移動し、沖縄社会が大きく変容しようとしていた一九五〇年代以降、人口の集中化の激しい那覇に、集落単位の多くの郷友会が生まれていったことは、村から離れたものがかつてのふるさとで持っていた伝統的な社会・文化的関係を失うこと

なく、都市へソフト・ランディングするきわめて効果的な役割を担ったものだったと考えることができる。（同：227–228）

都市生活への適応過程で、「都市の中のムラ」である郷友会や模合[20]などの共同性が重要な役割を担ったという指摘は枚挙にいとまがない[21]（石原 1986：吉川 1989：高橋 1995：堂前 1997：山城 2007 など）。そのなかでもここでは、都市社会学者の鈴木広（鈴木 1986）と谷富夫（谷 1989）の研究を検討する。鈴木は、K・デービスらの過剰都市化（over urbanization）の概念を参照し、高失業状態にある那覇都市圏に人口が集中するその社会的メカニズムの解明に着手した。そして鈴木は、ある企業の倒産・模合・県内大手企業グループ・郷友会などの分析を通じて、地縁・血縁に基づく沖縄社会の特性を「シマ社会」と表現し、とくに那覇都市圏において結成された郷友会を「故郷の土着的共同体の都市化された模像」（同：407）と称した。そしてそのシマ社会を頼りに、沖縄の人びとは半失業半就労的な生業を達成していると結論し、一見「過剰」に見える状況が「正常化」するメカニズムを説明し

(20)　模合とは、頼母子講や無尽講の一種で広く庶民に親しまれている相互扶助的な金融の仕組みのことである（沖縄大百科事典刊行事務局編 1983）。
(21)　なお、学際的なアプローチを採用し、一九八〇年代時点の「沖縄の県民像」の把握を試みた沖縄地域科学研究所編（1985：24–38）は、郷友会、県人会、模合などを、沖縄県民の共同体意識を具現化したものとして取り上げている。

た。一方、鈴木の問題関心を継承した谷は、那覇都市圏への人口還流の社会・文化的特性について、生活史法を用いることで迫っている。そこでもやはり、本土への移動と沖縄への還流の過程において、家族主義や相互主義に基づくネットワークが機能し、失業から有業へと若者をすくいあげている点を明らかにした。谷はこうした世界を「ゲマインシャフト的第一次関係的世界」（谷 1989：297）と表現している。

さて、前項では、沖縄の地域社会の根幹をなす共同性の「揺らぎ」や「変容」について述べた。それでは、那覇都市圏における郷友会や模合といった「都市の中のムラ」についても同様の事態が確認できるのか。こうした問いに答えるだけの実証的知見の蓄積はまだまだ不足しているが、社会福祉学的な観点から「沖縄都市における地域生活と社会参加」を分析した川添雅由と安藤由美の研究（川添・安藤 2012）をここでは参照しておきたい。川添らは、二〇〇六年に実施した独自の調査結果をもとに、模合や自治会、同窓会などの地域の団体に所属し、活動している者が八割にものぼること、とくに模合は各年代で最上位を占めていることを指摘した。そのうえで、次のように結論づけている。

とりわけ四〇歳代以上の、模合や自治会といった地縁もしくはパーソナルな関係を軸にした基礎的な集団への参加が顕著であるという行動様式と意識は、地理的景観や職業構造が産業化している二一世紀初頭の沖縄都市においても、依然ゲマインシャフト的な共同態モザイクが基礎的な社会関係として機能していることを示唆している。（同：146–147）

谷（谷2014）も、生活史調査（一九七九〜一九八二年実施）によって仮説索出した「ゲマインシャフト的第一次集団の行動パターン」について定量的検証を行った。結果は次の通りである。

（略）沖縄的生活様式と都市適応の相関関係を確認することによって、統計的には「過剰」と見える那覇都市圏の都市化において、その実、ゲマインシャフト的第一次集団が機能することにより、多くの人たちが社会適応を果たしている、との仮説を量的調査によってある程度検証できたと考える。（同：20）

他に、現代沖縄の都市的現象として模合の組織化を考察した二階堂裕子（二階堂2014）や、同じく那覇周辺地域の親睦模合の役割に着目した平井（野元）美佐（平井（野元）2014）は、現在でも相互扶助的側面が維持されている点を明らかにしている。

以上、「都市の中のムラ」である郷友会や模合などの共同性は、現在もなお、那覇都市圏の中に息づいており、機能的な側面においてさほど大きな揺らぎや変容は生じていない、とみるのが現状認識としては妥当だろう[22]。

（22）なお、難波（2016）は、郷友会を「コミュニティ型」と「アソシエーション型」に類型化し、そのうえで北中城村の比嘉郷友会を後者の事例として位置づけることで、郷友会の現実と今後の行方について考察している。ここでは、アソシエーション型郷友会が解体過程にありながらも、シマ結合の揺るぎない存続が指摘されている。

なお、こうした「都市の中のムラ」という論点は、何も沖縄県内に限定される話ではない。沖縄は、歴史的にみて、県外に多くの労働力を送り出してきた。それに対し、海外や本土へ移住した沖縄出身者の生活に焦点を当てた研究が多数蓄積されており、そこでも分析の中心は郷友会や県人会などを含む、沖縄的な共同性であった（仲宗根 1988：佐藤 1997：桃原 1997：成定 1998 など）。それは、都市生活を送る沖縄出身者ないし「二世」「三世」にとって、共同性が資源としていかに機能するのか、どのように結びついているのかという議論であり、まさに「都市の中のムラ」論として把握できる。一方、かかる研究群で目をひくのは、共同性の多様性や創造性にも目を向けた点だろう。たとえば冨山一郎（冨山 1990）は、戦前に大阪へ移り住んだ沖縄出身者たちの定住過程を検討するなかで、沖縄的共同性が生活資源として機能している点を指摘しながらも、一方で、身体化された「沖縄的なもの」を沖縄社会のエリート層が否定していく側面を描いている。山口覚（山口 2006, 2008）もまた、兵庫県宝塚市へ移住した沖縄出身者の生活に焦点を当てながら、必ずしも「沖縄」に限定されない、地域の多様なネットワークの重なりに注目した。魁生由美子（魁生 1997）は、世代が下るにつれて従来の共同性とは異なる側面が創造されている点を記述した(23)。

もう一点、本土移住した沖縄出身者に関する研究群で看過できないのは差別の問題だろう。論者によってその描きかたに濃淡はあるものの、とくに戦前から戦後にかけて本土へ移住した沖縄出身者は、「琉球人お断り」の文言が象徴するように、「差別的なまなざし」が非常に強い時代状況を生き抜く必要があった。その意味でも、県人会などの共同性が果たす役割の大きさは計り知れないものがあっただろう。つまり、異質性や失業率の高い都市へ「ソフト・ランディング」していく際の共同性の役割を先に確認したが、同様に、いやおそらくそれ以上に、「差別的なまなざし」が強固であった本土大都市への定住過程において共同性が果たした役割が大きかったであろうことを、ここで強調しておきたい。

　このように、「都市の中のムラ」は、その対象地域が沖縄県内か否かにかかわらず、そして、対象とする時代状況を異にしても、繰り返し言及され、参照されてきたのである。この流れで、人びとの社会移動に議論をより限定し、既存研究について検討しよう。

　八木正（八木 1989）は、沖縄の若者の労働観や就労動向を検討する際に、沖縄へのUターン者を受け入れる社会的基盤を六点あげている。その内三点が「門中制度にみられる強い一族的保護システム」「間切（シマ）（部落）を同じくする者同士の強い地縁的結合と連帯」「相互扶助システムとしてのユレーグワー（模合）」である（同：101–103）。なお、「門中（ムンチュー）」とは、「始祖を共通にし、父系血縁（沖縄でシジという）によって結びつく集団」（沖縄大百科事典刊行事務局編 1983：645）を指す。野入直美（野入 2007）は、沖縄在住の日系人・外国人の定住とネットワークの関係性に着目し、「沖縄→南米→日本本土→沖縄」と世代を超えて経験される「三点型移動」の過程で、沖縄の親族ネットワークの強さを指摘した。また別の論文では、アメリカ人とアジア人の親をもつアメラジアンを育ててきた沖縄

（23）本土在住の沖縄出身者に関する先行研究のレビューは岸（2013）に詳しい。

のシングルマザーの生活史を取り上げ、家族・親族ネットワークが重要な資源として機能している点を明らかにした（野入 2015）。他にも、芳澤択也と上間陽子（芳澤・上間 2008）は、沖縄の若者の過酷な経済状況を踏まえたうえで、青年会や「地元の先輩－後輩」のネットワークがさまざまな場面で相互扶助として機能することで、沖縄の若者が過酷な状況をなんとか生き延びていると説明する。上原健太郎（上原 2014）もまた、沖縄出身大卒者の進路過程においても親や友人が生活基盤として機能していると述べる。

以上、地縁・血縁ネットワークに基づく沖縄的共同性が地域社会の根幹をなし、その共同性が人びとの都市生活への適応、ないし社会移動を支えているとする研究群を概観してきた。こうした検討からも明らかなように、沖縄的共同性に関する従来の研究の多くが、共同性の「ポジティブな側面」に焦点を当ててきたといえる。しかしながら当然、すべての者がその共同性に支えられているわけではなく、むしろ、その高い凝集性がもたらす「ネガティブな側面」や、そもそも沖縄的共同性を「喪失」し、そこから排除された人びとの存在もまた指摘されている。最後にその点について言及する。

共同性の逆機能論

沖縄的共同性の「ネガティブな側面」に関して、経営学の立場から次のような指摘がなされている。宮平進（宮平 1982, 1994）は、企業文化という観点から沖縄の企業経営の実態について論じており、本土企業との比較において、沖縄の企業経営の特徴を次の七点に要約した（宮平 1982：98）。

①同族企業が多いこと。
②同族企業の経営組織は門中意識に支えられていること。
③そのため、ヨコ社会志向で、血縁共同体意識が強いこと。
④血縁共同体的性格の強い組織では、人間関係において、「甘え」や「なれあい」が先行し、職務上の「きびしさ」に欠ける面があること。
⑤そのため、責任、権限の明確化という点で問題があること。
⑥組織効率が比較的に低いこと。
⑦門中の長老格が企業の上層部を構成しているため、特に戦略的意思決定において、形式的には集団主義的意思決定を経るにしても、実質的には単独決定であること。

上記①②③に関しては、過剰都市化の社会的メカニズムを分析した鈴木広（鈴木 1986）が、県内大手企業グループの分析などを通じて指摘したことと重なるが、一方で、経営学的な観点からみた場合、いかにも「沖縄的」な特徴である「共同体的性格」には「ネガティブな側面」（④⑤）が内包されているといえる。同様に、現代沖縄経済論を展開した内田真人（内田 2002）は、沖縄経済が抱える根本的な課題のひとつに「グローバル化の下での沖縄の閉鎖性」をあげている。例えば、一部の農水産関係の商品を除くと、建築資材や食品等の沖縄産の商品は県内向けが大半であること。また、人材面でも地縁・血縁といった家族的、感情的な結びつきが強いため、県内企業が沖縄県民の登用を重視する傾向にあることがあげられている。こうした「協調の色彩」は、沖縄独自の事情だけで通用する事項がますます減少するグローバル経済下において、不利な条件として作用しかねない、これが内田の見解である[24]（同：29-30）。ここで、沖縄ヤクルト株式会社に関する鈴木広（鈴木 1986：395-398）の研究が思い出される。沖縄ヤクルトは、本土復帰前までに急成長を遂げ、復帰後に倒産した。鈴木はその倒産について、「総括的にいえば、この沖縄ヤクルトのケースは相対的に自己充足的で閉鎖的な沖縄経済が、開放的な自由市場体制のもとに投げ出された結果、として説明することができるであろう」としている。

次に、キャリア形成論の立場から沖縄的共同性の問題点を指摘した論考を参照しよう。うつみ恵美子（うつみ 2005）は、若者の「就業意識」を育成するための仕組みづくりが重要であるとし、沖縄はその仕組みが不十分であると強い懸念を示している。沖縄的共同性もまた、その懸念材料のひとつとして数えられており、「ストロング・タイズ」である地縁・血縁は外部からの刺激を受けにくく、新しい情報が入りにくいため、キャリア形成上、問題がある。したがって、なるべく「濃密社会」から距離を取り、「ウィーク・タイズ」の関係を構築することが必要とされている（同：49-51）。他にも、沖縄の若者の「学校から仕事への移行」の特徴と課題について論じた芳澤拓也（芳澤 2017）によれば、地域ネットワークは若者の移行を支えると同時に、ときとして、若者の不安定性を維持するものとしても機能する。そのため、「地縁・血縁ネットワークの「共同性」の内容を腑分けし、その社会的意味を吟味する必要を要請する」（同：236）。うつみと芳澤の主張からは、そもそもの問題設定が異なるとはいえ、沖縄的共同性の「ネガティブな側面」が指摘されていることが確認できる。

最後に、沖縄的共同性を「喪失」し、そこから排除された人びとに焦点を当てた研究をみていこう。谷富夫・安藤由美・野入直美は、その編書『持続と変容の沖縄社会』（谷・安藤・野入編 2014）の「はじめに」で、次のように述べている。

沖縄社会の中心部に大きく存在する「沖縄的なるもの」の光が強ければ強いほど、その影は濃く、深刻さの度合いもいっそう強いのではないだろうか。（同：ii）

沖縄のハンセン病問題に詳しい中村文哉は、沖縄のハンセン病対策が本土に「約三〇年遅れ」をとったのはなぜかという課題を設定し、その一因を、沖縄社会の強固な地縁的・血縁的ネットワーク

---

(24) 一方、こうした状況をポジティブに評価する者もいる。たとえば沖縄で長年新聞記者をつとめてきた野里洋（野里 2007）は、「家庭や友情より仕事。そんな現代日本の行き詰まりを見ていると、所属する組織にすべてを捧げるタテ社会の生き方より、多少、生産性や能率が悪くなっても、沖縄のようにのんびり、ヨコとの繋がりを大事にして生きることの方が、私には素晴らしいと思える」（同：75）としている。一九五九年に二ヶ月間、沖縄を渡り歩いた芸術家の岡本太郎（岡本 1996：247-248）もまた、沖縄の官僚制度が未熟で、行政能力がないとする批判に対し、「近代的時間システムにまだ巻き込まれていない、悠々とした生活が生きている世界」として沖縄に魅力を感じている。

にみている（中村 2003）。中村は、地縁的・血縁的ネットワークの高い凝集力を背景に、ハンセン病患者が差別的なまなざしによって家族や地域から排除されていく当時の状況を記述した。また、療養施設の建設予定地をめぐって地域住民から強い反対運動が起こったことも詳述している。以上、中村の研究は、沖縄社会の地縁的・血縁的ネットワークの「温かさ」を認める一方で、その「残忍さ」を指摘したという点で従来の沖縄的共同性論とは一線を画す(25)。

野入直美（野入 2014）もまた、沖縄的共同性を喪失した人の人生に迫っている。野入は、本土Uターン経験者の生活史を分析する際に、野宿生活者の生活史を取り上げている。そこで明らかになったのは、家族・親族関係や知人・友人といったネットワークがセーフティネットとして機能しなかった、というものである。そこで野入は、次のような問題提起を行っている。

> これらの事例から読み取れることは、階層に起因する相違に着目していくことの重要性である。すべての沖縄出身者が「沖縄的生活様式」を享受しているのではなく、階層による格差、それも経済的な文脈だけではなく、文化資本や社会関係資本を含んだ格差が重要な意味をもっている。（同：39-40）

どういった社会的位置に置かれた人びとがその共同性を必要とし、またそれを享受しているのか。どの位置にある人びとがその共同性の「外側」に置かれ、いかなる生活を営んでいるのか。こうしたことを詳細に検討していくことが沖縄社会の複雑性や多面性をよりいっそう理解していくことにつながっていく。その意味で野入の問題提起は、従来の沖縄的共同性論に対する新たな社会学的課題を示唆したものとなっている。しかも、前節で述べたように、沖縄県内の階層格差がその他の地域に比べて大きいことに鑑みると、階層格差という視点から沖縄的共同性のあり方を検討することの意義はけっして小さくないはずである。そして本書はまさに、こうした社会学的課題に応えようとする新たな試みである。

おわりに

本節では、沖縄的共同性論について、社会学以外の領域にも視野を広げつつ、その内実を具体的かつ包括的に検討してきた。まず、沖縄的共同性は、地縁・血縁ネットワークに基づくものであり、沖縄の地域社会の根幹をなすものとして論じられてきた。社会状況の変化に伴う共同性の「揺らぎ」や「変容」といった側面も今日的現象として確認できるとはいえ、しかしながら、共同性は沖縄の人び

---

(25)　戦後の沖縄社会で自宅監禁を余儀なくされてきた精神障害者もまた、類似した状況に置かれており、その存在はときとして「無名化」されてきた（原・高橋　2019）。扱っているテーマは大きく異なるが、多様な性を生きる人びとに対する沖縄社会の「寛容さ」と「生きづらさ」を指摘し、その背景に沖縄社会の中にある家族観や家族規範が影響しているとする指摘もある（砂川　2018）。

然として強い。

との「存立性の根拠」かつ「人間の生存や生活を支える相互扶助的な関係」であるとする見方は、依然として強い。

次に、その共同性の機能性に焦点を当てた研究群がある。それは「都市の中のムラ」論である。郷友会や模合といった沖縄的共同性は、異質性や失業率の高い都市へと人びとが「ソフト・ランディング」する際に重要な役割を果たしてきた。同時に、主に戦前から戦後にかけての時期に、沖縄出身者に対する「差別的なまなざし」が強固であった本土大都市への定住過程において、その共同性が果たした役割には計り知れないものがあった。すなわち、「都市の中のムラ」論とは、都市生活への適応を促すものとして共同性を位置づける議論であり、これまでも多くの論者によって繰り返し言及され、参照されてきたのである。

その一方で、その高い凝集性がもたらす「ネガティブな側面」や、そもそも共同性を「喪失」し、そこから排除される人びとの存在を指摘した研究も、新たな研究動向として指摘できる。このように、これまで何度も繰り返し言及され、参照され続けてきた沖縄的共同性について、その内実をより多面的かつ詳細に描いていくという新たな課題が浮かびあがる。すなわち、これまでの議論の蓄積を踏まえつつも、一方で、階層などの社会学的な視点を新たに導入するという試みが必要な時期にきているのだ。沖縄都市の階層構造に関する数少ない研究として波平勇夫によるもの（波平 1980, 1990, 2000）がある。波平は、「社会階層と社会移動の全国調査」（ＳＳＭ調査）の手法を踏襲し、同様の調査を沖縄の都市で計三回実施し、沖縄の人びとの職業・学歴といった社会的地位の世代間移動や世代内移動、階層意識を分析した。ここですべての分析結果に言及することはしないが、本書にとって興味深いのは、高学歴者ほど、専門職や大企業事務といった比較的社会的地位の高い職業に就く傾向にあり、しかも、学歴と職業のこうした相関はこの三〇年間でより強まっているという指摘である。さらに、本人の教育機会が親の学歴・職業によって影響を受けていることも同様に指摘されており、したがって「沖縄もそれなりの階層社会」（波平 2000：67）であるとする波平の主張をいま一度、重く受けとめる必要がある。その意味で近年、沖縄の過酷な社会的現実について、階層やジェンダーの視座から詳述したエスノグラフィックな研究（上間 2013, 2015a, 2015b, 2017：打越 2008, 2012, 2014, 2018, 2019, 2020 など）やルポルタージュ（藤井 2018：琉球新報取材班 2020：山内 2020）が発表されていることは重要だ。[26]本書もこうした近年の動向の延長線上に位置づけられる。しかしくり返すが、従来の研究は、共同性の性質とその変化、あるいはその機能に議論が集中してきた反面、社会的な位置が異なる人びとが、それぞれの日常生活において共同性をどのように経験しているのかという問いを十分には採用してこなかったのではないだろうか。社会的位置が異なれば、そこで生きられる日常生活やその経験の内実も異なるとする見方は社会学の知的伝統である。

安藤由美（安藤 2013）は、「沖縄」をテーマとした社会学的研究の最近の動向について紹介し、沖

---

(26) 他にも例えば、男性優位の共同体の中で「放任的」な状況に置かれた「沖縄の非婚シングルマザー」の出産・育児の意思決定のプロセスに迫った研究がある（平安名 2020）。

縄が辺境（離島）の村落社会として対象化されてきたこと、ただし、九〇年代以降は、都市部を含めた、開発や軍事基地負担、エスニック・マイノリティとしての対象化、さらに〇〇年代以降はその解決をめざすポリティカルなものへと分析の重心が移ってきたと指摘した。しかしながら安藤は、それでもなお、「沖縄」に関する従来の社会学的研究が取り組んでこなかった「手薄な分野」があるとし、警鐘を鳴らしている。

ただ、一つ変わっていないように思えるのは、どこか沖縄は、明示的にせよ、暗示的にせよ、社会学が想定してきた日本という全体社会の外側に位置づけられてきたことである。このことは、社会学がこれまであまり取り組んでこなかった手薄な分野をみても、明らかである。具体的には、都市、階層・階級、家族、ジェンダーといった沖縄内部の差異化・構造化の観点から切り込む研究の圧倒的な不足である。（同：301）

「沖縄内部の差異化・構造化」に目を向けるべきだとする安藤の問題意識は、山根清宏（山根 2017）の主張と重なる部分がある。山根は、「見えない」住民としての外国人、日系人、アメラジアン、本土移住者（ナイチャー）に焦点を当てることの必要性を説き、その試みによって従来の「沖縄」研究の相対化を目指すべきであると主張する(27)。

沖縄的共同性を「沖縄内部の差異化・構造化」の視点からいかにして描きなおすのか。階層とジェンダーの視点を導入することで、従来の研究に対してどのような新たな知見を加えることができるのか。これが、本書が取り組むべき社会学的課題である。

文献

安藤由美、2013、「テーマ別研究動向（沖縄）」『社会学評論』64（2）：294-305
伊江朝章、1985、「沖縄の社会変動に関する一視点」『戦後沖縄における社会行動と意識の変動に関する研究』琉球大学法文学部、61-81
石原昌家、1986、『郷友会社会――都市のなかのムラ』ひるぎ社
上原健太郎、2013、「沖縄県における経済的特性と不平等」『沖縄における階層格差と人権』龍谷大学人権問題研究委員会、6-14
――、2014、「沖縄大卒者のローカル・トラック」谷富夫・安藤由美・野入直美編『持続と変容の沖縄社会――沖縄的なるものの現在』ミネルヴァ書房、83-105
上間陽子、2007、「「伝統」の再創造――エイサーへとりくむ若者たちへの聞き取りから」教育科学研究会編『教育』11月号、国土社、75-81
――、2013、「性と暴力に抗う「親密圏」――沖縄・キャバクラで働く若年女性たちのケースから」教育科学研究会編『講座　教育実践と教育学の再生　第4巻　地域・労働・貧困と教育』かもがわ出版、265-285
――、2015a、「風俗業界で働く女性のネットワークと学校体験」『教育社会学研究』96：87-108
――、2015b、「沖縄の若者のリスクとジェンダー的差異」『生活指導研究』32：1-11
――、2017、『裸足で逃げる――沖縄の夜の街の少女たち』太田出版

（27）本土移住者の研究としては須藤（2014）がある。

打越正行、2008、「仕事ないし、沖縄嫌い、人も嫌い――沖縄のヤンキーの共同性とネオリベラリズム」『理論と動態』創刊号、21-38
――――、2012、「建築業から風俗営業へ」『解放社会学研究』26：35-58
――――、2014、「沖縄的共同体の外部に生きる――ヤンキー若者たちの生活世界」谷富夫・安藤由美・野入直美編『持続と変容の沖縄社会――沖縄的なるものの現在』ミネルヴァ書房、108-131
――――、2018、「接待する建設業者／口説き落とすヤミ業者――沖縄のヤンキーの若者と地元・仕事・キャバクラ」川端浩平・安藤丈将編『サイレント・マジョリティとは誰か――フィールドから学ぶ地域社会学』ナカニシヤ出版、63-86
――――、2019、『ヤンキーと地元――解体屋、風俗経営者、ヤミ業者になった沖縄の若者たち』筑摩書房
――――、2020、「沖縄のヤンキーの若者と地元――建設業と製造業の違いに着目して」日本平和学会編『平和研究第54号　沖縄問題の本質』早稲田大学出版部、71-190
内田真人、2002、『現代沖縄経済論――復帰30年を迎えた沖縄への提言』沖縄タイムス社
うつみ恵美子、2005、『若者の未来をひらく――親、学校、現場体験が育む「就業意識」』なんよう文庫
岡本太郎、1996、『沖縄文化論――忘れられた日本』中央公論社
沖縄県子ども総合研究所編、2017、『沖縄子どもの貧困白書』かもがわ出版
沖縄大百科事典刊行事務局編、1983、『沖縄大百科事典 上下巻』沖縄タイムス社
沖縄地域科学研究所編、1985、『沖縄の県民像――ウチナンチュとは何か』ひるぎ社
恩田守雄、2006、『互助社会論――ユイ、モヤイ、テツダイの民俗社会学』世界思想社
魁生由美子、1997、「沖縄をめぐる関係性のネットワークと文化の現在」『立命館大学人文科学研究所紀要』68：231-257
嘉数啓、1989、「沖縄経済の概況」沖縄労働経済研究所編『概説 沖縄の労働経済 増補改訂版』1-35
嘉納英明、2015、『沖縄の子どもと地域の教育力』エイデル研究所
――――、2017、『名桜大学やんばるブックレット 別冊2 子どもの貧困問題と大学の地域貢献』沖縄タイムス社

川添雅由・安藤由美、2012、「沖縄都市における地域生活と社会参加」安藤由美・鈴木規之編『沖縄の社会構造と意識——沖縄総合社会調査による分析』九州大学出版会、127–148

岸政彦、2013、『同化と他者化——戦後沖縄の本土就職者たち』ナカニシヤ出版

———、2014、「沖縄の階層格差と共同性——「安定層」の生活史から」『龍谷大学社会学部紀要』44：36–47

———、2016、「錯綜する境界線——沖縄の階層とジェンダー」『フォーラム現代社会学』15：63–78

北原秋一、2004、「雇用関連統計から視る新たな雇用戦略提言——沖縄の特質と雇用拡大への基礎的アプローチ」『経済統計研究』（32）2：15–29

吉川徹、2016、『学歴と格差・不平等——成熟する日本型学歴社会』東京大学出版会

喜屋武臣一、1989、「賃金・労働時間」沖縄労働経済研究所編『概説 沖縄の労働経済 増補改訂版』111–142

越野泰成、2007、「基地と沖縄経済」大城郁寛編『図説 沖縄の経済』編集工房 東洋企画、138–149

櫻澤誠、2015、『沖縄現代史——米国統治、本土復帰から「オール沖縄」まで』中央公論社

佐藤嘉一、1997、「移住（海外・本土）と社会的ネットワーク——郷友会組織と呼寄」『立命館大学人文科学研究所紀要』68：67–111

新豊直輝、2007、「沖縄の労働市場と労働問題」大城郁寛編『図説 沖縄の経済』編集工房 東洋企画、86–101

———、2008、「沖縄の雇用問題と経済構造」『りゅうぎん調査』（461）りゅうぎん総合研究所、8–15

末本誠、2013、『沖縄のシマ社会への社会教育的アプローチ——暮らしと学び空間のナラティブ』福村出版

鈴木広、1986、『都市化の研究——社会移動とコミュニティ』恒星社厚生閣

須藤直子、2014、「本土出身者の移住をめぐる選択と葛藤」谷富夫・安藤由美・野入直美編『持続と変容の沖縄社会——沖縄的なるものの現在』ミネルヴァ書房、154–175

砂川秀樹、2018、「マイノリティから社会を開く——ピンクドット沖縄の実践から」『世界』9：100–106

関礼子、2004、「開発による伝統の再編と民俗行事の力学——共同性とアイデンティティをめぐるポリティクス」松井健編『島の生活世界と開発3　沖縄列島——シマの自然と伝統のゆくえ』東京大学出版会、169–194

高橋明善、1995、「都市社会の構造と特質——那覇市の「自治会」組織を中心に」山本英治・高橋明善・蓮見音彦編

『沖縄の都市と農村――復帰・開発と構造的特質』東京大学出版会、179–220
高橋そよ、2018、『沖縄・素潜り漁師の社会誌――サンゴ礁資源利用と島嶼コミュニティの生存基盤』コモンズ
橘木俊詔・浦川邦夫、2012、『日本の地域間格差――東京一極集中型から八ヶ岳方式へ』日本評論社
田中英光、1990、「消費と所得」たいらこうじ編『リーディングズ　労働市場論――沖縄を中心に』沖縄労働経済研究所、231–248
谷富夫、1989、『過剰都市化社会の移動世代――沖縄生活史研究』渓水社
――――、2014、「沖縄的なるものを検証する」谷富夫・安藤由美・野入直美編『持続と変容の沖縄社会――沖縄的なるものの現在』ミネルヴァ書房、2–22
谷富夫・安藤由美・野入直美編、2014、『持続と変容の沖縄社会――沖縄的なるものの現在』ミネルヴァ書房
堂前亮平、1997、『沖縄の都市空間』古今書院
戸谷修、1995、「那覇における郷友会の機能」山本英治・高橋明善・蓮見音彦編『沖縄の都市と農村――復帰・開発と構造的特質』東京大学出版会、221–240
富永斉、1995、『沖縄経済論　地域科学叢書Ⅻ』ひるぎ社
冨山一郎、1990、『近代日本社会と「沖縄人」――「日本人」になるということ』日本経済評論社
名嘉座元一、2009、「若年者の離職行動からみた沖縄県の特性」大阪国際大学経済学部『沖縄国際大学経済論集』5（1）：31–48
仲宗根栄一、1988、「県外就職における県人社会の役割」沖縄労働経済研究所編『沖縄県労働力の県外移動に関する調査研究報告書――経済自立に向けて労働市場の役割を探る』143–153
難波孝志、2016、「沖縄軍用地利用とアソシエーション型郷友会――郷友会組織の理念と現実」『社会学評論』67（4）：383–399
仲地健、2007、「米軍基地の立地と自治体間の財政力格差」沖縄国際大学産業総合研究所編『沖縄における地域内格差と均衡的発展に関する研究』泉文堂、43–62
中村文哉、2003、「沖縄社会の地縁的・血縁的共同性とハンセン病問題――「愛楽園」開設までの出来事を事例に」西

成彦・原毅彦編『複数の沖縄――ディアスポラから希望へ』人文書院、54–76
波平勇夫、1980、『地方都市の階層構造――沖縄都市の分析』沖縄時事出版
――――、1990、「1987年沖縄都市職業構造調査報告書（1）」『沖縄国際大学文学部紀要 社会学科篇』17（1）：51–111
――――、2000、「1997年沖縄都市職業構造調査報告書（1）」『沖縄国際大学社会文化研究』3（1）：43–89
成定洋子、1998、「関西のエイサー祭りに関する一考察――「がじゅまるの会」における役割」『沖縄民俗研究』18：77–92
二階堂裕子、2014、「ウチナーンチュの生活世界」谷富夫・安藤由美・野入直美編『持続と変容の沖縄社会――沖縄的なるものの現在』ミネルヴァ書房、65–82
野入直美、2007、「沖縄の日系人・外国人の来沖、定住とネットワーク」安藤由美・鈴木規之・野入直美編『沖縄社会と日系人・外国人・アメラジアン――新たな出会いとつながりをめざして』株式会社クバプロ、32–49
――――、2014、「本土移住と沖縄再適応」谷富夫・安藤由美・野入直美編『持続と変容の沖縄社会――沖縄的なるものの現在』ミネルヴァ書房、23–44
――――、2015、「アメラジアンの子どもを育てる――シングルマザーのライフヒストリー」『沖縄ジェンダー学2 法・社会・身体の制度』大月書店、35–62
野里洋、2007、『癒しの島、沖縄の真実』ソフトバンククリエイティブ株式会社
原義和・高橋年男、2019、『消された精神障害者――「私宅監置」の闇を照らす犠牲者の眼差し』高文研
平井（野元）美佐、2014、「親睦模合と相互扶助――沖縄・那覇周辺地域における模合の事例から」『生活學論叢』26：3–16
藤井誠二、2018、『沖縄アンダーグラウンド――売春街を生きた者たち』講談社
藤島洋一、1979、「復帰後の沖縄県の労働市場について」鹿児島大学教養部研究紀要『鹿児島大学 社会科学雑誌』（2）：73–115
平安名萌恵、2020、「「沖縄の非婚シングルマザー」像を問い直す――生活史インタビュー調査から」『フォーラム現代

社会学』19：19–32
眞榮城守定、1998「沖縄の雇用問題分析」琉球大学教育学部『琉球大学教育学部紀要』53：31–44
―――、1999「沖縄経済の課題と新展開」琉球大学教育学部『琉球大学教育学部紀要』54：151–166
前畑明美、2013『沖縄島嶼の架橋化と社会変容――島嶼コミュニティの現代的変質』御茶の水書房
牧野浩隆、1996『再考　沖縄経済』沖縄タイムス社
松島泰勝、2002『沖縄島嶼経済史――12世紀から現在まで』藤原書店
宮城能彦、2016「沖縄村落社会の動向と課題――共同体像の形成と再考」『社会学評論』67（4）：368–382
宮平進、1982「経営組織と管理運営」島袋嘉昌編『戦後沖縄の企業経営』中央経済社、67–101
―――、1994「沖縄の企業文化」沖縄心理学会編『沖縄の人と心』九州大学出版会、243–249
桃原一彦、1997「沖縄を根茎として」奥田道大編『都市エスニシティの社会学――民俗／文化／共生の意味を問う』ミネルヴァ書房、23–37
八木正、1985「沖縄青年の労働観と就労動向――その概観」『金沢大学教養部論集 人文科学編』22（2）：69–103
山内優子、2020『誰がこの子らを救うのか　沖縄――貧困と虐待の現場から』沖縄タイムス社
山口覚、2006「ひとつの場所／いくつかのシーサー――宝塚市における沖縄出身者と「沖縄」」三浦耕吉郎編『構造的差別のソシオグラフィ――社会を書く／差別を解く』世界思想社、238–273
―――、2008『出郷者たちの都市空間――パーソナル・ネットワークと同郷者集団』ミネルヴァ書房
山城千秋、2007『沖縄の「シマ社会」と青年会活動』エイデル研究所
山根清宏、2017「脱「沖縄」研究へ――閑却された「見えない」住民を磁場に」琉球大学教育学部『琉球大学教育学部紀要』91：29–40
山本英治、2004『沖縄と日本国家――国家を照射する〈地域〉』東京大学出版会
山本英治・高橋明善・蓮見音彦編、1995『沖縄の都市と農村――復帰・開発と構造的特質』東京大学出版会
吉川博也、1989『那覇の空間構造――沖縄らしさを求めて』沖縄タイムス社
芳澤拓也、2017「沖縄の若者の移行の特徴と課題――ネットワークの特徴とその意味」乾彰夫・本田由紀・中村高康

編『危機のなかの若者たち――教育とキャリアに関する5年間の追跡調査』東京大学出版会、215-239
芳澤拓也・上間陽子、2008、「沖縄の若者をめぐる労働市場の現在と相互扶助ネットワーク」『現代と教育』桐書房、76：70-82
与那国暹、2001、『戦後沖縄の社会変動と近代化――米軍支配と大衆運動のダイナミズム』沖縄タイムス社
琉球銀行調査部、1990、「ドル経済と労働」たいらこうじ編『リーディングズ　労働市場論――沖縄を中心に』沖縄労働経済研究所、1-35
琉球新報取材班、2020、『夜を彷徨う――貧困と暴力　沖縄の少年・少女たちのいま』朝日新聞出版

第一一章　距離化——安定層の生活史

岸　政彦

一　安定層の生活史調査

本章では、沖縄の「安定層」の人びとの生活史の語りを参照し、そこから沖縄の階層構造において比較的上位にいる人びとにとって沖縄的共同性とは何か、という問題を考える。かれらの語りのなかでとくに注目するのは、共同体からの「距離化」の語りである。

私が担当したのは、沖縄の公務員、教員、大企業社員などの「安定層」の人びとの生活史調査である。まず二〇一二年の八月二〇日から九月七日にかけて、このカテゴリーに該当する二〇名の人びとの生活史を聞いた。続けて、二〇一三年二月二六日から三月五日まで、八月三一日から九月六日まで、一〇月二一日から二三日まで、二〇一四年六月二三日から二五日までの日程で一四名の方の聞き取りをおこない、合計して三四名の生活史の語りを得ることができた。男女比はほぼ半数ずつ、年代は二〇代から六〇代までの拡がりがあった。

まず私の、沖縄県の知り合いから語り手を紹介してもらい、その語り手からまた別の方を紹介してもらうというやり方で、少しずつ調査をすすめた。琉球大学や県外の名門大学を卒業し、沖縄県や各市町村で働く公務員の方、地元小中学校や高校の教員の方、研究者や大学の教員の方、沖縄電力や国場組などの県内の有力企業の正社員の方など、高学歴で安定した暮らしをされている方という条件で紹介してもらい、アポイントを取ってひとりずつお会いして、平均して二～三時間その生活史の語りを聞いた。

調査は極めてスムーズにおこなわれた。これこそがまさにこの層の人びとの特徴かもしれないのだが、ほとんどの連絡はメールによっておこなわれた。紹介者の方から次の語り手候補の方のメールアドレスを教えてもらうと、そのアドレスに、簡単に自己紹介と調査の趣旨を書き添え、アポイントのお願いをしていった。メールを送ったすべての方から快諾を得ることができた。アドレスの間違いなどで連絡がつかない場合をのぞき、調査をはっきりと断られたことは一度もなかった。

聞き取りは短期間のあいだに、淡々と、事務的に進行した。待ち合わせ場所は職場の学校の教室や役所の会議室の場合もあれば、那覇の街中のカフェになることもあった。多くは那覇周辺でおこなわれたが、名護まで出かけたこともある。紹介者から紹介されたアドレスに丁寧な文章でメールを書き、お返事をいただくと、すぐに聞き取りの日程と場所が決められ、私は手土産を持参して、指定されたカフェや会議室へ向かう。ほとんどの方が初対面だった。挨拶と自己紹介と調査の趣旨をもういちど述べ、なごやかに聞き取りは始まる。生い立ちの話から、家族のこと、いまの仕事を選ぶまでのプロセス、職場での人間関係など、細かいところまでじっくりとインタビューをして、お礼を述べて、その場を立ち去る。そして、あらためてお礼のメールを送る。

調査のやり方や実際のプロセスは、調査対象によって規定される。語り手の方がたの多くが、パソコンのメールアドレスを持っていて、お互い事務的な文章を交わして連絡を取り合うことができた。三四名のうちで、待ち合わせの場所に遅刻してこられた方はひとりもいなかった。

もっとも印象的だったのは、調査の趣旨を説明すると、大抵の場合その趣旨が理解され、同意されたということだった。私は意図的に、インタビューの前か後に、調査の趣旨として、この調査プロジェクトの理論的な枠組みのようなものを説明していた。先行研究において「沖縄的共同体」が一枚岩的に語られていること、それは研究だけに限らず、あらゆる沖縄をめぐる表現のなかでいつも同じように語られているということ。しかし実際には沖縄には階層格差が厳然として存在し、そしてその階層のどの位置にいるかによって、沖縄的共同体との距離の取り方に違いがあるだろうということ。私たち共同調査のメンバーが、それぞれ別個に到達していたこの考え方を、私はいつも語り手の方にぶつけてみた。

たとえば、次の会話は、二〇一二年八月二九日、県内のある高校の空き教室でなされたインタビューの、出だしの部分である。聞き取りの対象はこの高校に勤める二〇代の男性教員だった。聞き取りが始まるところで、私が調査の趣旨を説明している（括弧内は引用者補足、以下同様）。

――あのー、簡単に言うと、どう言うんですかね。階層格差みたいなところがすごい。まあ格差の問題とか、世代間の再生産が（政治的な）問題である（かどうか）っていうのはちょっと、微妙な議論になってくるんで、それは置いといて……。とにかくその、僕らが、ナイチャーから見ると、我々の業界（社会学）でもそうなんですけど、その、沖縄っていうのをすごい、ひとつのものとして見られちゃうんですね。みんななんか、なんか温かくて優しい、みたいな感じで描いてるんですよ。

（笑）はい。

――まあ、（共同体的な）つながりは、実感として濃いなと思うんですけど。それはあると思うんですけれども、たぶんいろいろな方がいろいろな暮らしをされてると思うんで。あんまりそういうところ伝わってこないんですよね。で、できたらその沖縄っていってもいろいろなんだよっていうところを描けたらいいなって思ってて。

はい。

――その、今回Aさんにご紹介を（してもらって）。すいませんね、お忙しいところになんか。

いえいえ大丈夫ですよ（笑）。

このような説明が受け入れられなかったことはほとんどなかった。社会学では、調査というものは対象者と調査者との相互作用によってつくられるのだ、ということがよく言われる。その意味ではまさに、私の今回の調査でも、聞き手である私の趣旨説明や質問の仕方などによって、語り手の語りが「方向付けられた」ということがいえるだろう。私は沖縄の階層格差と、それによる共同体との距離について聞きたいと思ったし、そのようにインタビューの時間全体を構成した。そして語り手も、ほとんどが私の語りかけに答えるかたちで、自らの階層と共同体に関する経験を語っていた。

しかし、生活史調査における語りが、聞き手と語り手の相互作用で「つくられる」というときの「つくられる」という言葉の意味は、「恣意的」ということをまったく意味しない。語りが語り手と聞き手からつくられられるからといって、私たちはいかなる場合においても、どんな語りでも、自由につくれるわけではないし、相互作用のプロセスによって思わぬ展開になることはあっても、そこで語られた語りが現実と何の接点もないということも意味しない。いくら調査の現場の相互作用において共同的な達成がみられたとしても、語りを「無から」つくりだすことはできないのだ。私は二〇年以上も沖縄に通って、それなりに階層的な「現実」を目にしてきた。その経験に基づいて本書のプロジェクトを立ち上げたのだが、この経験は、多くの安定層の語り手たちも共有している。ここで得られた語りは、そのような階層という現実の経験の共有が可能にしているのである。

沖縄でのあらゆる調査が、いつも必ずこれほどスムーズに進むわけではない。私は二〇〇二年ごろに本土就職をしてからUターンした人びとの調査をしたのだが、そのころは私自身まだ沖縄県内にそれほどのつながりがなかったので、知り合いだった県内の大学教員や公務員、教員の方がたに語り手を紹介してもらおうとした。しかし地元に生まれた「ウチナーンチュ」である友人や知り合いたちも、「中卒や高卒で出稼ぎをしたことのあるひと」に、つてがほとんどなかった。つまり、大卒で公務員や教員をしている友人たちには、私に紹介できる中卒や高卒の出稼ぎ経験者に、日常的なつながりがなかったのである。もうひとつ、そうしたつながりの薄さに加えて、どうにかしてたどりついた方にも、調査の趣旨を説明することがとても難しかった。三線や琉舞のような「わかりやすい」沖縄的なものならともかく、沖縄のある階層の、多くの方がたに経験がある本土就職というテーマで聞き取りをすることがどのような意味を持っているのか、なかなか伝わらなかった。出稼ぎや集団就職は、わかりやすい「沖縄的なもの」とは、まったく関係がないものと受け取られることが多かったのである。

ほとんどが大卒で安定した地位についていた私の知り合いや友人たちが、ある特定の階層の人びとを中心としてつながっていて、それ以外の層の人びととのあいだにつながりがほとんどなかったこと。このことは私に、沖縄社会の内的な「多様性」についての、強い印象を残した。

こうした調査のプロセスの差異は、繰り返しになるが、調査対象の方がたがどのような「社会的存在」であるかということの差異でもある。もちろん、階層構造における位置と、各々の個人の態度や規範が一対一で対応しているわけではないだろう。しかしこれらの差異は、調査を進めていくなかで、私にとって非常に印象的だった。

私はやがて、私自身がお付き合いをしている沖縄の人びとが、ゆるやかに、相対的に他と区別しうるあるひとつの「まとまり」のなかにいること、そして、そのまとまりの外側にいる人びととのつながりがとても少ないことに気づくようになった。そして、それはもしかしたら、沖縄という社会の、ひとつの構造をあらわしているのではないかと思うようになった。

私がこの聞き取り調査で聞こうとしたのは、安定層の方がたの「距離化」の体験であった。調査をはじめる前に、メンバーによる何度かの研究会などで徐々に浮かび上がってきたのは、次のような仮説だった。沖縄的共同性のなかで生まれたものが、やがて学校で良い成績をおさめ、琉球大や内地の名門大学などを卒業して県内で公務員や教員などになっていくときに、地元の沖縄的共同体と距離をとっていく。そして、そうした人びとは、生まれ育った沖縄、とくにその共同体的な特質について、同じように距離を保った語り方をするかもしれない。次節以降で詳しく紹介する、ある四〇代の公務員の男性の語りを、ここで引用しよう。

まあね、よく言われるのが、沖縄のちっちゃな東大みたいなこと言うじゃないですか。で、笑ってしまう、これもよく聞かれる話だと思うんですけど、あのー琉大に受かったって言ったらすごくおばあが喜んだけれども早稲田に受かったって言ったらどこの大学ねっていう（笑）。

琉大の合格がなぜそれほど「おばあ」に喜ばれるのだろうか。それは、琉大に入ることは、沖縄の人びとにとってはただの進学ではなく、県庁や市役所や学校に直接つながる回路に乗るということだからである。もちろん、沖縄大学や沖縄国際大学なども多数の安定層を輩出しているが、沖縄社会において琉球大学がもつ象徴的な意味は、きわめて大きなものがある。琉球大学に進学するということは、公務員などの安定した雇用に現実的に近づくということである。それは何よりも、「親孝行」なのだ。琉大生になることは、進学者本人だけの問題ではない。それは家族や親族にとっても、特別な意味を持ったできごとなのである。

このような、琉大あるいは「公務員」がもつ社会的意味を考慮すれば、沖縄において安定層になることの意味も明らかとなる。ここで注意しなければならないのは、本章で考察と分析の対象とする安定層は、必ずしもエリート層を意味しているのではない、ということだ。ごく少数の政治的エリートや大資本家に比べれば、たしかに安定層といっても地方公務員や教員の給料で暮らしている限り、その豊かさは「相対的」なものでしかない。ここで教員・公務員・大企業社員などの「安定層」の人びとを取り上げるのは、それが他と比べて特権的な豊かさを享受しているからではない。そうではなく、安定層の人びとが、沖縄社会において独特の地位をしめる「あつまり」だからだ。それは沖縄の人びとが選択しうる現実的なライフコースのなかでも、きわめて有力な、沖縄社会を特徴づける人びとだからである。

しかし、このような仮説を抱いて沖縄県内で聞き取り調査を続けた結果として浮かび上がったのは、語り手それぞれに違った距離化の経験があるという、ごく当たり前の、しかし調査をはじめる前にはなかなか具体的に思い至らなかった事実だった。

聞き取りの現場では、多くの語り手から、沖縄方言を使えないこと、家族や親戚のつながりは思われているほど強くはないこと、「三線を持ち出しカチャーシをする」ような親族の集まりを経験したことがないこと、高校で進学校に進んだあとは、小中学校の地元の友だちとのつながりが徐々に断ち切られていくこと、模合に参加しているといっても単なる飲み会の口実のような「親睦模合」で、そこから生活資金や生業資金を調達することはないこと、沖縄社会に対するよくあるイメージのような生活を自分が送っていないということ、大学に入ってはじめて沖縄文化に目覚め、「習い事」として野村流などの古典的な沖縄芸能を意識的に習得することが語られた。聞き取りのなかでは、それぞれの「距離化」や「離脱」のさまざまな物語が語られた。それらの物語はすべて、事前に考えられていたよりもはるかに多様で複雑だった。

安定層の人びとが、沖縄的な共同体に対して相対的に距離を置いた生活をおくり、そしてそのように語る、ということは、今回の調査ではほぼ例外なくみられたことだが、もちろんそれは、人生の始まりにおいて共同体に埋め込まれていて、そして琉球大学などに進学してはじめて「ここではない世界」と出会い、徐々に離脱していった、という単線的なストーリーや因果関係があるという意味ではない。むしろ、本章で紹介するいくつかの生活史で語られたように、都市部やあらたに開拓された離島で生まれ育ち、もとからいわゆる沖縄的イメージからかけ離れた子ども時代を過ごした方も多かった。こうした多様性や複雑さについては、何度も強調しておきたい。

だが、その多様性や複雑さを目の前にしてもなお、それでも私は、沖縄の階層的現実について、そして沖縄的なものの経験について、語らなければならない。確かに人びとの暮らしや生い立ち、行為や経験は、分析も解釈もできないような、多様で流動的なものだ。しかし、だからといって、それらがすべてランダムに、無根拠にただ多様であるのではない。そこには「社会的な力」が確かに作用しているはずなのである。言うまでもないことだが、もとからそうした「多様性のもとで」生まれ育ったからといって、その距離化と離脱の生活史はその生まれの効果であって、階層による効果は「効いていない」のではないか、ということにはならない。私たちが明らかにしたいのは因果関係ではないのだ。重要なのは、そうした離島や都市部で生まれ育った人びとも、経済的条件によっては地元社会のネットワークの中で暮らさざるをえなくなるだろう、ということと、なによりも、ここで紹介する四名を含む安定層の人びとの生活が、現にいま「原初的」な沖縄的共同性から相当の距離を保って営まれることが可能になっている、ということなのである。

社会的な差異とは何か。それは個人やその行為を隔て、分割する力である。その壁は容易に乗り越えられない。もちろん、ここにもあの「個人差」というものが存在する。しかしまさにその個人であるということそのものの中心に、差異化する社会的な力が必ず作動しているのである。したがって私たちは、もっとも個人的なもののなかに、もっとも強い社会的な力が働いていることを描かなければならない。例外、個人差、多様性、固有性といったもののなかに、ある特定の学歴、特定の階層、特定のジェンダー、特定の民族などに割り振られた、社会的な力が働いているのである。私たちが興味があるのは、平均値でも中央値でもない。ひとつひとつの固有のケースにおける、社会的なものの現れ方である。

そして、まさに生活史は、社会的な力と個人的な自由が交差する場である。安定層の人びととの生活史を聞きとり、その語りから安定層における「距離化の経験」を再構成する。これが本章の目的である。調査全体を通じて三四名の語り手から生活史を聞き取ることができたが、紙数の都合もあり、以下ではそのすべてを参照することができない。なかでも特に「印象的」あるいは「象徴的」だと思われた四名の生活史を中心に取り上げ、そこから安定層の人びとと沖縄的共同体との関係について考えたい。しかし本章ではあえて、必要以上の解釈や説明を省略し、語りそのものに「語ってもらう」というやり方で、その多様な経験を理解しようと思う。

二　「よそ者はよそ者なんですね」——公務員・男性・一九六四年生まれ

二〇一二年八月二八日（火）聞き取り。一九六四年、那覇生まれ、男性。四人きょうだい。両親は先島（宮古・石垣地方）出身で、一九六〇年ごろ那覇の繁華街に移動、その後そこで結婚・出産。父親は技術者で長い期間、家を空けることが多かった。高一のときに父親が自宅を購入、那覇の郊外へ転居。この「郊外」で、彼はほとんどはじめて「沖縄的共同性」に出会うことになる。琉大卒業後、大阪の会社に就職するが、二年ほどで公務員試験に合格し地元採用されUターン。娘をインターナショナルスクールに通わせている。那覇郊外の実家を所有しながら都心の賃貸マンションで暮らす。

彼が生まれた一九六四年の沖縄は、戦後の高度成長期の後半で、きわめて成長率も高く、社会全体が急激に近代化していた時期にあたる。日本復帰が現実的となり、復帰運動もますます激しさを増していた。低い失業率と高い成長率は、沖縄社会に活気をもたらしていた。

そして戦後の沖縄は、「流動性の島」でもあった。周辺部や離島から人びとは那覇に集まり、浦添や宜野湾まで広がる巨大な「那覇都市圏」を形成していた。さまざまな地域から人口が集中する那覇では、異なる地域出身の人びとが出会い、独自のコミュニケーションの様式を発展させていった。おそらくその過程で、ヤマトグチ（内地語）も混ざった独特な「標準ウチナーグチ」のようなものが形成されていったのではないだろうか。

沖縄の島々は、「となりのシマ（島＝集落）ですら言葉が違う」と言われるほどの多様な方言を発達させてきた。急激な都市化と人口集中は、人びとのライフコースに多様性をもたらしながら、同時にそのコミュニケーションには均質性をもたらす。ちょうどこの世代から下の沖縄の人びとの生活からは、急速に古典的なウチナーグチが失われていった。

彼が生まれた街は、那覇でもっとも栄えていた盛り場の真ん中である。そこは沖縄のなかでも特に流動性と異質性の高いところだった。子どもの頃に住んでいた家のまわりには、北部や離島など、さまざまな地域から集まった人びとが暮らしていた。そこで自分も、特定の方言を学ぶことなく成長していった。だからいまだに方言を使うことができない。

――お生まれは？

沖縄です、那覇です。両親はですね、両方とも先島の、それぞれ周辺の離島なんですね。波照間島であったり多良間島であったり。那覇出てきて結婚して、（自分が）生まれているので、基本的に那覇生まれの那覇育ちなんですが、「血」は完全に先島ですね。

いや、ほんとに（那覇の）ど真ん中ですね、国際通り徒歩一分ぐらいのとこですから。飲み屋街近かったのでだいぶうるさかったですよ。国際通りに行く手前で、もう既に飲み屋街に囲まれてましたんで、夜、外に出るたびに飲み屋街通らなきゃいけないですからね。

――成績は良かったんですか？

友だちがいないので。周りにですね、似たような歳の子は、徒歩五分ぐらいのところにはいるんですけど、まあやんちゃ過ぎる連中だったんで、彼らとは遊びたくなかったんですねそもそも。

隣にいる兄ちゃんたちは、もう年上の人たちばっかなので、ヘタに遊んでもいじめられるし。まあ友だちいなかったですね、学校上がるまでは。なので本読むしかないんですよね。たまに遊ぶって言ったら隣の兄ちゃんに引きずられて、そのまま「嫌だ嫌だ」って思いながら、なんか虫取りとか（笑）。なんでこんなこと自分がしなきゃいけないんだと思いながら。遊びの誘いが来なかったら来なかったで家にいて、外に出ることなくずっと本読んでましたからね。

——それは小学校入る前ぐらい？

入るまで。えっと幼稚園ぐらいでも、もう午後になったら友だちと一緒に遊ぶってないので。（字も）誰に教えてもらったかは覚えてないですけど、妙に本は読めてましたね。

小学校上がってもですね、二年生ぐらいまでは、基本的にちょっと遊んだらすぐ家帰ってきて二時とか三時とかには家帰ってきて、あとはもう家にいて、母と買い物一緒に行ったりと、ほんとに内向的な感じでしたね、昔は。

——じゃああれですね、家の中であんまり方言で喋ってない感じですねああ、全然喋ってません。お袋も先島の人間ですから。ここ（生家）にいると、周りの人いろんなところの出身の方がいて。隣の爺ちゃんたちは先島の人ですけど、奥さんである婆ちゃんは、やんばるの、（本島）北部の人なんですよ。なので、この状況では方言出てこないんですよ。隣の人も、隣のおばちゃん家もやんばるの人なんですよ。たぶんですね、旦那さんの方は那覇、もしくは中部かなんかの人なんでしょうけど、となると、方言で喋らないんですよ。その近くの人も、土着してる人いましたけど、那覇の人なので方言あんまり喋らないですね。喋っても那覇の方言なので、先島の方言使って喋らないんですよ。だからそう、先島の親戚のおっちゃんとかおばちゃんとかが来るとき以外は、お袋は方言喋らないですよ、一切。

――じゃあ先島の方言はあんまり聞かずに？

そう、家でもほぼ聞かずに。聞くときは、（仕事で家を空けることが多かった）親父が帰って来たその日ぐらい。（あるいは）夏休みに一週間から一〇日、先島に遊びに行ってたんで、その時に聞くか、そのぐらい。

ごくたまに先島のおじさんが来て、なんか喋りだしたときには、「ん？」てなってるのは、当然向こうもわかってるんで、そうなると標準語で喋ろうとするんですね、おじさんも。

――いまでも聞けない？

まあ三、四割でしょうね、聞けてもね。話すのはほぼ無理ですからね。

――国際通り近くのそのお住まいはいつぐらいですか？　ご両親が那覇に来たのは？

もう五〇年前ぐらいですね。一九五九年とか、六〇年とかそんなタイミングで来てるはず。特にあの辺はですね、飲み屋も多いので、飲み屋のおばちゃんみたいな人もやっぱいるんですよ、そこらへんに。長屋みたいなとこも含めて。となるとほんとうにいろんなところから来てる。イントネーション含めて方言っぽいのは喋りますけど、強烈な方言では喋らない、喋るともうまわりの人には通じない。那覇の中心地に近いとこだったので、やっぱり本土から来た方がたもちょろちょろといるんですよ。そうなるとなおさら方言を使えない。

――沖縄の人の暮らしで、よくある言い方とか語り方で、しょっちゅう親戚とか集まって泡盛飲みながらカチャーシしてとか、そういうのも、

そういうのに関してはウチはないですね。うちのお袋、ま、自称ですよ、自称お嬢なので。一

応、先島ですけど、お爺さんが地元の名士だったみたいで。議員とかもやってたらしいので。そうなるとやっぱり自分ん家でそういう状況（カチャーシ）が出てきちゃってたらしいんですよ、昔は、ね。そしたらやっぱり、そこらへんの、これ（ヤクザ）はいないにしても、それに近いような、なんかちょっと荒い人とかも来るし。

特にあのへんなんてけっこう気性荒い人多いですから。となるとやっぱりなんか（いろいろ）あって、大嫌いらしくてそれが。我が家では基本的に家で飲む人もいないんですよね。

——そうするとその、小さい時に沖縄的なものに囲まれて育ったっていう記憶なんかはあんまりない？

んー、それが沖縄的だったかどうかすらもうよくわかんないですけどね。

だからいわゆるあの、例えばＮＨＫの「ちゅらさん」とかですよね、そういうのに出てくる状況みたいなのはほぼ無いですね。ゼロではないですよ。もちろんこういう世界があるのも知ってますけど、ただ我が家にはない。

——近所っていうか地域のコミュニティみたいのがあった？

ありました。ただそれはやっぱりあの、数世帯ずつぐらいですね。あの、ここから先は急に疎遠になる、みたいな。それはありましたね。親同士はまだこの辺（の近所）まではお付き合いがあるけど、子どもはこの辺にはいないので、爺ちゃん婆ちゃんでもなくて普通の職業人の方たちしかいないお宅には行く理由が成り立たないので、そうするとあんまり交流はない。

彼はちょうど形成されつつある那覇都市圏の真ん中で生まれ育ったのだが、高校生のときに那覇の外れに位置する仲井真（なかいま）という地域に引っ越すことになる。そこは現在では人口の多い住宅地だが、当時は那覇市内といっても農村の雰囲気を残す場所だった。そしてそこには、外から流入する者を受け入れない、昔ながらの村落共同体が残存していた。

この場所で彼は、地元社会から完全には受け入れられず、次第に沖縄的な共同体規範から距離をとるようになる。流動性と多様性の真ん中で生まれた者は、典型的な沖縄的村落共同体にとってはよそ者なのだ。戦後の経済成長と人口集中は、沖縄の内部に大量にこうした「内なるよそ者」を作り出した。彼の生活史から、私たちがいかに沖縄を単純化しているかがわかる。那覇で生まれ、那覇で排除される者たち。戦後沖縄の歴史と構造は、本当に複雑だ。

語りのなかでは、仲井真の風景がまず語られた。いかにも沖縄の農村的な風景が描写され、電照菊やヤギの飼育、あるいはハブとの日常的な遭遇のようなエピソードが語られたが、すぐそれに続いて、閉鎖的な村社会の規範への距離感が語られている。入会地の排他的な管理、そして青年会への参加を許されなかったこと。隣近所の付き合いも、あくまでも「個人的なもの」にとどまること。彼は、このあと引用する語りのなかで、次のようなことを述べている。この語りは、戦後沖縄社会のひとつの側面を見事に言い当てている。

だって、たぶん地域の半分ぐらいは土地売られて、よそ者（が住民）になってるんですよ。そうなってるにもかかわらず、元々いらっしゃる広い土地を持ってる人たちがかなり排他的。びっくりしますよあれは。

私たちが沖縄に対して当てはめる、沖縄文化の本質としての通歴史的な共同体規範は、戦後の社会変動によって実質的にその足元を掘り崩されている。そして、それと同時に、そうした流動性のただなかでこそ、よそ者を排除するかたちでその共同性が再構築されていく。むしろ、いつの時代も変わらず存在してきたと思われている沖縄的共同性は、戦後の構造変動に直面した地域社会が、それでもその秩序を維持しようとした結果として「再編成」されたものなのである。戦後になってはじめてよそ者が入ってきた地域では、それまでの秩序や儀礼や入会地などの権利を守るために、かえってそれまでよりも排他的・閉鎖的にならざるをえなかったのではないだろうか。戦後社会の流動化のなかで、沖縄的共同性はむしろ新たに作り直されたのかもしれない。

――高校は？

那覇高。

――あ、那覇高ですね。じゃ成績は良かった？

まあ比較的。壺屋小学校ってとこに通ってたんですけど、そこは牧志ってとこにあるんですけど、学校名は壺屋小学校なんですよ。国際通りのすぐ近くですけど、三越もそこから三分ぐらいで行けるところにありました。

中学は神原中学校ってとこだったんですけど、近くに与儀公園があって、そこのお向かいにあるんだけど、自宅から徒歩一〇分ぐらい。で、高校も徒歩一〇分少々だったんですけど、高校入って引っ越ししちゃったんで。まぁそれでも徒歩三〇分ちょっとぐらい。

――もう那覇のど真ん中ですね、ずっとこう。

だったんです、ええ。

それからあの、那覇の縁の仲井真ってとこに引っ越したので。電照菊栽培とか当時やってました。今までチカチカしてるライトが夜光るところ（賑やかな繁華街）にいたのがですね、（電照菊の）点滅もしない単一光がずっと並んでるようなとこに引っ越したんで（笑）、ちょっとこれは、ちょっとこれは嫌だ、ここ嫌だなって。

そこにたまたま土地を買えたので。たぶん中学に上がる前に親父が体調崩し、生活態度を改めたこともあり。胃癌になったので、お酒も止めざるをえない状況になり、で、たばこも止めてお酒も飲まない。変な遊びはそもそもしない人なので。となると、（貯金ができて）なんとか家が建って、って状況だったんですけどね。それが高校一年の終わりぐらい、高校二年上がる直前ぐらいに家族で引っ越して。

だけど、引っ越し先の家の隣、ヤギとか飼ってるんですよ。那覇市なのに。農家なんですよ。お向かいさんも横の方も、基本的に農家なんですよ。仲井真ってところ農家多いんですけど。ただそれは仲井真にはまとまった土地なくて、南風原（はえばる）とか豊見城（とみぐすく）とかあの辺に農地をみんな持ってるらしいんで。そこでなんか、収穫終わったら、いびつな形のカボチャとか野菜を置いとくわよみたいな感じで、おすそ分けしてくれるんです。あ、どうもどうもって。

最初はああそういうほのぼのとしたとこかな、と思ったら、日曜の朝とかですよ。隣の家のおじさんとかいたので、「おはようございまーす」って、「やっぱ朝は早起きすると気持ちいいね」

とか言って。そしたらおじさんが、なんか不穏な動きしてですね、なんかおかしいなと思ったらヤギが一頭、柱にくくりつけられてたんですよ。んんん？何だ？と思ったら、笑顔で「おはよー」なんて言ってたおじさんが、隠し持ってた包丁を取り出して、そしたらいきなり「ベー」って鳴いてるヤギの首に包丁を当ててピシャッてやって（屠殺して）。血も多少飛びますけど、ヤギがいきなりグタってなっちゃって。さっきまで爽やかな日曜の朝だったのに、朝いちばんでヤギの惨殺事件に立ち会うという……（笑）。

――（笑）なるほどね。もう、自分で潰す？

ええ、ほんとうはダメですよ、もちろん。もちろん密殺なんて絶対ダメですけどね。まぁその家畜小屋みたいなの、まだ当時、高校のときありましたからね。豚いる鶏いるヤギいる、なんだここは、ここ那覇なのかって思ってたんですけど。同じ高校に上がった人たちからは、「えっあれは南風原町でしょ」とか、「豊見城村でしょ」とか、那覇じゃない扱いされてましたね（笑）。

――もういまや住宅地で。

そうそうなんですね。結構拓けてきましたから。当時は結構、細い道が多いとこだったので、やっぱ暗かったんですよ。で、暗いと言いながらも微妙な電照菊栽培が、ざーっと広がっているようなとこなんで、ここは那覇じゃないなって、私も当時思ってましたけど。もう住んじゃったらしょうがないんで。

だってあれですよ、高校三年生ぐらいの時に、雨上がりですけど登校時、歩いてたら、なんか紐が落ちてて、なんだろと思ったら、ハブで（笑）。ハブって夜行性じゃないですかあれ。そしたら夜間の道路の放射熱で（道路に出てくる）。シュシュっと藪から這い出して来たら、そのまま車に轢かれちゃったりするんですね。それで死んじゃってるハブとかがいるんですね。えっここ那覇なのにハブいるのかと。

相変わらず田舎なんだなここは、と思いながら。とっととこんな地域から出ようと思ったんですけどね。まあ本土からするとそんな大した田舎でもなかったんですけど、私には田舎でしたね。

——那覇（の街中）に戻りたかったですか？

あ、そうですね。仲井真ってとこがね、ものすごい、土着してる人たちが。引っ越して三〇年以上経ちますけど、基本的にそと者、よそ者ですね、私ら。夏になったら、そういう地域地域で道ジュネー（エイサーをしながら集落内を練り歩く行事）とか、エイサーのこぢんまりとしたのをやるんですけど、基本的によそ者は呼ばれませんから。

まあ我が家はそういう青年いないから呼ばれないのもあるんですけど、当時、私が高校生大学生でいるときでも、基本的には声かからなかったですからね。で、入会地みたいなの持ってるんですよ、地元の。この土地は基本的に、元々いた人たちが共有して使うものであって、よそ者が使うとこじゃないって、もう完全に分けられてたんですよ。

えっ、これ、いや別に（よそ者が既得権を）取ろうなんて気は当然ないんですよ。自分のもんじゃないんですから。で、（こちらも）別に利用しようって気もないんですけど、基本的に線引きされてるな、ちょっと。で、最近まで知らなくてですね、お袋がなんかそういう話してたんですけど、「えっここそういうとこなの」「そうよ、ここはもう基本的によそ者はずっとよそ者だから」。「えっだけど隣のおばちゃんとは仲良いじゃない」「あれは、隣のおばちゃんとの個人の付き合いだから。個人じゃなくて家族とか地域の付き合いになった瞬間こうなのよ、ほんとに」「あ、そうだったの」「そうよ」って。

なにそれって。だって、たぶん地域の半分ぐらいは土地売られて、よそ者（が住民）になってるんですよ。そうなってるにもかかわらず、元々いらっしゃる広い土地を持ってる人たちがかなり排他的。びっくりしますよあれは。

那覇も含めて、そういう地域が県内に何か所もあるらしくて、金武町とか宜野座村とかあの辺にもあるってんで、なんかあの、新聞沙汰のトラブルになってる入会地が。あるのは知ってますけど、よもやあれが、うちの地域にそんなの（が存在する）と思ってないので、ちょっとあれはびっくりしましたね。まあそういうのもあってあんまり、引っ越した先にあんまり愛着ないですね。ぜんぜん愛着湧かないですね。

——いわゆる、僕ら思ってるような沖縄的な（郷土に対する愛着はない）？

ああそうですね。沖縄自体は好きですよ、狭い地域としては。だけどあれですよ、基本的に沖縄は、基本そんな感じですよ、基本はそれです。よそ者は基本的にこうですよ。いったん中に入っちゃったらすぐ仲良くなりますけど。あの、入る玄関が緩いところとものすごく固いところと分かれてるだけで。緩いところはすぐほんとに、イチャリバチョーデーってなっちゃうんですけど、離島なんか特にそうですね、固いです。よそ者はよそ者なんですね。よそ者を一応受け入れる体制整えた上で、よそ者がもしちょっとでもへんなことしたら（排除される）。

（それでも）ハイハイすみませんって言いながら地元のために頑張りますみたいな姿勢を見て取れると、よっしゃよっしゃって仲良くなりますけど。それがもし、いやいや私たままたここにいるだけだから別に、みたいな感じだと、地元の人たちも、あっそうだったら別にって冷たい対応になってしまう。

結構、地元の受け入れはあの、ダメなときはまったくダメです。入って来られないです。交わる前にそもそもその一歩踏み出してくれないですね。

そして、聞き取りのテーマは階層格差と「沖縄批判」へとうつる。安定層の人びとを対象とした今回の調査で非常に多く語られたのがこの語りである。

沖縄に限らず、地方の社会でそれなりの大学を卒業し、公務員や教員、大企業社員などの安定した地位を得るということは、多かれ少なかれ、地元の土着的な共同体から距離をとり、「離脱」するということを意味している。もちろんそれは全員が必ずそうなるということでもない。しかし、多くの人びとが、こうした地元への独特の距離感を感じている。

さらにそれは、決して特権を持っているということも意味しない。むしろ、その安定した地位や収入は、小さな子どもだったときからの努力の賜物なのである。もちろん、安定層の人びとの多くは、その親世代から相当な文化資本や経済資本を受け継いでいる。しかしこの、学校から安定した職業へというルートに必要なのは、何にもまして本人の努力である。安定層へとつながるトラックの、もっとも大きな特徴は、そこでは親世代の文化資本や経済資本は、そのままのかたちで自動的に引き継がれるわけではないということだ。それは必ず、本人の勤勉や努力によって、かれら自身の実績というものに転換される必要がある。ここでは自然に、意識せず受け継がれるものは何もない。大学受験と就職試験を突破した安定層の人びとの能力や実績は、すべて個人の真面目で地道な努力による「獲得物」である。それは目標を設定し、欲望を抑え、自己を制御することでようやく可能になる。いかに親世代がもたらした「環境」の力が大きくても、ここでは遺産は間接的にしか機能しない。

自らの努力によって競争に打ち勝ち、大学を卒業し、現在の人生を手にいれ、そのあともそれを維持するということは、何らかの形での地元の土着的な共同体からの距離化の経験を伴う。実際に、多くの安定層の語り手がこの経験を語っている。

この語り手も次に引用する語りのなかで語るように、安定層の人びとの日常的な交友関係の多くは、同じような階層に所属する友人によって構成されている。地域単位で自動的に配属される義務教育を修了し、偏差値によって輪切りにされる高校に進学する時点で、おそらく私たちは最初に「階層の現実」を経験する。もちろん、昔ながらの親戚付きあいや、ＰＴＡや自治会などの地域活動を媒介として、さまざまな階層の人びととの出会いの機会は存在しているだろう。しかし、私たちはそのようなネットワークがいかなる機会に形成されまた解消されるのか、それはどのような内実を伴っているのか、それが持続しうるのはどれくらいの期間かなどについて、詳しいことはほとんど何も知らない。

確かに、特定の階層に所属することが、個人のインフォーマルな社交を直接規定することはない。ある階層や集団に所属することは、その個人の態度や行動を予測しない。だから私たちは、常に「逆から」考える必要がある。社会が個人に及ぼす力から考えるのではなく、個人がどれくらい社会的な力によって左右されているかを考えるべきなのだ。社会から出発して個人を説明することは、確かにできない。しかしたったひとりの人生の、ただ一回だけ語られた生活史の語りからでも、私たちは、私たちの人生の選択肢がどのように規定され、私たちの生き方がどのように条件付けられているかを考えることができる。つまり、私たちは、個人の生活史から社会を考えるのである（その逆ではなく）。それがおそらく生活史調査というものの意味だろう。

地元の義務教育からさらに、偏差値の高い高校へ、さらには琉球大学、あるいは内地の名門大学へと進むにつれ、道は細くなり、旅の同行者は入れ替わっていく。大学は、各地に散らばった人びとを地元から切り離し、吸い上げ、一箇所に集めるための装置だ。もちろん、沖縄の人びとはみな、昔から変わらぬ地元への愛や強い自己同一性を大切にするだろうし、地縁や血縁のなかでこれからも暮らしていくだろう。しかし、地元からいちど切り離され、中央の大学を通過し、安定した職業を得るという経験は、その生活史に大きな刻印を残し、その軌道を著しく変えてしまうだろう。以下の「やっかみ」の語りにもあるように、沖縄の人びとにとって、いや沖縄の人びとに限らず、階層というものは、あるいはもっと一般的な「分断」は、日常的に経験されているのだ。

さらに私は、安定層の人びとに「沖縄についてどう思うか」を語ってもらった。これは半ば意図したことでもあったが、そこで地元沖縄への深い愛とともに語られたのは、厳しい自己責任論理にもとづく批判的な語りだった。自らの努力と能力によってすべてを獲得してきた人びとにとっては、のんびりした（と言われる）沖縄社会の行動様式や規範は、沖縄のすべての問題の根源に位置するものである。沖縄の人びとの優しさは、ビジネスや政治の世界では「カモ」として扱われる。沖縄の人は努力しない、一所懸命お金を稼ごうとしない、ビジネスというものがわかってない。だからいつまでも貧しいのだ……。この語りはただ単に、保守的な形態をまとって語られるだけではない。それは時として政治的には正反対の価値観のもとで語られることもある。しかしそのどちらにしても共通しているのは、土着的な共同体規範に対する、自己責任と自助努力の感覚に貫かれた批判である。

——そうすると公務員になってもう二〇年ぐらい？

そうですね、昭和の終わり頃に入ってるんで、もうまもなく二四年ぐらい。ただ、職歴はもう二五年越してるんですけどね。役所歴は二三年何か月ですね。

——やっぱり、飲み友だち、お友だちの方っていうのは同じように、やっぱり公務員とか教員とかその大企業とか。

ウチ（仲間）は多いですね、公務員と大企業が。ありえないぐらい多いですね。

——やっぱり同じような層、階層で集まってる感じですよね。

ああそうですね。大学入る時はみんな学科は、当然バラバラなんですけど、結局なんかいろんな業界業種に行きそうだったんですけど。まあ親の関係だったり、彼女の関係だったり、結局本土に就職するの止めたー、じゃないですけど、するとじゃあどこに行くっていったら結局公務員しかないので、急遽試験受けて公務員なっちゃった、ってやつもいますよ。

――そういうのに対するやっかみみたいなのありますか？

ありますあります。基本的にあの、ダブルインカムが基本なので、沖縄の場合は。公務員じゃなくても、三〇ぐらいで結婚するとして、（年収）二五〇万とか三〇〇万ぐらいもらう人と、嫁さんが二〇〇万ちょっともらう人であれば、（夫婦合わせて）五〇〇万ぐらいもらえるので、それで一〇年やれば家建てる頭金貯まるでしょうし。だから、両方ちゃんと働いてるうちの片方が公務員であれば、身分も保証されてるので。ただ、県庁とかだとあまり良くない（笑）。（勤務地が離島を含む沖縄県全域で）あっち行ったりこっち行ったりが発生するので、ちょっとあれですけど。とりあえず那覇市役所であったり浦添市役所であったりであればまあ、そんなに頻繁にあっち行ったりこっち行ったりしないので、そこらへんも多少良いんでしょうね、そういう意味で。両方公務員になっちゃったらもう大笑いといえば大笑いですね。

最強コンビはまあ、旦那（沖縄）電力、嫁さん銀行でしょうね。もう最強の組み合わせでしょう。確かに一生の内に二回か三回は東京行ったり離島行ったりってあるでしょうけど、大卒でそれぞれに入ったら、まあ、そこそこ行きますからね。私の同期なんかおそらく手取り千何百万ですもん。たぶん手取り一〇〇〇万じゃきかないですよ。

——あの、小学校、中学校でルートが分かれた人たちってのは、付き合いはないわけですか？

ないですね。やっぱりね、職種なりなんなりが違ってくると、ほぼ交流ないですね。だってもう中学出た時点でもう話したことない人いますからね。

だからそもそも（他の）業種に行った同級生たちとそれほど仲良かったわけじゃなかったので、そもそもその頃から交流があまりないんですよ。だから小さい頃幼稚園行くかどうかの時に、周りのヤンチャな人多いって言ったじゃないですか？　まぁあの人たちがどうなってるのか知りませんけど、そもそも小学校の頃から付き合ってた連中は、よっぽどアッパー層に行ってる人はいないですけど、だいたい似たようなところ行ってるかな。

——沖縄って中学校とかの同窓会をすごくやりますよね。

ありますありますます。いや、行ってますよ。小学校のは開催されないんで行かないですけど、中学は一〇年スパンぐらいでものすごーく付き合いの浅いところでやってて、一応行ってます。（中学の同窓会に来ているのは）いろいろですよ。そもそも話したことないやつも結構いますけど、大体、友だちつながりの友だちで、「おぅ飲もうか」ってなっても、そもそも話が合わないので。いろんな意味でですよ。趣味の話から思想的な話からそもそも合わない。だから行政がどうのこうのって話になっても、そもそも、ん？って言って話続かないです。

だからほんとに中学、高校の時のレベルのくだらない話をしてる時はずっとハハハって楽しくやってますけど、ちょっと真面目な話になった瞬間もう話し合わないので、無理ですね、あれは。あ、だからね、今みたいな話で中学の時の友だちとか小学校の友だちとかってそういえばほとんどいないなっていうのは前から気付いてましたけど。まぁ話が合わないもんな、そもそも。

――沖縄の経済や社会の問題点っていうか、そういうお立場から見て、どうですか。差支えのない範囲で結構なんですけど

ＩＴ振興担当もしてますけど、そもそもでかい仕事が少ないところなので、基本的に大阪なり東京なり、大都市圏から仕事をもらうことが多いんですね、いまだに。

アジアとかＡＳＥＡＮとかにも目を向けてますけど、そんなこと言いながらも結局、どこか大手とかパートナーシップ結んだ上でやろうとしてる。そこらへんはやっぱり独自性築いて、自分

で道を開いて、中国でのし上がっていくなり、ベトナムとかタイでなんとか頑張りますってなると良いんですが、そこまでは出来てないんですよ。そうなるとちょっといまの状況から抜け出すのは厳しいかな。

——あんまり競争しないとかそういう、独立心みたいな

というかですね、（沖縄の）中だけで競争してて、結局大手がかっさらっていく事業に、一緒に乗れればいいんでしょうけど、大手の下請けみたいになることが多いので。そこらへんは大手があっち行ったらこっち行くし、こっち行ったらこっち行くし、おこぼれを少しもらってるような状況で。

昔はたぶん、そういう状況になったとしても、いろいろ知恵使って、いろんなことやってて、海外相手にしてもなんとか立ち回れてた感じもあると思うんですけど。なかなかそこらへんが、だんだんそういう人たちもいなくなってますし。結局（海外に）出ていく人は相変わらずいっぱいいるらしいんですけど、その人たちが活躍できる場が（沖縄に）ないので、この人たちが沖縄に帰って来ない。（国内に）戻ってきてもせいぜい東京大阪福岡止まりで、沖縄までは（戻って）来ない。そういう状況になると、県出身人材がいたとしても、この人を中心に沖縄でなんかやろうとしてもできない。

なかにはもう六〇になったんで、自分の本業の第一線はもう退いて、戻ってきて沖縄のために頑張りますって人もいらっしゃるんですけど。

ただその人たちが仮に一〇人いても、一〇人がちゃんと連携してないと。それぞれ違う業種でそれだけやってもなかなかうまくいかないので。だからほんとは、ＩＴも医療も普通のサービス業も農業もそうですけど、たぶんなんか横串じゃないですけどなんかね、中心となる何かがあって、それを切り口にしていろんなのが周りについてきて、いろんな業務、事業を起こしていくようになればいいんでしょうけど。

結局、志ある人もいて、能力ある人、スキル持ってる人いるんでしょうけど、うまく調整できない。そういうふうに同じテーブルに立って、じゃあこういうふうに進めましょうかって、いわゆるコーディネーターみたいな人もいないですし。

――組織が作れない？

そうですね、一匹狼に近い状態になってる人たちは多いような気がしますね。コーディネーターがそもそもいないんですよ。地方は（どこも）基本的にそうでしょうけど。

沖縄でも、地域で成功するのは、コーディネーターみたいな人がいるから、プロデューサーみたいなのがいるから。結局それ地元の人でいるかっていったらほとんどいない。

（それは）ナイチャーであったり、どこかから来たよそ者であったり。その人たちが五年、一〇年かけて地元に馴染んで、取り組めるようになるまで時間がかかる。関係性（を作ることは）、下手ではないはずなんですけど、ただやっぱり、僕も言いましたけど、なに？誰この人？って。やっぱりちょっと壁があるんですよね。ちゃんと仲介できる、地元に近い人がいるんであれば、入るのは早いんでしょうけど、そこらへんがですね、やっぱりあの、こいつなんか絶対裏があるだろと、こんな何もないところに笑顔でやってきて、お前何狙ってるんだって言う人がやっぱりいるんですよ。

――よそ者に厳しいんですね、やっぱり

ほんとに立派な人だったりするんですよ、「沖縄大好きで、特にここの地域が大好きなので、僕こういう仕事してますけど、こういうところでお手伝いしたいんです」って言っても、地元の人は「だったらやればいいさー、独りで」とか言うし。

あなたたちの助けが必要なんですとか、いろいろヒヤリングして、どういうところが抜けてるか、どういう力を持ってるか、どういう武器があるかってちゃんと分析した上で、プロデューサーってできるのに、認められるまで相手にされない感じ。

――なるほど。基地の見返りで補助金をもらって、いろいろ経済が回ってるので、ある程度はしょうがないんだよっていう考え方があります。これはどう思いますか？

個人的にはですね、まあ、あるのはもう仕方ない。あり続けさせようと日本政府もアメリカ政府も思ってるんだったら、もうあるんだからさ、しょうがないです。できたら、いろいろな仕組み、人、モノを利用して（基地のメリットを利用したほうがよい）。

基地の中には当然、通信系も含めて技術者いっぱいいるはずなんですよね。ほんとはそういう人たちと連携して。この人たちずっと軍人でいるわけじゃないですから、だいたい技術者としての仕事終わったら、本国帰るか自分で仕事起こすか、どちらかへ行くはずなので。できたら沖縄の嫁さん捕まえてもらえると土着しやすいかな（笑）。

できたら、セキュリティ関連で、ものすごい技術持ってるとか、通信でものすごいユニークな仕組みを持ってるとかって人が残ってくれて、地元の人と連携してくれると、沖縄で基地内技術を応用したビジネスみたいなので、産業創出できないかなーと。絶対そういう人たちね、うじゃうじゃいるはずなので。

そういう意味じゃ、そのへんは行政とは関係ないところでやってる人たちがやるべきかな。だからそれは自治体（だと）、たぶんどこもだめなんです、言えないんですよね。特に組合が強いところは全然ダメなので。

——組合とかお嫌いですか、教職員会とか？

意義はわかりますが、いろいろと偏ってるように思えるので。聞く耳持たないのはもう論外ですね。

もちろん、言ってることはわかりますよ。ですが、すべてがそれで収まるわけではないですから。

実際基地ないと困る人いるでしょ。その人たちのことは伏せといて、（基地は）反対反対（沖縄から）出てけ！はないですよ。出ていかないほうが（沖縄にとって）都合が良い人もいるんだし。とりあえずああいう（米軍による）事故や事件がないんだったら、あってもいいんでしょと。だけど、毎年事件はあるし事故はあるし米軍はなくならないし、出てけって言っても（復帰後も）四〇年もずっと居座ってんだから。それは居座ってんじゃなくて、もうあの、ちょっと癖のある隣人だと思ってね、天才もいるし、ただのオタクもいるし、粗暴な人も含めて、いろんな人いるけど、その良いとこはとりあえずこっちのほうに、（沖縄の）民間ベースに引きずり寄せて、そういうような事業ができるような状況に持ってったほうがいいんじゃないの。せっかくいるんだから、と思うんですけどね。

だからそのセキュリティ絡みと、あと通信絡みにはたぶんとてつもないレベルの技術を持ってる人がいるはずなので。

そういうふうなビジネス頭脳をちゃんと持ったうえで、いろんなこと考えて仕事していけば、仮に一〇年（内地の大企業の）下請けの仕事してても、ちゃんと工夫凝らして、いや僕だったらこうするんだって、一〇年経って技術身に付けた時にはちゃんと、米軍と交渉してそういう仕事できますっていうことにもっていける人だっていずれ出てくるでしょうし、そのためにもやっぱり、米軍の事情に精通したような元基地（元米兵・軍属）の人とかがいると、ぜんぜん違うと思うんですけどね。

——沖縄的な、いわゆる（相互扶助的な）コミュニティの濃さっていうのはぜんぜん、ロマンチックに語ってはいけないっていうことですか。

と思います。ちゃんとビジネスに結び付けられるようなコミュニティ作りができるのであればいいんですけど、地元の人たちは地元の人たちだけになっちゃってるし。そのなかでもじいさんはじいさんだけとか、おっちゃんはおっちゃんだけとか、結局その世代でなんかそういう村みたいなのできてる、それがコミュニティとして意味あるのかと思ってるんで。昔ながらのコミュニティを残している地域もあるでしょうが、かなり少ない。

勉強だけの話したらもうね、沖縄ダメですよ。ぜんぜんダメですよ。一部のエリート候補生を除くと。だけど勉強だけじゃなくて、いろんな運動も音楽も、仕事もそうですけど、勉強ダメだからって（すべてが）ダメなわけじゃないじゃないですか。

そういう意味じゃ、自分の才能が生かせる道を、高校ぐらいのうちからちゃんと見極められたらね、成績悪くても、僕は英語だけやたら得意ですとか、会計処理だけ異常に得意ですだとかね。別にね、数学はちょこちょこ、国語もちょこちょこぐらいで、その二つぐらいできたら、あとコミュニケーション能力さえあれば、たぶん世間はやっていけるはずなので。

そしたら別に、バカだとか世の中の人から言われることなく、卑屈にならずにちゃんと自分の行くべきところを早く探せたら、なんか元気に胸張っていけるじゃないですか。

自分は頭が悪いからだとか、金ないからだとかいってなんか、グレてひねくれてる暇があったらもう、とっとと自分の進むべき道を見つけてですよ、進んでってほしいなと。だからそのための道を見つけるための学童などの仕組みをね、将来的には作りたいなーと思うんですよね。

三　「沖縄ってすごく階層社会」——会社員・男性・一九七三年生まれ

一九七三年、浦添生まれ。地元の公立高校から琉大修士。自治体の臨時職員を経て、現在はマーケティング会社。結婚して子どもがふたり。妻も琉大出身。

父親は軍雇用（全軍労も経験）などを経て公設市場で青果店を営む。母親は離島出身。生まれ育った場所は、戦後になって住宅街として急激に人口を増加した街だった。高度成長期に発展したそのニュータウンには、沖縄でしばしば「寄留民」と呼ばれる外部からの流入者が集まっていた。そのような流動的で多様な雰囲気のなかで子ども時代をすごしたあと、琉球大学に進学し、マーケティングという職に就く。

彼は方言は「聞ける」ぐらいで、しゃべるほうは「カタコト」だという。三線も弾かない。しかし、自らの結婚式は、識名園という観光名所で、純沖縄風におこなっている。文中に出てくる「かぎやで風」（「かじゃでぃふう」）とは、いつもお祝いの席で舞われる、沖縄でももっとも格式の高い、伝統的な舞踊である。三か月だけ特訓をして、琉装をまとって、披露宴で踊ったのだ。その写真が、インタビューがおこなわれた自宅の居間に飾られていた。沖縄的な文化は、幼少のころから慣れ親しんで身体化されてきているものではなく、むしろ大人になってから、イベントのために、習い事的に習得されるものなのである。これは多くの沖縄の人びとに共通することだろう。街をあるけばどこにでも民謡教室や琉球舞踊研究所（琉舞の場合は教室よりも研究所と称することが多い）があり、習い事的な習得の機会が非常に多いということは、本土と異なる沖縄らしい点だ。だから、沖縄の伝統文化を成長したあとで習い事として体得することは、安定層の人びとだけのことではない、ということは言っておきたい。

だが、方言を使えない、という語りは、今回の調査でも目立って多かった。これは、強い方言が日常的に、当たり前のように使われている、本書において打越正行が調査した人びとの生活とは対照的だった。質的ではなく量的な調査をしてみなければはっきりとしたことはわからないが、一九七二年前後を境にして、急速に方言が廃れていった可能性がある。家のなかでは方言を使わなかった、家のなかでは方言を禁止されていたり、「みっともない」と言われていた、という語り手がほとんどだった。

そして、沖縄の経済に関する語り。特にこの語り手の語りで印象的だったのが、復帰前のほうが人びとは働いていたのではないか、ということだ。確かに、六〇年代の新聞記事を見ていると、激しさを増す復帰運動や、増加していた犯罪や暴力についての記事とともに、沸騰し加熱する沖縄経済の成長ぶりが窺える。復帰前の沸騰する沖縄、ハードな沖縄は、復帰後の、補助金や公共事業によっておとなしくなってしまった沖縄と対比されて語られている。そして、この語りは、彼自身の仕事や生活（「一般的な沖縄の人の仕事ではないよなっていう感覚はやっぱりありますね」）と、あるいは家族や親族の経験と、深く結びついている。

以下の語りは、彼の生活史というよりも、沖縄とは何か、沖縄的共同性とは何かということに対する語りである。彼の語りから、地元共同体というものに対する、さらには沖縄というもの自体に対する、独特の距離感を感じることができる。

浦添の中でもほんとに那覇との境界線上の地域なので、一九六〇、七〇年代ぐらいに家がばーってできて、ブルーカラーの人たちがばーって住み始めて、八〇年代に入ってサラリーマンがもう少し北っかわの地域にばーって住み始めて。この辺なんかは七〇年代から八〇年代なので、比較的ホワイトカラーとかそれに準じる人が多いと思んです。

まず、そうなんですよね。その沖縄の独特な、助け合いとかで保ってるっていう感じはそう、このなんだろうな、そうせざるをえない、要するに社会構造というか、世の中の仕組みになってるからそうなってるんであって。そういう、なんだろ、文化人類学的な意味での特質ではなくて、やっぱり社会構造の問題としてそうせざるをえない。

沖縄って独特だからねー、みたいなのを、あんまり実感としてそんなに感じないですね。で、どれぐらい問題かっていうところでいうと、これはたぶんボディブローのように効いてくる。ほんとにその、例えば急に犯罪が増えるだとか、暴力事件が起きるだとか、なんだとかっていうよりも、じわじわとボディブローのように出てきているから見えにくいだけであって。

結構沖縄って、思ってる以上にたぶん、核家族率は高いんじゃないかと思うんですよね。だから、親と子の結びつきが強いとは言っても、家庭は別になってる。ちょうど僕らもそうだけど、別居してたりなんかして。親が介護になった時に割ける家族の余力がないだとか、お金の余力がないだとか、っていうのがなんとなく見える。はっきり見えてこない、とかっていう感じであって、だから、特養の整備率はたぶん全国一。みんな働いてるから結局、家で見られないので、特養に押し込むしかないと。ていう感じで後から出てきてるから若年のうちは見えないけれど、中高年になって出てくるっていう。そういう意味で言うとやっぱりライフコース的なスパン、要するにある程度のスパンで見ないと、たぶん若年失業の影響っていうのは見えんのじゃないかと。短期的にみると、そんなに困ってない感じはしますけど（笑）。

やっぱりその地元ってのが、ある種の生活と人間的なつながりとを担保する場になってるから出ていかないんだ、みたいな。やっぱりそういうのが機能している、要するにそこに留まらないと生活していけない。いろんな意味でストックがないからっていう意味で戻ってくるんじゃなかろうかと思ったりもするんですけど。

――いま日常的につながりがあるっていうのはやっぱり琉大関係ですか？

小中はほとんどないですね。高校がちょこちょこで大学は比較的。で、あとは模合のその連中みたいな感じで。元々あの僕、交友関係は広い方ではないんですけど、でもつらつら考えてみると大卒多いなという感じはしますね。だから沖大とか沖国ってまたちょっと独特だと思うんですよね。

やっぱり琉大って、なにせ復帰前は、県内ほぼ唯一と言って良いぐらいの研究機関ですので。ほんと不思議な学校だとは。

でもほんとに琉大は不思議な。どうなんだろうなでも。わからんな。琉大なのか。たまたま琉大もそうだけれど、たぶんどうなんだろうな。自分が生まれ育ったその浦添なんかももうほんとに、たぶんこの辺もそうだと思うんだけども、あのいわゆる寄留民の集まりのところなので。もう既にして（出身地の共同体とは）切れていたというところもあるのかな。

だからうちのお袋なんかも離島から出てきた時に、たぶんその辺からバシッと切れてるだろうし。親父は首里だから元々そういうのはあんまりなかっただろうし。

模合はします。これは、えーっと、あの、県が主催した国際交流兼社会貢献ボランティアリーダー育成事業みたいなのがあって（笑）、それに行った連中のＯＢ会みたいな感じなので。参加者の同期生の模合という。

僕はそれだけ。だけど、たぶん僕ぐらいの歳だったら例えば高校の同級生とか、二つ三つやって嫁さんに怒られてる人は知ってる（笑）。基本飲み会なんでね。

だから、うちのかみさんなんかも昨日は中、小学校の同級生の同窓会とか行ってましたけど。模合ではないんですけど。まぁそんな感じで、だから、ほんとにあのー付き合いの広い人は、広いというか深い人は、たぶん毎週金土は模合が入ってるみたいな人はいる、ザラにいると思う。で、その中で仕事の融通の話とか出てくるから。僕はどっちかというとかなりイレギュラーなライフコースというか、キャリアだと思います、たぶん。

——沖縄嫌だなーとか思ったことあります？　若い時に

嫌だな？　（「沖縄から出たいなとか」）あっ出たいなはあります。出たいなは非常にありましたよ。やっぱりなんだろうな。若い頃だと要するにその、あの頃、あの頃だとどんなこと思ってたんだろ。基本的にいつも、やっぱり自分、基本的にはほぼ顔見知りみたいな。

顔見知りだし、県内のことはだいたい知ってるみたいな。もっと知らないところを見てみたいとか、あの、沖縄じゃないところに行ってみたい、見てみたいし、自分の知らないところを見てみたいっていう気持ちの方が強かったのかな。たぶんキセツ（内地への出稼ぎ）に行く人もそうだと思うんですけどね。沖縄以外で暮らしながらお金稼ぎたいなみたいな。もう沖縄以外のところを見てみたいっていうのが一番強かったんじゃないかと思うんですけど。

——ご自身は沖縄的なものからかなり距離があるっていうふうに感じてるわけですよね。別にその三線なんかをするわけでもなく。

あ、僕三線は弾けないです。方言は聞けて話せはしますけれど、そんなにうん、あの、いわゆる沖縄沖縄した感じではない。

——あ、方言はできる？

まあ聞けるし、外人が喋る日本語ぐらいのレベルで（笑）方言は喋れます。だからそういう意味でいうとなんだろう……あんまりまた、沖縄沖縄されるのにも違和感があるっていうのは。あの、さっき言った、青年の船（ボランティア）に行った時に、やっぱ沖縄から来たってなると、三線弾けるんでしょ、空手できるんでしょ、お酒飲めるんでしょ……みたいなのをこう、言われるわけですよ。

まあできる人もいるんですけどね。できる人もいるんだけど、そういう人ばっかりではないんだよなーみたいな（笑）。っていう違和感がありーの。と言いながら、（沖縄的なことを）言われると応えたくなる自分もありーのという（笑）。非常に微妙な。いう感じではありますね。

まあ結構あのー、なんせ、僕自身も嫌いってわけではないので。あの通り飾ってる感じだし（自宅のリビングに飾ってある結婚式の写真を指して）。結婚式もあんな感じで、琉装で。これは嫁さんのたっての希望だったので。識名園で。

——あっ、識名園で？

はい（笑）。嫁さん、嫁さんが世界遺産でやりたいという（笑）。

――あっなるほど（笑）ああ、いいですねーウェディングドレスもあり

うん、これ余興ですね。で、自分で踊りましたよ、あの幕開けの踊りを。かぎやで風。

――あっそうですか。それは習いながら？

三か月ぐらい集中特訓で。これまた嫁さんの意向で。

――よくある言い方なんですけど、補助金で沖縄経済が潤ってるとかっていうのは、よう言いますよね

はいはい。統計的に見るとそんなに大きくはないものではあるんですけど、ただ、自分の友だちとかやっぱり。まあ、うちのかみさんが前に勤めてた工事会社も、結構米軍から委託受けたんですよ。なので、統計的なものはさておき、主観的な感じとしては小さくはない。おっきいとは言えないけども。

以前は、うちのかみさんなんかはほんとに夜の一一時、一二時から呼び出されて、アメリカの元請け会社と電話会議だとかって。向こうが元請けなんで、向こうの時間で会議するんで。だか

らこっちは夜の一〇時ぐらいから呼び出されてた。

で、元請けの連中がアメリカからとかハワイとかから来るんですけど、連中は、泡瀬の〇〇ホテルっていう、ラブホテル街の真ん中のリゾートホテルがあるんですけど（笑）、元はなんか米軍の。彼らはそこに陣取ってて、週に一回ぐらい現場見に来て、やってるー？　みたいな感じで日給八万とかっていう（笑）。

ていうのを聞いてたりすると、おもしろくないよなっていうか、不自然だよなっていう。だからだからその、基地経済云々というところでほんとに主観的なとこでいうとやっぱりうん、確かに、知ってる人が仕事をなくすかもしれないっていう気持ちと、やっぱりなんかおかしいよなっていう感じは、（両方同時に）しますね。

僕個人的に親が聞いたり友だちから聞いたり自分で勉強した範囲で言うと、その沖縄の人の働きぶりとかなんくる（「なんくるない」は沖縄方言で「どうにかなる」）さ加減というんですかね、たぶん復帰後のもんじゃないかと思ってるんですよ。うちの親の話とかを聞くと、（復帰前は）したたか働いてるので。全然あの、なんくるでてーげー（いいかげん）な仕事してたら食ってけないので。

逆に復帰して、公共事業があったり、復帰前より簡単にキセツに行けるようになったりしたから、なんくるでてーげーなライフスタイルができるようになったんじゃねーの、みたいな。

だってうちの親もそれこそ、二〇も仕事変わってるし、しかも軍雇用に行って、ほらベトナム戦争の真っ最中なので、ほんとに二四時間三交代で物資をベトナムに送ってるっていう状態なので。遊んでる暇があったらその分軍作業に行けばお金になるので、みんな働いてるんですよ。中学生でも字が書ければ採用したって言ってましたから。ていうわけで遊んでる人が馬鹿だと。

しかも離島に家族を残して来ていれば、年端もいかない兄弟がいれば、働かんわけにはいかない。そんななかで、なんくるでてーげーな人っていないと思うんですよ。だからなんくるでてーげーなライフスタイルっていうの、復帰後のもんじゃないかと自分はとっても思うんです。

たぶんビーチパーティだのなんだの、遊ぶ文化っていうのは確かにアメリカさんから習ったり沖縄の元からの伝統かもしれないけれども、それはやっぱり労働とセットになってる遊びであって。この遊びの部分が大きく見えるようになったのはたぶん、なんくる的な部分が大きく見えるようになったのは、僕は絶対復帰後じゃないかと踏んでいるんですが。

——北部の人口流出が七五年ごろでピタッと止まるんですよ。そのくらいでピタッとこう維持するんですよね。たぶんこれ、やんばるでも公共事業で飯食えるようになったんじゃないかって思うんですよ。

七五年だったらちょうど海洋博の年なので、たぶん公共事業で飯食えるようになったのと、あとその辺が減る限界みたいな（笑）ところだったんじゃないですか。

けれども、要するにね、（米兵が）強姦しても裁かれんっていう状況は困ると。だけど、じゃあそれをなくした時にどうやって飯を食う、じゃあ対案あるのかみたいな。そういうのでみんな思い悩んでるという。たぶんその辺のところが、調査をやる意味っちゅうか、リアルに残る。だから僕なんかも、うん、心情的に基地は反対だけれども、実際これがなくなった時、たぶん地価は暴落するだろう、本土資本なり外国資本なりが入って来て買い占めするだろう。米軍の基地はほんとに全部一等地なので、全部平坦地だし、見晴らし良いし、新都心なんか典型で。

で、高校の窓から、新都心がまだ開発される前のところがエアポケットのように見えたんですよ。ほんとにここだけアメリカの荒野みたいな感じが見えて。それが言ってみれば原風景なんだけど、だんだん開発されて都会的な街並みになっていって。

僕実際、調査に回ったんですけど、すごい地に足のつかん街だなっていう印象を持ったんですね。

そんときにとっても、なんかここは自分が生まれ育った土地だけれども、すごくよその土地のような感じがするっていう、いながらにしてよそ者みたいな。そういう感覚を非常に感じたから不思議な土地ですね。この一五年ぐらいとか二〇年ぐらいっていうのは非常にそれは感じますね。地元にいるのになんかよそに行ってるみたいな。

なんかなんだろうな、うまく言えないんですけど。なんかちょっとポストコロニアルとか、そういう関係だとありふれた言い方なのかもしれませんけど、いながらにして異邦人的な。自分は変わってないつもりだけど周りがすごい変わってるような。しかも自分の手が届かないところに。ていう感覚は非常になんか、単なるノスタルジーなのかもしれませんけど。それはちょっとありますね。

——それはおもろまちに限らず?

おもろまちに限らず。県内どこへ行っても。

——埋め込まれてない感じがするわけですね、自分が。

ていう感じはしますね。そういうこと考えない方が暮らしやすいのかもしれませんが。

——ぶっちゃけた話なんですけど、親戚のネットワーク（などの「地元共同体」）に頼らなくても生きていけるじゃないですか。奥さんも働いて自分の仕事も持ってはるし。わりとフォーマルなところにいらっしゃるんで、そんな人間関係、模合の人間関係がそのまま仕事になってるとかじゃないですよね

そうですね。仕事の頻度によるとか、要するになんだろ、補助的な、補助的なっていうかなんだろうな。（沖縄的な共同体は）レクリエーションとか、それこそヒントとか、そういう周辺的な助けにはなってるけど、メインの助けになってるかっていうとそんなことはないし。

——沖縄社会に埋め込まれてないなっていう感覚と結びついてると思いますか？　ご自分の仕事っていうか、立場が

なんだろう……そうですね。一般的な沖縄の人の仕事ではないよなっていう感覚はやっぱりありますね。やっぱり他の、多数の沖縄県民の仕事とは、うん、違う仕事だよな。やっぱそこからちょっと離れたところにある仕事だよなっていう感覚はあります。ただ、で、それはあのー遊んだり話したりする相手とかも、その模合仲間も基本的には結構こうその、みんな結構高学歴なんです。

で、つらつら考えてみると、やっぱりそういう小学校中学校とかでルートが進路が分かれて

いった連中とどれぐらい話してるかっていうと、やっぱり会わんな、話さんな。仕事も。だいたいじゃあ、自分の親しい人に左官屋とかとび職とかいるかっていったら、いないなー。とかっていうのを考えると特殊だなと。

あの、そういう意味でいうと、沖縄ってすごく階層社会。失業率が高いっていっても、下の層でこうやってぐるぐる流動してて、真ん中とか上ぐらいではステイブルな感じがこうあるっていう、それはとってもいま感じますね。

例えば琉大なんかだと、首里高生、那覇高生、開邦生、球陽生、この辺ぐらいでたぶん半分ぐらい。

特に首里高生なんかだと、あんたも首里高生あんたも首里高生みたいな感じで、要するにもう高校時代ぐらいからずーっとこうやって、大学、県庁とか市役所とかいうとこに持ちあがっていく感じだから。非常になんだろう、閉鎖的、閉鎖的っていうか階層、敷居がいろんなところにある社会。

――地元と切れてる人が多くないですか、やっぱり

意外と多いと思いますよね。この辺とかは、首里は結構教員公務員多いんですけど、この辺の

コミュニティ活動っていうのは、他の地域のコミュニティ活動とたぶん違うはずなんですよ。エイサーとかやるけれども元々ないし、（あとから）作ってる。

だからそういう意味でいうとその、非常に、だからさっき僕あんまり中部には住めんなって言ってたじゃないですか。あの辺でもちょっとなんか。あちこちでたぶん切れてる。けれどもなんとなくそのウチナンチューですよねっていうこうゆるーい括りでは、身内みたいなっていう非常に不思議な（感覚がある）。切れてるくせに身内意識があるみたいな非常に微妙な感じ。

——琉球大学って、錚々たる政治家とか研究者を輩出して沖縄社会のリーダーなんだけど、同時になんか地元社会から引っこ抜いてますよねすごい。ストローみたいに吸い上げて中央に持ってきて。だから琉大に入って地元と切れちゃう人ってすごい多いんちゃうかなって思うんですよね。

と思いますよ。まあね、よく言われるのが、沖縄のちっちゃな東大みたいなこと言うじゃないですか。で、笑ってしまう、これもよく聞かれる話だと思うんですけど、あのー琉大に受かったって言ったらすごくおばあが喜んだけれども早稲田に受かったって言ったらどこの大学ねっていう（笑）。

——それぐらい県民から期待されてて、エリートコースなんやけど、同時にでもすごい地元から

切っちゃうっていうところは

非常にあると思います。そうそう、僕の指導教官がA先生。B先生の前はA先生が指導教官なんですけど。あの人も典型的に地元から切れてる人なんですよ。

あの人は、○○（離島）の地主の出身で、家は文化財なんですよ（笑）。で、高校から那覇に来て。私費、たぶん私費だろうな、で、○○大学（東京の大学）で経済学やって帰って来てるんですね。で、以来もうずっとたぶん那覇に住んでるはず。定年近くの頃に、先生定年されたら○○帰るんですかって聞いたら、いやあんな不便なところもう帰りませんよって（笑）。年寄りには病院がある都会が便利ですよって言って。

ていうふうにあの人なんか典型的に、自分の生まれ故郷から切れてしまった人の典型ではないかと。

四　「彼方にある沖縄」――教員・男性・一九五五年生まれ

一九五五年南大東島生まれ。小学校五年生から那覇。琉大から関西の大学の大学院を出て、県内の教員。生まれ育ったのは近代になってから移民によって開墾された離島で、内地（八丈島）出身者も多く、沖縄方言もほとんど使われていなかったこともあって、「沖縄」はどこか遠くにある島だった。沖縄一般にみられる沖縄文化への愛着について、「自信のなさのあらわれ」ではないかと解釈されている。模合や同郷ネットワークも、都市化・近代化以後にあたらしく生まれた文化ではないか、ということが語られた。また、公務員や教員に対する「やっかみ」についても語っている。加えて、中間層の人びとの暮らしのなかで相互扶助ネットワークが果たしている役割にもついても語られた。

僕の生まれ育ちは南大東島というかなり離れた離島ですね。八丈島の人たちが入植、開拓した島で、もともと無人島だったところなんですけど。北の方に伊是名(いぜな)島ってありますけど、そこの出身ですね、父親は。(母は)伊平屋(いへや)島っていう島なんですけど。

南大東島には当時は三〇〇〇人ぐらいいましたかね。寄せ集めですね。「雑居島」みたいな感じですね。中心は八丈島出身者たちですよね。そこにあちこちから、それこそ宮古からも伊是名からも本島からもごちゃごちゃっといるところですから。

——お子さんの時の会話、家庭での会話っていうのは伊是名方言?

いや、違いますね。あの、僕は伊是名島方言ほとんど知らないんですね。多少聞くことはできるけど。

他の、シマの他の子どもたちも似たような状況だったと思うんですけど。共通語に近いものをお互い使うしかない。特定の島の言葉を日常的に使ってると子ども同士でも通じないし。もともとどうしても、遊ぶためにも割と、八丈島出身者を核とした言葉に近くなっちゃう。だからその後も大きくなって大学にいった時も、あの、もの喋ってると「あなたの出身地が全然わからない」っていっつも言われるんですよ。なんの癖もないと。癖がないというか癖がわからない。

——よく聞くんですが、教育方針として家の中で方言を使わなかったりとか、

ああ。それうちの兄貴たちはあったみたいですね。伊是名島ではそれが、学校でもある程度規制してたっていう話も聞いてましたけど。方言札がまだあった時期のようですけど。（方言は）伊是名では結構使っていたはず。家の中に限らず隣近所全部そうですから。まあ、あの子どもたち大人たちも交えた地域と、学校中心の言葉と、この二極化してる状態じゃないですか、ほかの離島だと。大東はまったく違う。子ども同士遊ぶためにも通じる言葉をお互い使わないといけない。

小学校の四年までいました。五年生から那覇に。それも親父の転勤によってですけど。

——大東島のことはよく覚えてるんですか

覚えてますね。やっぱり原体験でもありますし、良い思い出ですね。あたりを走り回ってたり、山がほとんどないですから。で、池がいっぱいあってやっぱり平坦な島ですよね。のんびりと、という印象しかないですね、あそこには。あそこで苦しい思いをしたとかそういう、そういう経験がほとんど記憶がないもんで。

——ご自身のいまの物の見方とか、感覚みたいなところへの影響は

たぶんあるんだと思いますけど、まあ、なんだかんだ言っても、離れた離島であるというのが。いろんな形で自覚するんじゃないですか。

海辺に行くと全部水平線で何にも見えない（笑）。見えないんですよやっぱり。でも向こうに何があるだろうって、漠然とした、遠くに対する思いみたいなのが、ずっと強く根付いた。遠くにある、沖縄そのものもそうですし、沖縄、日本、それから他の外国っていうものが、段階的に距離があるんじゃなくて、一緒くたになって「向こう」になんかあるという。沖縄もそういう意味では彼方にある。

実際沖縄を「沖縄」と呼んでましたからね。「本島」とか。むしろ、我がことじゃないような

感覚が。我々はそこに入って（所属して）ないっていう、暗黙にその感覚があるんでしょうね。八丈系の人たちの影響なのかもしれませんね。あの人たちは沖縄は自分たちとは違うという感覚がどっかにあったんだと思いますけど、それが多少影響あるのかもしれません。

——那覇遠かったでしょう

遠かったですね。

——どうでした？　都会ですよね、那覇って。

そうですよね。で、車に乗って、タクシー乗ったんですかね、乗りなれない乗り物でいきなり車酔いしました。

言葉でなんか苦労したとか戸惑ったという経験、ないですね。那覇来た時もそうだし、大阪や東京行った時もそうですね。だから、南大東で喋ってると、どこでも通じるんだなぁと。逆にいうと。

——なるほど、辺境が中心になってるんですね。そこに標準語に近い言葉がある……。なるほど、言われてみればそうなんでしょうね。

（高校を卒業して）琉大。ちょうどあのころまでは、国費留学制度っていうのがあったんでね、それまでたくさん送り出してますけど。復帰前です。それがどんどん縮小になってくプロセスに入って、ちょうど私、高校三年生の時にこれを、と思ってたのが、廃止になったんで、それでちょっと困っちゃって（悩んで）、南大東にいったん逃げたんですよ（笑）。（沖縄県から出たいって気持ちが）ありましたね。そんなに強くはなかったけどできれば出たほうがいいのかなって気はある。

法文学部に経済学科というのがありました。よくわからなかったですけど、高校生の頃、本読んだりするじゃないですか。小説系統も読むけど、まあたまたま、マルクスの賃労働と資本とかね、当時結構高校生でも読んでたりしたから。まあその延長でちょっと経済でも勉強してみようかという気に、ちょっとなってた時期だったんですね。（マル経）から入っていきましたね。

――大学院は関西ですよね。修士からですか

はいはい。奨学金もありましたけど、まぁ仕送りも多少依存しましたね。それないとやってい

けませんでしたからね。（住まいは）〇〇〇のほうに。ずっと南の。家賃月四五〇〇円っていうすごいボロアパートだったんで（笑）そこにいましたけど。遠いけど、月四五〇〇円てやっぱり魅力でしたね。

——ご専門は開発経済、世界経済

はい。もともとは財政学で入ったんですけど、単なる財政でなく、アメリカの対外援助があるじゃないですか、沖縄も受けてた。もっとそれを調べようと思ったんです。アメリカの対外援助やってて、だんだん視野が広がってきました。途上国の問題だとかね、世界経済とか、のほうに最後はいっちゃいましたけど。

——ご研究で沖縄がフィールドじゃないんですね

ないですね。今までもなかったし。むしろ沖縄という言葉を一切出さずにそれに徹しようと思ったんですけどね。どっか意固地になってて（笑）。いやまあ、僕の年代までなのか、その直前までだと僕は思うんだけど。

さっき言った国費留学で行った人がいっぱいいるわけですよね。その世代が研究者になって、あの人たちの使命感みたいなのが、かなり強くあるはずなんですよね。「自分たちは国費留学で行かせてもらったので、沖縄のためにやらなきゃならない」という使命感みたいなのがあって、沖縄をフィールドにしてその研究をどんどん進めてきたっていうのが。それはそれで結構なんですけど。

ただ、一部で気になるのが、本土に、他府県に行くと沖縄をネタに何かをメッセージを発する。で逆に、同じ人が沖縄に戻ってくると、（一般的な）何々学を自分はやってるから、というようなメッセージを出す。

だから沖縄では何々学の顔をし、こっから出ていくと沖縄の顔をするという、そういう使い分けをするのがちょっと嫌で。向こう行ったときに何々学の顔をして、沖縄来たら沖縄の、と逆にそれもやる人もいるから、それはそういう人はすごいとは思うんだけど。

そうじゃなくて、なんかこの、おのれをアピールするためのネタに沖縄を持ち出すみたいなのは一部、一部を超えて結構、目につく感じがしたんで、そういうふうにはなりたくないな、っていうのがどっかにあった。若いころから。

だから自分がなんか研究発表するときに、沖縄をネタに出すと大概、確かに聞いてくれるんです。逆に言うとね、それを出さずとも聞いてもらえるようなことをやりたいなという。そういう感じかな。研究上のテーマ、材料にしたことないですね。だからまぁ、ちょっとひねくれてるのかもしれませんが。

いやあ、僕の前の世代まではそれで良いと思うんだけど、僕の年代から後の人間は、まあ徹底的にフィールドでやってる人は別だけど、そうじゃなくて単におのれをアピールしやすいからって、ちょこっと沖縄をネタにぱっぱ放り込む、みたいなことをやる人間は、逆に信用しなくなりましたね。

——うーん、なるほど。でも逆に、先生のほうにすごく、沖縄へのこだわりを感じるというか

そうですね。僕自身は逆にこだわりだと。沖縄に対するこだわりだと思います。だから外に出て、安易に自分が沖縄を代表してるみたいな顔してはいけない、ていう、自重するものがある。自分が沖縄を代表して、沖縄のメッセージを背後に持ってもの喋ってるんだ、みたいな形の喋り方はできない。やってはいけないと思ってきましたね。

沖縄の中の優等生みたいのものが持つマイナス面、って感じで理解してるんですけどね。いや全部そうだというわけじゃないんだけど、一部外に行くと、沖縄を背後に背負わないと対等に対応できないみたいなところが。沖縄の優等生、それがちょこちょこ目についたもんで、ひねくれてそう解釈してるのかもしれませんけど。

——沖縄社会全体が抱える問題というか、経済とか社会とか……

なんなんでしょうね。沖縄社会全体ですかね。……まあ、傍からは、沖縄というまとまりで、ウチナーンチュだとかウチナーンチュらしさだとか、それを大事に守っている人たちがいるというふうに、傍からは見えるんでしょうけど、たぶん内部は自信ないんでしょうね。

自立してる沖縄、「一体感を持って自立している」ことに関して、たぶん自信がないんだと思うんですけどね。だから、本土でプラスイメージで語られるスローガンみたいなものを逆に借用して、それで自分たちでそれを納得する。

あるいは日本全体でアメリカ文化に対する憧れみたいなのがね、特に戦後強いんだと思うんですけど、アメリカらしさみたいな雰囲気を出せば日本に受け入れられる。だから沖縄はよりアメリカと結びついてるんだっていう、逆にそっちを引っ張り込んできて自分たちを脚色するみたいな。

どっか自信のなさがあるんじゃないですかな。そういうのをもってきて、プラスイメージとして受け取れられるものを、常にそういうもので了解してくれるものを借りてくる、みたいな。

——模合とか、カチャーシーをするとか。親戚のネットワークがすごく強いっていう。実際にあいうその、相互扶助みたいなのって、単純に考えて内地よりも強いなと思うんですけど(模合は)やってませんけど。あれどうなんですかね。たぶん模合が流行りだしたのも、もともとの、それぞれの地域から結構流出するじゃないですか。で、那覇市を中心にアパートいっぱいできて、どんどん（都市化が）進みますね。そのなかで、（共同体が）もともとあったんでしょうけど、そこここに。その後バラバラなったものが、同郷のネットワークを再確認するための模合をするとか。

あるいはそれすらも薄くなったときに、同じ学校であるっていうその共通性で、（同窓会模合を）やるとか。だから逆に言うと、同郷だとか同級生だっていう条件抜くと、うまく人間関係できないんだと思います（笑）。

そんなに詳しくは自分で考えてるわけじゃないけど。イチャリバチョーデーっていう言葉、あれも最近出てきて、沖縄にも定着したんだけど、要するに出会ったら兄弟の如くという。なぜ人と接するのに（家族主義的な）兄弟をイメージしなきゃいかんのだという（笑）。

そのアナロジーを使わないと、人と接することができない、みたいなわけでしょう、逆にいうと。いままであんなこと言わずとも、適当に接して交流したはずなのに。あれを本土で、プラスイメージでどんどん宣伝して言うから、沖縄の人も、われわれはそういうもんだと、なんか自分たちでもそう言い始めた。あの言葉自体が新しい言葉だし。

しかもそれ自体妙なことだけど、兄弟のごとく接するって、兄弟がコミュニケーションの単位であるっていうのは、もともと（沖縄には）ないはずなんだけど。それが強いとすればむしろ、日本（内地）の、過去のね、家の結びつきみたいな、あっちのほうでしょ。

沖縄は多少なりとも門中があって、中国系統を引き継いだんでしょう。兄弟というか（というより）親戚付き合いじゃないですか。同族、父系同族の付き合い。それを敢えて、（核家族的な）兄弟というふうに言って、それで納得するしかないみたいな最近の傾向。ちょっとどっかで捻じれたんかなって気がするんだけど。

むしろ「新たな沖縄風の物をどんどん、次から次に創るな」と、よくそういうエネルギーがあるっていうのは、それは理解してますけど。やっぱりエイサーなんてね、あれはもともと、あんなことしてないはずで。あれはわりと新しい現象ですね、衣装つけて集団でやるっていうのは。われわれが作り上げたものとして、ああいうものを創作できるエネルギーって、すごいなと思います。

――よくある語りなんですけど、やっぱりたとえば競争しないとか、のんびりしてるみたいなところとかは

そうですね。そう、そうなんですよ。あれ、なんだろう、他（内地）から来て琉大で卒業した連中もそうなっちゃうんです（笑）。なぜなのか。

競争しないって表現が当たるのかどうか知りませんけど、確かに（学卒で）無業者が多いのが、不思議ではありますね、確かに。多いですよね。それでちゃんと生活できてるとこですから、そ

ういう意味で問題ないはずなんですけど。あれなぜなのかいまだにわかりませんね。無業者があんだけ多いっていうのは。

——公務員とか教員に対するやっかみとか結構多いと思うんですけど

そうですね。ありますね。それは飲みに行くと、その手の愚痴を言って絡んでくるやつがときどきいますからね（笑）。それは昔っからそういう、やっかみは、憧れの職という目でずっと見られてることは、確か。憧れじゃない、あの質的な意味の（公務員という仕事そのものに対する）憧れじゃなくて、（単に）安定した状態に対する憧れ。

で、それに対する裏返し。実際の公務員が逆にたぶん堕落しやすいと思うんだけど（笑）、そういう目で見られて特別視されて。特別視するほどのもんじゃないんだけど。

なんか自分が特別、極端に特別じゃないけど、ちょっとだけ特別みたいな感覚で、一〇年二〇年過ごした役人っちゅうのは、特に飲み屋でよく出くわすけど、もううさんくさいですよこの連中は（笑）。「自分がぜんぶ手配して、業者等々、ぜんぶ仕切ってるんだ」みたいなことを平気でこう……。普段は我慢して言わないんしょうけど、ちょっと酒飲んだら、平気でぺらぺら喋るようなのがいっぱいいますね（笑）。

――一方で、もっとも沖縄らしい層というか、不安定な中小のサービス業なんかだと、共同体的なネットワークのなかで、相互扶助も利用してやっていかないといけないですよね

なんか、鶏が先か卵が先か知りませんけど（笑）。飲食業、小規模のサービス業みたいなので、やっぱりころころ潰れて新しいのが出て、これの激しいところでもあるみたいですね、データでみると。新陳代謝が激しいと言えばまあ、プラスに聞こえるのかもしれませんけど。やっぱり不安定さがそれを（相互扶助を）作るんだと思うんですけど。

だから継続的に所得を、将来的に安定状態を見込めないなかでやっていかざるをえないっていうのが。だから相互扶助が必要なのか、相互扶助があるからそういうこともね、ちょっと手を出してもしても失敗していいやみたいになるのか（笑）、どっちが先なのかよくわかりませんが（笑）。

――そうですね。どうせ潰れても親戚が誰か助けてくれるわとか（笑）。なるほど

結構そういうところ、絶対確かにあると思うんですけどね（笑）。よく考えずに手を出したなという、いかにもそういうケースを私いくつか見たことありますからね。

五　「地元捨てたんですよね」——高校教師・女性・一九七二年生まれ

一九七二年生まれ、コザ出身。琉大から首都大学東京大学院を経て、県内の高校教師。シングルマザーである母親に育てられ、コザの荒れた地域で育つ。中学に入ってグレかけるが、仲の良い友人たちはみな、「暴力的な」性体験で傷ついていた。やがてこの街を出ることを決意し、塾に通って勉強して、私立の進学校に合格する。

最後に彼女の生活史を掲載して、本章を終わりたい。この語りに対しては、とくに解説するところもない。コザという街でこういうことが起きていて、そしてそこには多くの人生があった、ということだ。これは、ある街で育ったひとりの女性が、学校という公的な回路を通じて、地元を脱出していく物語である。

終盤に、同級生の女子たちが置かれている状況に希望が持てずに、結局地元を出ていく道を選んだことが語られている。ここで言われているのはもちろん、そうした女子たちが「愚かだ」という意味の言葉ではない。これは、そうさせてしまう男たちの暴力と、そうせざるをえない地元の「構造」に対する絶望なのだ。

そしてもうひとつ、これは女性にとって地元とは何か、ということもまた考えさせられる語りでもある。以下で明確に語られているが、女性たちにとって地元を脱出するルートは、男性ほどその選択肢に幅があるわけではない。地元を離脱しようとする女性たちにとって利用可能な最大の選択肢は、進学である。三〇名以上を対象とした私のインタビューのなかでも、女性の語り手のほとんどの方が、「女子」にとっては地元を脱出する主要なルートが進学であるということが語られた。人生における「進学すること」の意味の重さが、女性と男性では大きく異なるのかもしれない。

以下では、語り手の女性の子どものころから、おおよそ高校に入るまでの生活史が語られている。彼女の、進学を機に過酷な地元社会から離脱するまでの人生の語りのなかに、本書のテーマにとってきわめて示唆的な多くのことが語られている。しかし、これ以上の解釈や説明は不要だと思う。彼女の生活史の途中でこの章は終わる。私たちに求められているのは、まずは彼女の語りに耳を傾けて、その離脱の物語を共に辿ることである。

七二年生まれで、復帰っ子です。で、コザの、えーとね、〇〇？　〇〇ってね、えっとね、沖縄市の〇〇は、んとね、何ていったらいいかな。〇〇って呼ばれている地域があって、風俗の本番店がずっとある、お店があったところがあって。そこの近くで生まれてます。

――どういう家でした？

えっとね、えと、私（母が）三〇歳の子なんですよね。で、えと、妹が、あまりこれ人に話してないんだけど。妹がいて、二つ下の妹がいて。

あ、その妹亡くしてるんですよ。

——妹さん亡くなったときいくつ？

私は一〇歳ですね。彼女が八歳。闘病生活二年間ぐらいあって、白血、えとね、何だっけ、腫瘍ができたんだよね、脳に。脳腫瘍ができて、そのために頭をしょっちゅう（手術で）開けて、治療するみたいなことをしてて。二年間だったんだけど。最後に開けたときはもう、施しようがないってことでそのまま閉めて。で、まあ、亡くなりました。

という生まれですけど。で、だから、認知無しで、えーと、母は二人産んでて。中学校の教員です。

——父親も教員？　ああ、じゃあ学校のなかで

うん。学校のなかのたぶん先輩で。えとね、伊是名島の、おっきな農家の息子さんで、えーとね、だから赴任先が本島だったのかな。そこで母と出会って。で、まあそれで。付き合いが始まってっていう。

——お母さんは出身はどこ？

母は本部。本部です。

——お母さんって、生まれたのはいつぐらい？

えと、私が七二年でしょ。だから、三〇年……（一九）四二年。

——戦時中に生まれてる。本部で

ううん。えとね、台湾で生まれてる。おじいちゃんは先生だったんです。学校の先生で。台湾にいて。で、そこで（母は）生まれてます。

——じゃあお母さんは大学出てるんですね

あ、出てます出てます。琉大。はい。国文学かな、お母さん。たぶん。国文学だったと思う。

（おじいちゃんは本部を）好きだったと思います、なんか。あの、山歩きをずっとやってて、私、ちっちゃいときから一緒に。だから、植物から何から何まで。うん。よく話して。ま、好きなんだなと。

――あそうか、コザから、おじいちゃんの家に里帰りしたときに、

うん、えとね、五歳のときに勘当が解けたんです、母の。そう、それで。（おじいちゃんから）「殺す」ってまで言われたらしい（笑）。で、「殺してくれ」と、母は言ったらしいんですけど（笑）。私ももう生きてなんかいたくないですって。殺してくださいって言って、おじいちゃん泣いて帰ったらしいんですけど。で、もう今日限り勘当しますと言われて、で、五歳のときに解けて。妹と私と、三人で（おじいちゃんの家に）行って、その夏はほんとに覚えてる。あの、長くいましたね。

――じゃあ、かわいがられた

えーと、かわいがられてたと思います。

記憶のなかでおじいちゃんっていう存在をはっきり覚えてるのがそれ。その前に会ったりもし

てるらしいんだけど、なんていうのかな、親族の結婚式とかに、お姉さんを呼ばないのはいやだって言われて、うちの叔母が言って、それで連れてきたりとかして、会ったりしてるときはあって。そのときのエピソードは覚えてないながら、母は、物語としては持ってるから、聞くんだけど、記憶でおじいちゃん（と会ったことをはっきり覚えているのは）、五歳ですね。

とにかく山に毎日一緒に登って。毎日一緒に登って、植物とかね、教えてもらったりして。これがこうだ、って話して。

——おじいちゃんはそれは、詳しいひとだった？

あ、うん、植物学者になりたかったはず。で、あの、おうちも貧しいので、ともかく教員にすぐなったっていうふうに話してたから。（おじいちゃんは）ええと師範学校だったと思います。

——おじいちゃんいくつの生まれですか？

大正のぎりぎりって何年ですか？　うん。九二一、二だと思う。仲宗根政善さんとかと、ほぼ同じぐらいだと思うので。

——おじいちゃんはじゃあ、戦争は体験してる

えっと、台湾で。だから台湾で体験してるから、戦渦には巻き込まれていない。えと、おばあちゃんも巻き込まれてない。引き揚げのときに、と、盗賊っていう言い方してたけど、が来て、盗ろうとしたときに、ちっちゃい子もいるのでって（まだ小さい子どもだった）母を見せて、お兄ちゃんを見せて、盗らないでくださいって言って。で何もなかった、被害、ほんとに何もなかった。帰ってくれたって言ってた。

——……じゃお父さんはずっといなかった？　ずっとお母さんひとりの家庭だった

いないです。だったんだけど、お母さんお友だちも多いので、えとね、民間教育団体みたいなやついくつも入ってたんですよ。沖縄の先生たちが勉強する、いろんな勉強会。

——教職員会とはまた違うんですか

組合系とはまたちょっと違うくて。日本綴り方とか、知ってます？　あの綴り方の先生が、沖国大にいらっしゃってる時期で、その綴り方の勉強をしてたり。あれの研究会とか入ったりして

いて、たくさん大人がまわりにいた感じ。

――みんな教員のひと、

そうだね。そうそう。だからあの、私は、「ここにいる男のひとたちはみんなお父さんって思いなさい」って言われました(笑)。それで大人になってから、えーお父さんだったらややこしいじゃんって思って(笑)。でもなんか、そういう感じで、困ったことがあったら、ともかく、みんな助けてくれるから、話しなさい、言いなさいみたいな感じで言われ。

――じゃお父さんいないから寂しいみたいな、

……(寂しく)なかったわけじゃないな。なかったわけじゃない。

「つぶしがきかないな」、って思った。

えと、妹が病院で入院してるとき。

母は、完全看護の病院だったけど、病院に泊まりたいと。えと、毎日泊まりたいと。だから、おじいちゃんとおばあちゃんが本部から出てきて、私と暮らしてたんですよね。で、

——おじいちゃんとおばあちゃんが来てるんですね

来ました。だから、妹が入院して、病気もわかって。で、えと、奇跡的にほんとに（一度は）助かったんだけど、（しばらくしてから）私の目の前で、意識をなくして。

ピアノ学校の日だったから、妹を連れてバスに乗って、◯◯中学校っていうところにそのとき母は勤めてたの。そこまで連れてって、そこまで連れてって、途中で何回も吐いて、でそれで、たどり着いたのね。それでピアノ学校も行って、おうち帰って、で、朝、昏睡状態になったんですよ。

でも母は、わかってなくて。異常な事態だと思って。おしっこをもらしたのね。で、えと、救急車呼ぶべきだって言って、で、呼ぶってなったんだけど、「つぶしがきかない」。つぶしがきかない、大人が少ないからつぶしがきかないって思った。なんか。

——誰も助けてくれない？

んー、父親とかがいたら、判断がもっと早いのにって思った。えとだから、私の目の前で、意識がなくなったり吐いたりっていうのが、その前日あるわけですよね。だからそういう時点で、もっとジャッジメントが多様にあったら、絶対に（医療機関に）連れてく事態なのにって思っていて。救急車に乗ってるときもそれを考えてた。つぶしがきかないなあ。

――ひっぱってくれるひとがいたらいいのに、みたいな。頼れるひとが？

うんうん。うん。頼れる、うん、頼れるっていうよりも、ふだんはね、何とかなるって感じがあったから、母にも友だちがいっぱいいたし。その、それこそなんか、いまでいうと女縁コミュニティみたいな。長屋みたいなとこに暮らしてた時期があって、そっちの人たちはみんなかわいがってくれたんですよね。だから、なんていうの、助けてくれるひとはまわりにいっぱいいるって感覚もあるんだけど。

一戸建て住宅に引っ越してるときに、その妹の件は起きたんだけど、何てったらいいか、生活が共有されてないから。外にいてなんかこうわかることと、中にいないとわからないことがあるじゃないですか。だから、中にいて、判断する人がすごく少ないっていう、な、とは思ってて。

大人になっても、なんかシングルマザーってすごい大変なんだなって思う。なんかあの、子どもが吐いたり、おしっこもらすまでの事態になってぐらいしか、なんかこう、危機って思っちゃいけないっていうか。やっぱり、大変だったかなあ、って思う。

――妹さんが亡くなったときは、よく覚えてる？　お母さんどんな感じだった？

一回だけ泣きましたね、母は。一回だけ泣いたね。なんかね。えーとね、亡くなった日、夜中だったんですけど、おじいちゃんとおばあちゃんに連れていかれて、病院行って。亡くなりました、まあ、泣きました、泣きました。一回だけじゃないんだけど、泣きました。で、おうち帰りました。私は、一緒に眠りたかったの、三人で。（親戚とかも）みんないたけど。だから、私それ言いたかったけど、言えなくて。

ああ、いろいろ思い出してきた。

言いたくて、三人で寝たかった、三人で暮らしてきたからね。この部屋にいま誰も入れないでいたいって言えなくって。母は、でもきりきり舞いで、それでえと、はじめて徹夜したんですね。お葬式のさなかに私鼻血が出て。で、母に、生理になった、って言ったんだって。ああ、この日になっちゃったなあって思って。なんか、やってあげたいのに、なんかもう言葉が出てこないみたいな、母は思ったらしく。私は、いやもう眠らないと人間鼻血が出るんだなあとかって思って、その日いて。

で、その日終わって、三週間ぐらいしてから、遺品っていうか、お片づけしてるときに、こうやってね、蘇鉄をね、乾燥させて空っぽにして、絵を描くんです。妹が描いたそれが出てきたの。で、（母が）号泣した。

（そのとき）泣かせなかったんです、私。なんかね、泣かないでほしいって、私も我慢してるから、泣かないでほしいって言って。二度と泣かないって言われて。……大人になって謝った（笑）。あのとき泣かしてあげたかったね、って。

——ほんとその一回だけ、

うん。そのとき号泣したきりですね。うん。号泣したきりだね。でも、あとで聞いたら、結局その、なんか母の罪の感覚はもっと重かったらしく、そのなんだ、私が、私のために作ろうと思って、で、まあ神様が許さなかった、ってそのときに思ってて、それがずっと実は、澱のようにあった。って言われて。

そんなんじゃなかった、私もね、ちっちゃかったから。もうちょっと、今なら、ちゃんと聞けたよねって話をしましたね。

——お母さんは一回も結婚してない？

してないです。何人か恋人だと思われる方がいたし、いまもいるんですけど。

——（笑）いいですね。いまおいくつ、

えとね、七一です。あいかわらず年上が好きって言ってて、私をこのまえ爆笑させて（笑）。うん（笑）。そんな、介護じゃーんとかって、言って（笑）。でもいまのパートナーさんは、長くって、一〇年ぐらいになるのかな。

——……じゃ当時家に来る大人って、教員がわいわい来てるかんじですか、

ううん。ううん。あの、ちっちゃいとき暮らしてた長屋のひとたちが、引っ越しても遊びにきてくれたり。

洋服の仕立て屋さんとか、新聞の配達をしてるひととか。あ、そうだ、あとでわかったんだけど、けっこうお母さんお金貸す、貸したりとかしてて、でそれで、ずっと長く見なかったひとが、一〇年ぐらいあって、〇〇〇お姉ちゃん来たねえ、久しぶりに会えてよかったねえみたいにずっと喋ってて、大人になって聞いたらお金を返しに来てくれてただったとかね。なんかそんなだったりとか。

ひとはけっこうまわりにいた感覚があるんだけど、でも、なんだろうな。妹の闘病の前半と、亡くなってあとの感じとなんか違う気がします。えと、このときまでは、んと、〇〇（地名）の

コミュニティないし、母の民間教育団体のメンバーという感じだったし、ここからは、もっと職場のひとたち……。あと親族。（「伊是名の？」）んんん、伊是名とはもうまったく関係ないです。
母の親族は本部で、そうそう、みんなこのへんにいる。本部のひとたちがいて、そのひとたちは、すごく交流があったかな。

――コザとか本島に、

うん、いるいる。中南部ですね。

ああ、母にとってしたら？　うんうん、そうだね。

――地元、地元色が薄まっていく？

――教員にもなって、年齢的に四〇とか過ぎて、コミュニティ色が薄れていく感じ？

ううん、なんだろう。じゃないと思う。なんか、なんだろうな。妹を知ってるひとたちは、痛ましかったのかもしれない、ていう気がするけどね。

あ、会ってることは会ってたの。でも頻度が違う。うん。ご飯をよく食べに行った、車つかわないと会えなかったけど、ご飯を食べに行ったりとか、会いたいと思ったら会いにいける感じがあったんだけども。えとね、痛ましかったはず。みんな。見れない、って感じがした。なんか母が辛い時期も知ってるわけですよね。で、私を産んじゃってしまっているっていうときも見てますよね。で、妹生まれて、で亡くしてるときも見てますよね。だから、見れない？　って感じ。

——距離感が生まれたんですかね、かわいそうとか

なんだろうね。かわいそうだったのかな。うーん。……母のね、とりまくコミュニティがね、いまよくわかってないんだなと思ったけど。あ、すっごいきれいなひとだったの、うちのお母さん。だから、人気の先生で、だから父母会みたいなのが、応援するぞみたいなのが作ってみたりとか（笑）、なんかよくわかんないけどあんなのがあったのね、子どものときに。

だからそういう感じのなんか、えと、みんなが母を応援しているなあみたいな感じのがあったんだけど、えーと妹のときはやっぱりけっこうすごく大変で、まあでもいま考えるとね、そのときも保護者とかかけつけたりしてるので、あの、看病のときは。お葬式じゃなくて。来てるので、あそういえばあのひともともとは保護者だったなあ、っていうひとたちいるので。

で、そんなのがあって、なんだけど、こっちがなんかね、身軽になったのかな、私と母が。私

は、えと、何人にしか言ってないんだけど、妹亡くなったの、ホッとしたの。やっぱりなんか、重かったので。

すごい大好きだったし毎日病院も行ってたんだけど、ホッとしたっていうのがなんかあって。先が見えない感じがとりあえず終わった？　っていう感じがあったから。だから自分のことにもね、もっと一所懸命になってたから。わからんくなっちゃってるかもしれない。ここのつながりとかが。

――なんか家族のなかの節目みたいな？　変わり目っていうか

うーん、おっきいと思いますね。

――一〇歳ぐらいですか

うん、そうだと思う。

――子どものときの交友関係は〇〇小学校、

○○小学校。うん。

――どんな子らやったんですか。成績……成績よかったでしょ？

あ、いえ、えーと、すごい自尊感情高かったので、（母は私のことを）すごくできる子だと思ってたんですけど、五年生になって、妹が亡くなったときに、私をはじめて（勉強を）見てびっくりしたのは、かけ算、九九がわからなかった。だから、えとね、足し算でたぶんやってた、乗り切ってて。でそれで、なんとかなってるから、自分でもなんとかなってるつもり。うん、ぜんぜんそれでいけてたみたい。七七四十九で、七八がわかんないけど、七を足せば、みたいな感じのやり方をしてたのが、母は、つぶさに見て、びっくり仰天みたいな感じだった。ほんとにできないんだってびっくりした（笑）。ていう感じのがあって。

――それは、細かいんだけど、九九って丸暗記できるでしょう。丸暗記してなかっただけなのか、それともかけ算の概念がわからなかったんですか、

あ、前者だね（笑）。概念はわかってた（笑）。（丸暗記を）サボってたね。

えーとね、どんな子だったか。賢いと思われてたけど、言うほど賢くなく。えとね、とりあえ

ずね学校の先生の子どもだし、ていうのがあった気がします。ていうのと、あと、そうだ、毎日病室に行ってたのがなくなったから、子どもの時間が過ごせるようになって、帰り道に（友だちと）一緒に帰ったりするのができるようになったこととか。えとあと、近所に住んでる野球部の男の子たちが、なんかわちゃわちゃ遊びに来たりとかっていうのが、あった。そんな感じで五年生、六年生があるので。

あ、母のコミュニティがよくわからなくなるっていうのがなんか関係してるかもしれないんですけど、子どもの時間みたいなものが作れるようになった。

あでもね、母はね、六年生のときに、いまでいうとご飯食べれなくなってる。もうなんか、拒食に近いのかな。母です。

だって（私が）ご飯作りはじめたんですよ。すごいおいしいお釜でご飯炊く。ともかく徹底的においしいやつを炊く。で、お味噌汁をすごいおいしいのを作る。みたいなのをやって、もうあとは適当に、なんかもう一品作るみたいな感じで。

ともかくなんか、本を読んで、これをともかく、超おいしいやつを作りたいみたいな感じでやってたので。六年生、えと数か月はそれをやってます。

――それは突然はじめたんですか？

なんかこう、なんだろう、うん、突然です。突然やったんだけど、あの、シングルマザーのうちだから、ちょこちょこちょこちょこ、家族のかかってるコストっていうのはわかる感じはあるんだけども。えとね。食べきれないなあみたいに思ったときがあって。めちゃくちゃおいしいのをともかく作りたいって思った時期があって。

——それはお母さんに、

お母さんに、です。なんか、やりましたね。ほんとになんか、すっごいおいしい白米と、すっごいおいしいお味噌汁を作る。

——なんでまた急に

あ、食べきれなくなった（食べられなくなった）から、お母さんが。

——あ、お母さんが食が細りだして、食べなくなっていって。じゃ私がおいしいごはん作ってあげようと。そしたら食べるはずだみたいな。

うん。そうそう。

——そのときお母さんが作ってるんですか

母が作ってます。

——ああじゃあ、自分で作って（自分で）食べなくなっていって。

すっごいしんどそうにしてるのを気付いて、（かわりに私が）作ってて。作ってた時期があって。あ、食べれるようになったなって思って、部活入ったかな。バレー部に入ったかな。

——食べれるようになったんですね

うん、食べれるようになった。食べれるようになった。うん。ほんとうにすごい徹底的に勉強した、はず。なんか、（当時は）ネットとかないじゃないですか。ご飯とお味噌汁、を、おいしいやつ。を作って。食べてた。なんかね、大丈夫になったなあって思ったときがあって。二人とも大丈夫だなって思ったときがあって。

母も。どんなふうに共有したのかな。

私はぜんぜん平気で食べれてたんですけど。お母さんが、なんか大丈夫になってきたなって思って。お母さんも（自分のことを）大丈夫だと思ったときがあって。あ、お味噌作りはじめた。あ、思い出した、思い出した（笑）。お味噌と、梅干しを作りだした時期があって。そうそう、それで、あ大丈夫かもって思ったんだ。お母さんがやって。で、作って。

それでちょっとね、なんか、えと、すごい量の梅干しだったんですけど（笑）、何年後に食べれるねみたいな話とか。なんかこう、分けて、小分けにしたから。ああ、なんか大丈夫になったかもって思ったかな。


——実際に量も食べれるようになった、食べてたし、作ったものはともかく食べててくれてて、食べて……。

そうだ思い出した思い出した。

そう、梅干しだ。梅干しを三つぐらいの漬け方をしてて、一年後に食べられるやつ、三年後のやつ、一〇年後のやつみたいな。あ、一〇年後まで生きるつもりね、って思ったの。ああ、オッケーだと、思って。大丈夫、と思った。

――なんとなくそれぐらい心配だったんですね。一〇年後に生きてるんだってホッとするぐらいの心配をしてた。それぐらいしんどそうだったんですか。

うん。しんどそうだった。(「なにか具体的なことがあったとかじゃなくて」)うん、なんとなくだな、でも。

気を張っている? 私は、泣かせなかったことについてはもう、後悔してますよね、その時点で。泣かすべきだったなあって思ってるんだけど。そのことについては、えと、話せない状態があって。えと、母は気を張ってる。ともかく気を張っている。

梅干しを漬けたのはたぶん、お友だちです、近所の、一緒に。そのひとと一緒に漬けはじめて、お味噌作って、(「小麦から?(笑)」)そうそうそうそう。だからそんなんなってきて。なんか大丈夫、大丈夫。

――期間でいうと何か月、

ねえ。なんかね、短いんだと思います。意外に。私の時間感覚で、六年生のときずっとみたいに思ってたけど、そうじゃないっていうのにいま気付いて。ていうのは、えと、お味噌漬けたり梅漬けたりしてるのがあって、部活動入ってるので、バレー部入ってるので。バレー部に友だち

郵便はがき

恐縮ですが
切手を貼って
お出し下さい

606-8161

京都市左京区
一乗寺木ノ本町 15

ナカニシヤ出版

愛読者カード係 行

■ ご注文書 （小社刊行物のご注文にご利用ください）

書　名	本体価格	冊 数

ご購入方法（A・B どちらかをお選びください）

A. 裏面のご住所へ送付（代金引換手数料・送料をご負担ください）

B. 下記ご指定の書店で受け取り（入荷連絡が書店からあります）

市	町	書店
区	村	店

愛読者カード

今後の企画の参考、書籍案内に利用させていただきます。ご意見・ご感想は匿名にて、小社サイトなどの宣伝媒体に掲載させていただくことがあります。

お買い上げの書名	
（ふりがな） お名前　　（　　歳）	
ご住所　〒　　－	
電話　（　　）	ご職業
Eメール　@	

■ お買い上げ書店名

市　町　書店・ネット書店名
区　村　（　　）

■ 本書を何でお知りになりましたか

1. 書店で見て　2. 広告（　　）　3. 書評（　　）
4. 人から聞いて　5. 図書目録　6. ダイレクトメール　7. SNS
8. その他（　　）

■ お買い求めの動機

1. テーマへの興味　2. 執筆者への関心　3. 教養・趣味として
4. 講義のテキストとして　5. その他（　　）

■ 本書に対するご意見・ご感想

いっぱいいたから、入って。六年生だけで辞めました、でも。

――具体的にお母さんがそのとき心配事があって、とか聞いてない？

うん、次は私だって思ってたっていうのは、大人になって聞いた。えとね、二〇歳になったときに、何を考えていたのかっていうお手紙というか、ノートを（母から）もらってるの。失くしたんだけど（笑）。ははは。で、そのノートに、彼女のライフヒストリーみたいなやつが書かれてて、で、あのときこういう思いでいたと。それでなんか、それ読んだときになるほどねってわかったのは、次は私だって思ったって。

神様に奪われるって思ったって、言ってたよ。

神様が許してくれなかったんだっていうふうに思って、妹がいなくなったから、次は私だと。ていうふうに思ったって書かれてて。

そんなにね、そんなに苦しむことない……。

――いまから考えたらね

いまから考えるとそうなんだけど。だからお母さんなんか、のときは、大変なことだったんだなと。その、母のコミュニティではね。うん、ちっちゃい田舎の。うん。

――なんかでもその、小学校のときは、成績はそんなに実は、テストの点はよくなかったのに、賢く思われてたっていうのは、別にお母さんが先生だからっていうだけじゃないですよね。「口立つ子や」とか

うーん、口の立つ子。うん。正義感のあるひと、みたいな。あの、ほんとの正義感かどうかわからないですけど（笑）。なんかの、もっともらしいこと言ってたんじゃないかな。たぶん。

――めんどくさい子やった？（笑）

うん（笑）。たぶん、もう。どうだったんだろう。

――でもあれでしょ、その、本を読んでたでしょ

本？　ああ、ああ、読んでたね。あの、病院に行くまでの、バスが、（途中で乗り換えて）二本

で行くのね。で、二〇分、（と）三〇分みたいな感じで行ってたから、なんかずっと本読んでた記憶があります。この期間。本をずっと読んでて。

——家にあった、

家にもありましたね、いっぱい。

——図書館とか

図書館にも行ってたし、おうちの本もあったし。あだから、えーと、一冊じゃ足りないって感じがあったかな。二回、二回乗り換えだし。行って、こっちからおじいちゃんと帰ってくるので、おうちには。別に要らなかったんですけど。本を読んでたかな。

——身近に本があった、

ありますね。覚えてます覚えてます。えとね、『飛ぶ教室』関係ね、ああいう系、岩波の。あったし。『ドリトル先生』ももちろんあったし。

――いま読むとすごい差別小説ですけどね（笑）アフリカに対する、ひどかったね（笑）、ほんとだね。ほんとだね、未開の地域のね、現地の人とかね、そうだね、ほんとだね。ほんとだ。

――じゃ小説というか、物語系

いまね、思い出そうとしてるんですけど。えとね、母の本もあるでしょ。で、母の本があって、で、まあなんか子どもに読ませたい名作シリーズ関係のがあって。どんなだったかな。あ、本の部屋がありました。

うん、そういうね、子どもが読む本だけどね。本の部屋があった。

――本の部屋！

うん、本の部屋。書庫まではいかないけど、でもうん、一面本棚の部屋があったかな。そうだね、先生のおうちだからね。大人の本も一緒に入っていて、えーと、なんだ、組合系の本もあったし（笑）。組合系の本もあったし、沖縄の教育史みたいな本もあったたし。

ありましたね。

——大人の本も手にとってみたり

あ、みましたね。うん。あの、子どもに性をどうやって教えるか的な本がだーってあったので、あれはすごい、もれなく早めに読んで（笑）。

あ、思い出しました。えとね、本がね、送ってくれる親戚が東京にもいて、で、えーと母の妹が、本がすごく好きなひとがいるんだけど、彼女からもたくさん来てたし。それであったんだな。

——書いたりとかはしませんでした？　自分でお話を

小説？　んーん。書いてないと思う。紙芝居は描いたかな、妹に見せるから。紙芝居。でもまあ、その時期だけどね。そのあとはやってない。

〈ビールのおかわり〉

——で、中学か。

中学。地元の中学。地元。あるいて一五分ぐらいのとこ。(「○○中学?(笑)」)○○中学。うん、当たり当たり。

これね、調査してるときけっこう(ネタとして)使えるんだよね。○○中っていうと。ヤンキーがいっぱいいいる学校だから。(「当時から?」)○○小はでもね、うーん、まあほどほどかな。

――それは、○○中学校の校区に、そういう地域があるわけですか

うん、あるある。さっき話してた、○○っていうところは、校区が別なので、あそこはもうちょっとへビーだと思うんだけど。うーんと、○○は、どれくらいかないま。就学援助が三割ぐらいじゃないかと思うんですけど。で、だから、○○中学校が、んとね、○○○っていう施設もあったし、団地がいくつか大きいのが入ってた。団地、が入ってる校区ですかね。

――荒れてた。

車ひっくり返したりするのは、荒れてる?(笑)

――まあ、うん（笑）だいぶ（笑）

そか。先生の車を発見してスプレー缶で落書きとか、荒れてる？（笑）

――だいぶ（笑）

それは普通にあった。

――めちゃめちゃ荒れてます

そだね。「けんちゃん軍団」ていうのがありましたね。けんちゃん軍団。

――「けんちゃん」て何？

けんちゃんっていう男の子がいて。それが軍団をつくってたんですけど。（「番長？」）あ、番長ですね。で、えーと、高速道路ができたときに、自転車で徒党を組んで逆走して走って、○○中学校かかってこいっていう看板をつくってみんなで走って。

それで、校長先生がすごく怒って、「高速道路は逆走してはいけない」とかって言って(笑)で、みんなで「逆走じゃねーよ!」って(笑)。「問題はそこじゃない」っていう話をして(笑)。ていうのがあったりしたのが楽しかった。

そういうのがたまにあって、すごい面白かったかな。

私は一年生のときにもうすっごく頑張ってヤンキーデビューをしました。すっごく頑張って。えと、素質なかったので、靴下かえてスカート切って、制服改造して、爪染めたみたいな。(「ミニスカートの時代ですか」)そだね。それぐらいだったかな。

グループの子はみんな中一のときに、性体験していったので、続々と。ほぼレイプみたいなものだったので。やっぱりちょっとなんか、そこで分岐点かな。

――入ってるグループはわりと上のほうだった、

強かったと思います。

――そこには意識して入ったんですか、自然にそこになったんですか

最強の子がいたので、えーと、たかこさんっていうんだけど。たかこと、

——いま何してるんでしょうね

ね。

うん、ほんとに、いま何してるのかな。

——たかこちゃんと仲良かった。

たかこと、仲良くなりたかったし。なりたかったし、えーと、まあなって、おうち……

——仲良くなりたかったのはなんで、

あ、喧嘩っぱやかったんです。かっこよかったんで。（「きれいな子だった？」）たかこはそんなに、グループのなかできれいだった子ではないです。でも、えーと、喧嘩までのスピードが早い。で、相手の苦手なことをスッて言えるみたいなのがあって。

五年生のとき同じクラスだったので、そのクラスが学級崩壊していて、猫飼っていたんですね（笑）。（「教室で（笑）」）そう（笑）。すごい仲良かったの、ほんとに、いま私はほんとにいま教育の現場にいるけど、猫飼ったらいいよって思う（笑）。

だから、先生が後ろに来そうになったら、みんなで一団結して、先生ここわからない！って。隠して飼ってたの。っていうようなことをずっとやってたときの首謀者で。で、あのときは私はそんなに仲良くなくて、中一になって。絶対仲良くなりたくなって。好きだった。かっこいいと思ってましたね。かっこいいと思ってた。

かっこいい子いっぱいいました、そのとき。だから、あの、夜遊びばっかりして星座にめちゃくちゃ詳しいミキとか。夜遊びしかしないから（笑）。

あ、でもその、性体験のときにかっこよくないって思った。そうそう。一月ぐらいに、みんないろいろ、性がらみのいろんなことが起きて。うん。

この言い方どうかと思うんですけど、そのまま言いますけど、レイプされてウチ来るみたいな。お風呂入らせてほしいみたいな。もうともかく、みたいなことがあったりしたんで。

これかっこいいか、と思ったんですね。なんか。これ、したいか私。みたいな気持ちがあって。二年生になるときに、もう抜けるって決めてて。先生にも言われたかな。「たかこの状態、どう考えてる？」って言われました。（「仲良いの先生知ってるから」）うん、うん。だからその、性被害の話なんかはしないけど、ああいうふうになりたいと思ってるわけじゃないっていう話はした。薄情ですね（笑）。

――それは先生はわかってるわけですか

えと、ひとりわかってる先生がいた。

――君はこのなかにいるやつじゃない、っていう感じの

そうですね。はいはい、いましたいました。いましたね。こんなとこにいるやつじゃないと言われたというより、たかこの状況をどう考えているのかっていうことと、どうなりたいのかって聞かれたかな。どうなりたいのか。うん。って言われたかな。

――先生のそういうイメージが

あったかな。

――中一で、そのなかに入ってブイブイいってるときには、毎日いっしょにいる。

うん。学校終わるでしょ、近くのたこ焼き屋さん行くでしょ、で食べるでしょ（笑）。二年生

や三年生の先輩いるでしょ、しゃべるよね、そのあとにたかこん家に行くんですよね。でそこに行って、だらだらする。でも、私下手っぴなんですけどピアノやってて、ピアノ学校に行くっていうのはともかくバレないようにしてこれやってて。

――バレないように？

バレないように。みんなに。

――隠してピアノやってたんですか？　かっこわるいから、お嬢さんぽいから？

うん（笑）。

あの、で、思い出しました、それゆってくれた国語の先生がなぜ言ったかというとですね、馬鹿みたいなんですけど、永平寺に行ったんですよ、中一のときに。母とです。それで、お坊さんの話を聞いて感動して、で、永平寺ってこう、入ってくるときと出ていくときに一回しか入れない門があるっていう話を聞いて、なんか、どういう生き方なのかなあみたいにして思って、書いた作文があって。それをたぶん先生読んでて。ちょっと毛色が違うっていう感じだったと思う。

――中一でたかこの家にたむろして、タバコ吸ったりテレビ見たりシンナー吸ったり、タバコは吸いましたかね。シンナーは、んと、たかこの家にはなかったので、吸ってなくて。二年生だったんですよ、みんな、吸いはじめたのは。私は吸ってないなあ。一回もやってないんですよ、だから。

あと三年生になってたかこが私のクラスになって、これ絶対先生たちの策略だったって思うんですけど。けっこうだから、迎えに行ったりしたのかな。

お母さんが目の前で自殺したの、たかこのお母さんが。（「いつごろ？」）（中学）三年生のときに。目の前で飛び降りて、死んだので。

――たかこの見てる前で？

うん。

だからなんか、うん。葬式の、なんか（たかこの家の）門の前まで行って、入れなかった。私なんかこう、一年のときに（仲間を）捨てようと思ったじゃんか、って思った。だから入る資格ないよねって思って帰った記憶がありますね。

——結局、葬式は出ず。顔も合わさず。

うん。合わせなかった。

——たかこは来てくれたこと知らないんですね

知らない。

——じゃあ、たかこは（自分の母の葬式に）来てくれなかったっていまだに思ってるんですかね

だからね。そう思ってるよね。

でもそのあとたかこ、ヤクザに買われたので。えと、消えて。

——ヤクザ？

ヤクザさんに買われて。買われて、もう消えたんです、目の前から。完全に消えて、お母さん

亡くなったあとで。

○○○ってあるんですよ。○○○って、んと、尾類（じゅり）（遊女）に売られていく女の人が詠んだりした有名な場所でもあるんだけど、まだ残ってて。

本当の道はある、歩いてたらでも○○○は通れるのね。で、中学生だから私たちは、そこを通ってたんだけど、えと、お母さん亡くなって、学校はずっと来なくなってたんだけど、お母さん亡くなったあとに、○○○でたかこがうずくまってて、ヤクザが追っかけてて連れていかれたって話を、クラスの男の子が話してて。

——借金があった？

んー、シャブ漬けだったと思います。シャブ漬けにされてたと思う。もう、なんか、そこで二度と会えないんだなと思った。中三のときですね。

——たかこの家は何をしてたの？　お父さんとか

建築業。いま考えるとＤＶがあった。よく怒鳴られたし。

――たかこん家でたまってるから、そういうことを見てるわけですか

うん。

――それからたかことは一度も会ってない?

一度も会ってない。会ってない。

――中一のときは仲良くたこ焼き行ったりとか行ってて、中一の終わりぐらいにいきなり、その、なかの女の子が男の体験をしていく。

一月ですね。一二月、一月。

――相手は同級生とか先輩とかいろいろ

ううん。えーとね、クルマ持ってる男。だから、ナンパ・クルマコース。クルマで。避妊なしレイプみたいな。いっぱいいいる。

──どっかで、中の町とかでナンパされるんですか

あ、うんうん。中の町。ゴーパチ（国道五八号線）まで出るのはけっこう難しかったので。中の町の手前の胡屋十字路が、暴走エリアだったの。だから、あそこで見てたら暴走で来て。

──ギャラリーで見てるわけですね

そうそうそう。あ、そう、私もいっかいだけ行って、落書きしてるんですけど

──落書き？（笑）

なんか、来たぞーみたいな感じで、やったりして。でそんときにだいたい。ナンパされるていうか、クルマ乗せられる。

──そういうところでぶらぶらしてナンパされついてったりすると危ない目にあうぞみたいな話はされてなかった？　それでも行ってた？

うーん。私はあったけど。ハクがつくって思ってはいたかな。えと、みんながどうだったかっていうのはちょっとそこはわからなくって……ハクがつくとは思ってて。

——ナンパされたら？

声かけられたりとか。乗ったか乗らなかったかはわからないけど、ハクがつく。とは思ってて。ネタになるって思ってたと思いますね、ネタになるなあて思ってたし。えーと、実際にね、連れていかれるかどうかはまったく別問題だけど、気軽にいなしたりとかしてるとかっていうのはそれなりにハクがつく、っていうふうに思ってたので。

だからね。どうだったんだろうね。どうだったんだろうね。

性体験のときの話は、細かく聞いてるんですけど、んーと、どう言ったらいいかな。

たとえば、ちょっとリアルな感じの話するね。なんか、私もよくわからないので、話してみますね。

たとえば、なんか、避妊はしたかどうかわからないんだけども、こういうことをされて、こういうことをされて、で、こういうふうに気持ちがよくてこういうふうに痛かったって、まあ、普通にどうだったかって話するじゃない。

それで、いまともかく体がすごいベトベトで気持ち悪くて、お風呂に入らせてって（家に来てそう言われた）。で、わかった、なんか飲みたい？　って聞くと、ココアとか飲みたいって。なんかこう、私の感覚だと、ものすっごい疲れてるひとがそれ飲みたいものって感じでしょ。だから、わかったって、作るんだけど、なんてったらいいかな。きついこと？　っていう感じを、私は持っていて。で、そのひともきつそうに見える。で、どこをフォーカスするかでぜんぜん違う感じなんだけど、私のリアルは、「ココア飲みたい」なんです。

なんか、あーだから、なんかそれがね、もう、疲労？　疲れてるっていう話、っていうふうに思ってたから。きつい、きついだろうそりゃ。

――そういうことをするのはそうとうしんどいことだと、

そういう感じに、私は思いましたね。私はいやだと思ったし。クルマのなかでなんか絶対いやだ。

――ココアねえ。ココアね。なるほどね

ねえ。

——ココア飲むたび思い出しそうだな（笑）

私、考えますよだから、寒かったりしたら、いつも。一三、一四の子が、ココア飲みたいって、なんだよって。

——砂糖もたくさん入れてほしいんだろうね

そうそう。そうだから、マシュマロ入れた覚えがある（笑）。ほんとに。ほんとそれ覚えてて。甘くないとダメなんだなって。

——ちゃんと付き合った（子たち）って、いないんですか。中一の一二月にしろ一月にしろ、まあ、ヤるにしろ、彼氏ができて彼氏とヤったって（別にいい）。みんなそんな感じなんですか

ううん、けんちゃん軍団が……あ、そうだ、思い出した。けんちゃん軍団の子と付き合ってる子は、えーと、中三ぐらいでね、中三ぐらいで、「クリスマスどうしよう」（笑）。でも私そんときはほんとにいい子ちゃんだったので、クリスマスどうしようって言われても、って（笑）。知らんがなって（笑）。

けんちゃん軍団の子たちはウチによく遊びに来たので、あの、チャリで（笑）。ぜったい家には入れなかったんですけど。（「そうなん？」）はい。ヤラれると思って（笑）。ぜったい入れない、おまえら入れない、みたいな。

——けんちゃんはいま何してんの？

わからん……（笑）。

私ね、だからね、地元捨てたんですよね。だからもう、ほんとに、えとね、中二になって、抜けようと思って中二になりましたよね、なって、中三のとき、中二のときから、地元どうやったら離れられるかみたいな。はい。

——ものすごく意図的に、

うん。はい。

——でも誘われたり家に来たりするでしょ

男の子たち来ましたけど、入れなかったし。(「たかこは?」) あ、だから、もう彼女は中二はもう、見えない存在なんです。学校来なかったし。

たぶんこのときから、えーと、さっきシャブ漬けの話しましたけど、どうしてそういうかっていうと、えーと、バスに乗ってヤンキーに絡まれてるときに、決め手は、「たかこ知ってる」なんですよ。それはもうほんとに、それぐらい怖いよっていう代名詞で言われてたので。中部一帯に名前が知れてるひと、になってて。

——若干中二、一四かそこらで

うん。でも、いちおうそういう感覚。で中三になって、同じクラスに配置されて。卒業はしたいでしょと先生たちはずっと連れてきたりなんだったりっていうのがあって、髪の毛はもう染めてるし。匂いがちがうのね、お酒の匂いがするっていう感じだったから。

二年生のときに、どやったらここを離れられるかって考えて。塾も行ってます、中三の一年間。

——中一でブイブイいわしてるときは成績は落ちてるわけですよね

ブイブイ……「だらだら」ですね(笑)。ブイブイ系は三年生ぐらいになると、そういう感じの、ヤンキーのひとたちはかっこよくやってたんで。あ、えーとね、成績、落ちるもなにもって感じ。

——そんなに良くなかった？

良かったと思います（笑）。

——成績はいいわけで、そのとき

はい。隠してましたね。

——隠してた？

ああ、もう絶対バレないようにしてました（笑）。（「たかこたちには」）はい。

——テストで返ってくるときも隠してた

もう、すぐ。

――なんで隠してた？

一緒にいれなくなるから（笑）。なりたかった。

――でもほら。ほんとにグレて成績落とす子いますよね。勉強しなくなって。それもしなかったんですか。勉強してた？　授業聞いてた？

……（長い間）……授業中は聞いてないですね。やっぱり聞いてなくて。どうやって揚げ足をとるか（笑）、いっしょけんめいやってたので。素質ないなりに（笑）（「先生にヤジとか飛ばすのね」）それがかっこいいと思ってたので、がんばって、そういうことをやってて。やってたので、勉強、

――勉強は特にせず？　「地頭」でやってた？

いや、ちょっと待って、でもうてん、そんなにかっこよくないはずです。だって、ああそう、

思い出しました。かっこわるい話をすると、テスト前に連中が遊びにきたときに、邪魔だと思ったことがある。あるから、やってた、やってたと思う。家でやってたと思います。勉強してるのをバレたくないいって感じかな。

もひとつ思い出した（笑）英語が好きで、後ろ外人さんが住んでいて、Pさんというひとたちが住んでいたので、会話ができるようになりたくて。で、しゃべれてたんですね。だから、なんかね、英語の勉強もしてたと思う。

——実際にその外人さんとしゃべってて、

うん、しゃべって。おっきなね、チャウチャウ犬を飼ってて、そのチャウチャウ犬が好きで、しょっちゅうしゃべりにいってた。

沖縄の軍人さんの、将校クラスのひとは、保証（金）をいっぱい出して、（居住地を基地の外に）散らすのね。で、それで隣に住んでました。

チャウチャウ犬、こんなおっきい。

——じゃあ、中三になると完全にあれだ、塾も行き出して。

うん、超いい子ですよ。なんかもう、どうしようもないやつ。一時期だけヤンキーっぽいことして、すぐにさっさと裏切ったみたいな（笑）。

――先生にこんなんでええんかって言われたのは中一、

中一の後半です。一月のあとだから、

――中二ぐらいからがーっといい子になっていく、

二年生になったらいい子になってた。

――それは誘われても断ってたわけ？　家来たりとか

えっとね、女子チームは、ヤンキーの度合いがすごく激しかったので、（学校に）来なくなった子がいっぱいいたの。だから、二年生になったときには、つるんでた子たちは（学校に）来なくなってるのがいっぱいいたので。

──わりとスムーズにそれは、

わりとスムーズに移行した感じはありますね。

──そういうときに、一緒に誘われたりはしてないわけね。やっぱり最初から、中一のときから、この子はちょっとちゃうみたいな

だと思うね。なんかね、違うって、仲間じゃないよって思われてたと思うね。

──お母さんが先生っていうのもみんな知ってるわけでしょ

知ってる知ってる。

ココアのときに、母に、母にぜんぶ話したんですね。こういうことがあって、きょう誰だれが来てると。おうちには帰りたくないって言ってるけど、たぶん帰りたいと思うって言って、で、ただ、母が連絡を取ってくれて、怒らないでほしい、と。性のことは話さないで、受け取ってほしいということとかを話したりしてて。

母さんとは、そのときにも、（お前は）どうしたいのかっていう話をされて。どうしたいのか、

どう生きたいと思ってるのか、ということを聞かれて。あ、これは違うと思ってるって。という話はしてます。

――中学に入って悪い仲間とつるんでるなっていうのはお母さんも気づいてる、

うん、うん。

――叱られたりした？

ううん。（「あんな子らと遊ぶな、とか」）あ、それはいっかいもない。いっかいもない。いっかいもない。

――どういう気持ちやったんでしょうね。先生やし、（友だちの柄悪いのは）見たらわかる（笑）。あえて言わんかったんですかねわざと

うーん、あ、どう見てたかというのは、中三のときに、塾に通いたい、地元を出たいっていう話をしたときに、えーと、「無理をしてるという気はする」と。お友だちのことでずっと無理を

してるっていうふうに思いますと。で、やっぱりもっと、いろんな人たちが世の中にはいるので、それを見るのもいいかもしれないねっていう話をされたので、そのときに話をしました。

——「無理をしている」って自分が言った？

あ、お母さんに言われました。やっぱりその、ピアノ学校のことを必死で隠したり、席次を隠してたり、電話かかってきてしゃべってるのもずっとそばで聞いてるでしょ。えーとだからそういうのとかは、無理をしてる感じがするって。

——無理してまわりに合わせてるんだろう、と。ほんとに仲良さそうには見えなかったんでしょうね

バレー部で私、仲良くなるためにすごい頑張ったの、へたっぴがバレー部で生きていくためにコミュ力高くないとやれないので、なんかそんな感じの一環で、すごい頑張ってたんだと思う。

——毎日いっしょにいたけど居場所じゃないみたいな感じが？

帰るときが、ほっとしてたのでね。帰るとき。おうち帰ったら好きなことできるっていう感じがあったから。それは、違うんだろうねやっぱり。

――じゃあ、中三になると、はっきり地元出たいっていうのを言語化してるわけ、

そうだね。出たい。

――塾って地元の塾ですか

ちょっと地元から離れてます。すごい有名な。中の町をすぎて、プラザハウスの手前ぐらいでした。中部支店の、塾で。えーとね、あの当時たぶん、いちばん厳しいって有名なところで。

――自分で探した?

えとね、自分で探しました。中学受験をする地元の、男の子たちがいく塾だったんです。小学校のとき。私に唯一見えてる塾はそこだったので、あそこに行きたいので行かせてくださいって母にお願いして、お金もすごいかかるみたいなんだけど、通わせてくださいってお願いして。で、

来ました。

――お母さんが将来こうなりなさいとか、女の幸せは結婚だとか仕事だとか（そういうことは一切言われなかった？）

なかった。なかった……。思い出しますね、ちょっと待ってくださいね（笑）。

あとね、思い出したのは、いろんな家族のかたちがあるから、いろんな人たちを知りなさいって言われていて。あとそれは、旅行だったり何だったり、何だろ、母子家庭のすごい頑張ったバージョンだと思うんですけど、いわゆる標準家族みたいなのがいっぱいいる海外旅行のツアーみたいなのにわざわざ参加させてみたりとか。

――へええええええ

別にこんなのがいいわけじゃない（ということをわからせるため）（笑）。

――それに親子ふたりで参加したわけ

そうそう。みんなお父さんお母さんとか、お父さんとかが大学教授とか。一五、六、七、八（ぐらいの歳）。そのときに、なんかえーと、あんなの別にいいわけじゃないよねみたいな話とか、したりとか。みたいなことだったり。

だからその、母は母なりに、シングルマザーの子みたいなのを相対化させようとしたんじゃないかなと。思うんですけど、いまになってみれば。

——自分のせいだって思う反面、いまの状況を受け入れて強く生きてってほしい、みたいなかなあ。あったはず。

——たまたま参加したツアーが家族が多くて、じゃなくて、わざと？

なんか、いや、中産階級ちっくなノリがむちゃくちゃあるのに連れていかれた。でも、そんな感じで相対化するみたいなところはこだわってた。でも、そこぐらい。

でもね、裏返しだなって思うんですけど、まったく気にしてないのかなって私むしろ思ってたので。ここまでそれが主題化するっていうことは、こだわってたんだろうなって思ってて。みんなお父さんだと思いなさいっていうことを言わずにいられないって何なのって（笑）。

だからそれとかは、こだわっちゃったんだろうなって思いますけど。感覚としては、いろいろいる、いろいろいるよ。

——そういうお母さんって、いまでも引きずってるって思います？　いまどうなんですかねねえ！

——ああこの子は私のあれを離れたわ、みたいな瞬間ってあるんかなねえ！　どう思います？

——わからないです（笑）

（笑）あはははは。（問いに対する答えを）切られた（笑）。どうなんだろう。

——七一、

はい、そうです。（あらためて母の年齢に）びっくり。魅力的だと思いますけどね。まあ、欲目がありますけど。そばで見てきて。

――塾行くのも受験するのもぜんぶ好きに、

うんうん。昭和薬科に行きたいって、沖縄のね、私立の高校のひとつ。そこに行きたいから塾に行きたいっていうお願いをして。

――じゃあ、ほんとに地元出るっていうか、単に出るだけじゃなくて、学校教育のコースを、いい大学に出たり内地に進学したり、

そこまで見えてないかな

――でも昭和薬科に、

あ、昭和薬科に行きたい理由は、ゼロ講時がない、リベラル、放課後は拘束されない、みたいな。自分なりの基準はあって。（「リベラルっていうのは」）良かったです、私にとっては。ゼロ

講時みたいな学校がいっぱい、開邦高校とかできて。ああいうんじゃなくて。地元離れて、自分の時間も持てて。

──やっぱり進学するっていうことと、イコールになってるわけですね。地元出るのが

あー、そうですね。そうだね。ほんとだ。そうだ。

──べつに、キセツいくとかじゃなくて（笑）

そうだね、ほんとだね。そうだね。学校ルートでなんか、安全に飛ぶっていう感じ。そうだ。

──なにかその、なんで？　大学に行きたかった？

うーん、あのね、いま聞かれて思ったんだけれども、才能があるわけじゃない。それで、えーと、自由にいくのはすごい怖い領域だっていうのもある。で、えーと、こっちには性とかの問題がすごくあるっていうのが、なったときに、こっちがなんか目に見えていちばん、安全って感じがしたのかな。安全って感じかな。それでそれで（進学した）はず。えと、そのときに、外の大

学とか、っていう、考えてたかってったら、そうでもなくて、（ただ単純に）地元から離れて、所属先をよそに？

あと、お友だち、あんまり気兼ねせずになんかやってることをしゃべるひとが欲しかった。

――あのー、女である部分で承認されようとは思わなかったわけですね。中一のその、一二月一月ぐらいに

性的に、か。そうだよねー。思ってもよかったですよね。

あ、でもやっぱり、ココアがすごいリアルだったと思うんですよ。なんかね、えとね。だからね、うーんとね、なんだろ。

好きじゃないひととして、ハクを付けたところで、痛くて、そのあとにしゃべりたくって、こう、（友だちがウチまで）来るっていうのは、何なんだろって思ってたから。ちゃんと選びたいって思った。私はもうちゃんと選びたいし、避妊もしてもらいたいし。できればそのあと一緒に、こうだったねっていう（笑）、反省会じゃないけど（笑）、反省会のイメージなんだけどでも（笑）。えーと、痛かった？とかっていう話を一緒にしたい（笑）って思ったわけ。なんかだから、そういうんじゃないとやだ、だった。

――ちょっとつっこんだこと聞くけど、女子として人生の早い時期に承認をされてる子らをうらやましいと思うこともありましたか？

うらやましいって思ってたと思うなあ。うらやましいと思ってたと思う。

――ものすごくつっこんだこと聞くけど、自分の外見についてはどう思ってた？

ほどほど。ほどほどで、しゃべりでなんとか。ほどほどで、しゃべりでなんとか、で、えーと、絶対それがいちばんくるっていうわけではない。だから、売りにできる子いますよね。そんなんとは違う。ていうのは、バレー部に入ったときぐらいからすごいわかってて。そこで勝負はできないなって。

うーん、（承認される方法は）複数あるって思ってた。なんか、例えば、そうだ思った。えーとね、例えば、たくさんまわりに大人のひとたちがいたので、決め手はいろいろあるって。例えば、気が利いた話だったりとか、若さだったりとか、熱意みたいなものだったりとか、まあいろいろありえていて、で、大人たちとの話のなかでは、私が意外に考えてる子だと思ってたし。同級生の子で、思ってたのは、しっかりしてるっていうところが実は。だからそのヤンキーグループの子たちも、私には、しっかりしてて話を聞いてくれるってのを求めてる。男の子たちもそう。と思ってたので。そこって思ったかなあ。

――なんかそこで自分が、落ち込むとかはなかった。男経由の承認をされていくときに、取り残された感じとか

うーんと、ないかな。あ、告白をされるとかはしょっちゅうあったので。だから、どうなんだろ。

――自分から誰かを好きになったりとか、中学生のときに

中学生のときに？　ないです。ないです。誰も好きにならないなあと思って。あ、えーと、あの付き合ったひといたんですけど。あ、好きじゃないなあと思ってたな。一五歳。あれ何だったんだろう。

あ、ごめんなさい、思い出した。六年生のときから付き合ってるひといたんですけど（笑）。でもね、電話かかってきて、（クラブの試合に）差し入れをして、でそれで、そのときにしゃべって、みたいなかんじで。一年生のときまで付き合ってるっていうふうになってる。でも本人とほとんどしゃべってないみたいな感じのがあって。三年生のときには、学校が変わることがはっきりして、それで、付き合いたいって話になって、おうちに行って、みたいなのがいて。

でもしゃべらなかった、かな。好きじゃないなって思った。好きなひといないいんだな私、って思った。

――で昭和薬科入った。やっぱり成績いい、

入った。入りました。あ、勉強したよ、中三は勉強した。

でも、いまの話で言ったら、私はたぶん最初に愛してたのはたかこだったと思う。たかこだったと思います。

――性愛的な意味で？

性愛……そういうことしたいとは思わなかったけど、えーと欲望みたいなものは、やっぱりそこにあったかなあと思ってて。

――ああいうふうになりたいと思った？

うんうん、そうそう。だから、やっぱりね、なんかこう、模倣したいっていうか憧れてたので。なんかそれが、最初あって。

――昭和薬科、どうでした?

どうだったか。

――そっから切れるんだよね、完全に、コザと。

うん、コザと切れた。コザと切れたね。サッカー部の子たち遊びに来てくれたりとかあったけど、最初の一年。ほんとにもう二年からはもう。

第三章　没入――中間層の共同体

上原健太郎

はじめに

いつもそこにはタカヤの姿があった。文化祭や体育祭などのフォーマルな学校行事から、クラス会や飲み会などのインフォーマルな集まりまで、必ずその中心にはタカヤがいた。交友関係が広い、といってしまえばそれまでだが、それだけではどうもうまく説明がつかない。タカヤと地元の同級生であるわたしもまた、タカヤのもとに集まる「たくさんの人」のひとりで、タカヤとは同じ中学・高校に通い、バスケ部の仲間でもあった。

高校卒業後、しばらくタカヤとは連絡らしい連絡をとらなかったように思う。タカヤは県内の職業能力開発大学校（以下、職能校）に進学し、わたしは内地の大学に進学。[1] それぞれが親元を離れ、寮生活をスタートさせることになった。わたしは内地での新生活に戸惑いや不安を抱えながら、刺激的な毎日を送っていた。地元沖縄に残ったタカヤはどうだったのだろう。

内地に来て半年ほどが経った頃、「タカヤが地元の成人式の実行委員をしている」という情報がわたしの耳に飛び込んできた[2]。タカヤが成人式の実行委員を任されたのは、わたしたち同級生にとってタカヤが中心人物だったからに他ならない。そんなタカヤと久しぶりに再会したのは二〇〇八年の九月頃、高校を卒業して五年目の年である。当時のわたしは大学院に籍を置き、「沖縄の若者の進路」について研究しようと意気込んでいた。地元の友人に話を聞いてみようということで、タカヤに調査を依頼[3]。それが再会のきっかけである。タカヤは、高卒後、どのような進路を歩んできたのだろうか。職能校卒業後、どのような職業に就き、どういった暮らしを送ってきたのだろうか。

タカヤの高卒後の生活史をたどることから本章をはじめたい。本章が描き出すのは、タカヤというひとりの男性を起点にはじまった、沖縄の若者集団による居酒屋経営の物語である。それは、タカヤのもとに「たくさんの人」が結集し、それらが互いに結びつき、強化され、結び直されるプロセスである。本書の関心に引きつけるならば、タカヤを起点に、インフォーマルなネットワークに基づく共同性が創造され、維持され、再編されるプロセスである。

そもそも、沖縄における共同性とはいったいどのようなものか。詳細な検討については序章や第一章に譲るとして、ここではひとまず、地縁・血縁に基づく強固なネットワークや集団性と捉えておく。こうした共同性は、沖縄の地域社会の根幹をなし、都市生活を送るうえで欠かせないものであり、いわば自明かつ「所与のもの」として論じられてきたものである。

本章では、その沖縄的共同性を生きる若者たちの生活を描いている。そこからはまず、「経済的に非合理」ともとれるような現実が映し出されるだろう。たとえばそれは、経済的利益よりも人間関係を優先するような生活のスタイルである。しかしながらかれらの生活に密着し、その様子を丹念に追っていくことで浮かびあがるのは、その認識では十分に説明できないような現実である。その内実は、次節以降で徐々に明らかにされるが、ひとまずここで結論を先取りすると、それは、学歴や経済資本に乏しい若者たちが、それでもなお、居酒屋を経営しようとする懸命な姿であり、それはまた、インフォーマルなネットワークを最大限に活用し、それに依拠することで過酷な都市生活や経済状況に適応しようとする生活の実践そのものである。と同時に、インフォーマルなネットワークによって構成された共同性それ自体もまた、従来の先行研究が論じてきたような、地縁・血縁といった自明かつ「所与のもの」にとどまるものではない。多様なネットワークが折り重なることで再編され続ける、いわば、「動的なもの」としての共同性である。

（1）本章では、沖縄県外のことを「内地」と表記する。それは、沖縄の若者たちが日常的に「内地」という表現を使用することがあり、その若者たちの生活世界を内在的に記述したいと考えるからである。
（2）成人式に参加した「スーツ姿」のわたしは、袴姿の友人たちに「やー（お前）、大阪に魂売ったば？」と散々イジられたことは余談であり、今となってはいい思い出である。
（3）「地元の友人に話を聞いてみる」といった当時のわたしの調査経験については上原（2018）を参照されたい。

一　調査概要

高卒後のタカヤの進路とはどのようなものか。どんな仕事に就き、どのように暮らしてきたのだろうか。こうした関心に突き動かされるかたちで、わたしは現在まで、タカヤとかれを取り巻くさまざまなネットワークに関する調査を実施してきた。まずは、その調査の概要について簡単に述べておきたい。

本章の調査対象は、沖縄の若者集団Yである。Yとは、那覇市から車で三〇分のところに位置するT市出身のタカヤとジュン、そこに隣接するR町出身のトシによって結成された若者集団を指す。三人とも男性で、一九八五年生まれの同級生である。タカヤとジュンは幼稚園から高校まで同じ学校に通い、トシはかれらと高校が一緒であった。かれら三人は高校生活の多くを共に過ごし、「朝練」と称して行なわれていた「登校前の飲酒」が教員に見つかり、停学処分を受けたという共通の経験をもっている。二〇一二年一〇月には年下のカズ（一九八九年生、男性）がYに加入。カズの出身はトシと同じで、出身学校はかれらとは別である。Yは、二〇一〇年一二月二五日にグループYとして活動を開始し、二〇一二年一一月一日に那覇市内に居酒屋をオープンさせた。二〇一三年一二月には二店舗目をオープン。さらに、二〇一四年九月には三店舗目をオープンさせた。三店舗いずれも徒歩一〇分圏内に位置している[4]。

ここで、Yのメンバーが居酒屋をオープンさせた地域の特性について概観する。第一章で確認したように、沖縄の産業構造は第三次産業に偏っており、その結果、多くの人がサービス業に従事している。Yの居酒屋経営もそこに含まれるが、沖縄県内に目を転じると、地域によって産業構造に差異があることもたしかである。そこで、沖縄の県人口のおよそ八割が集中している那覇都市圏――那覇市・豊見城市・南風原町・西原町・浦添市・糸満市・中城村・宜野湾市・北中城村・北谷町・八重瀬町・南城市・与那原町・沖縄市・嘉手納町・うるま市・読谷村――の産業構造の一端を把握し、Yが沖縄県内の、とくにどういった地域で居酒屋を経営しているのかについて確認したい。

図1は、『国勢調査』(二〇一五年)のデータをもとに、那覇都市圏における全産業に占める「宿泊・飲食サービス業」の就業率を示したものとなっている。結果をみると、戦後の高度成長期に多くの人口を吸収した沖縄市(旧コザ市)と那覇市を中心に、宿泊・飲食サービス業の割合が高いことが確認できる。この二つは、戦後沖縄の経済的特性をもっとも反映した地域といってもよいだろう。そして、この那覇市近郊の中心市街地こそ、タカヤたちが居酒屋をオープンさせた場所であり、本章の舞台である。タカヤたちは、那覇都市圏でもっとも宿泊・飲食業の競争が苛烈な地域に店を出した。

(4)　三店舗目は二〇一六年五月に閉店。その後、二店舗目も「先輩」に売却し、そのうえで新たに飲食店を計三店舗、同エリア内において開業し、今日に至っている。若者集団Yをめぐるこうした開業・廃業の実践のあり方は、本書第一章第一節で確認した、沖縄の経済特性およびそれに規定された沖縄の人びとの職業移動の特徴を端的に示している。

そして現在もそこで暮らしている。タカヤたちはどのような経緯で、この地域に居酒屋をオープンさせることになったのだろうか。以下では、Yの主要メンバーであるタカヤ、ジュン、トシ、カズの略歴について紹介し、次に、かれらに対してわたしがどのようなかたちで調査を進めてきたのかについて簡単に述べる。

タカヤの実家は電気店で、両親と叔父の三人による小規模自営業である。詳細は後述するが、「居酒屋をオープンさせる」というタカヤの個人的な目標が発端となり、居酒屋を経営する若者集団Yが形成された。

ジュンは母子家庭で育ち、母親は保育士として働いている。かれは高校卒業後、県内でのアルバイトやキセツ労働など、職を転々とするなかで、接客業に興味を持ち、タカヤが勤める那覇市内の居酒屋でアルバイトを開始することになった。

トシの父親は警備会社の職員で、母親は銀行員である。かれは高校三年生の時に大学受験に失敗し、進路未定のまま高校を卒業した。二年の浪人生活の末、県内の私立大学に合格。浪人生活中は県内の飲食店でアルバイトとして働き、入学後もしばらくは継続して働いた。途中、キセツ労働、語学留学を経験し、タカヤが勤める居酒屋で働くことになった。

カズの両親はともに県内の有力企業の従業員である。カズは高校の途中まで授業をサボり、学校にはほとんど行かず、地元の暴走族に所属し、バイクを乗り回していた。中学卒業後は近所の商業高校に進学。ある日、高校の保健の先生から紹介された一冊の本をきっかけに、自らの人生を改めること

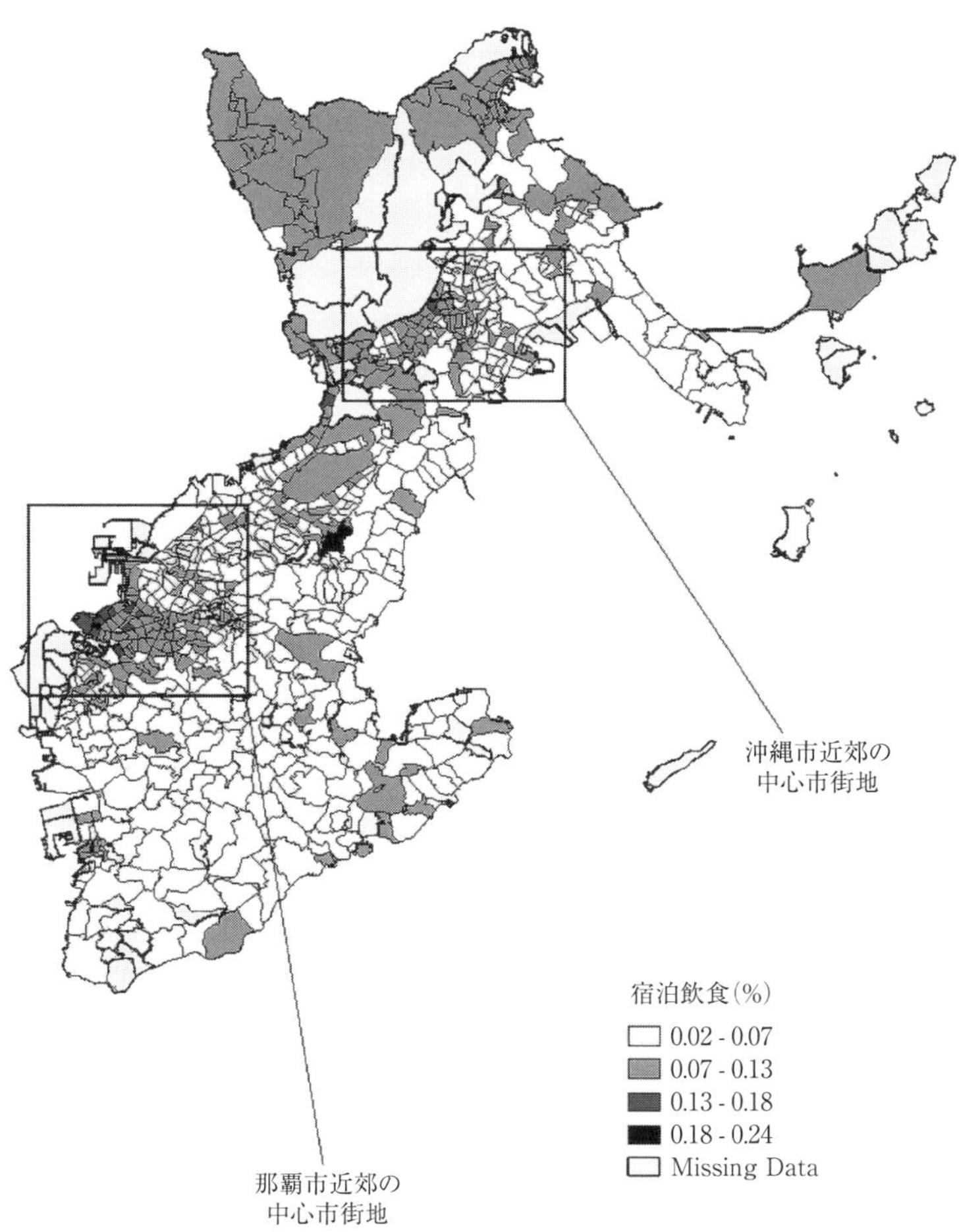

図１　那覇都市圏における宿泊飲食業の割合

注：産業別（大分類）・従業上の地位別就業者数に占める「宿泊業・飲食サービス業」の割合。
注：就業者数100未満ないし秘匿地域は欠損値「Missing Data」とした。
出所：総務省統計局『国勢調査』(2015) より作成。

を決意。猛勉強の末、県内の専門学校に進学。卒業後は県内の有力企業に就職するものの、たまたま訪れたYの居酒屋でジュンと出会い、それをきっかけに辞職。キセツ労働を経験した後にYに加入した（表1）。

次に、Yのメンバーに調査を実施するに至った経緯を述べる。わたしは、二〇〇八年九月に那覇市内の居酒屋で働くタカヤに生活史調査を実施した。その調査から四年後、タカヤ、ジュン、トシの三人が居酒屋オープンに向けて活動しているという情報がわたしの耳に入った。研究の一環でその活動を調査したいとかれらに伝えたところ、快く引き受けてくれた。

こうしてわたしは、二〇一二年八月から現在までYに対して継続的に調査を実施してきた。具体的には、居酒屋のオープン準備の段階から現在までのかれらの活動を追い、かれらと共に行動するなかで、居酒屋の経営実践や、それを取り巻くネットワークに関する記述を心掛けた。基本的には、その日に起こった出来事をフィールドノーツ（以下、FN）に細かく記録し、状況に応じてレコーダーを回してインタビュー調査を実施した。他にも、かれらの親や恋人、常連客に対してインタビュー調査を実施している。また、Yに関する情報の整理など、必要に応じてかれらのブログやFacebookといったSNSも参照し、FNに記録した。なお、ICレコーダーで録音した音声は、わたし自身で文字におこし、意味が変わらない範囲で前後の入れ替えや削除等、若干の修正を施している。

この居酒屋調査で最初にぶつかった壁は、かれらと連絡が取れない、あるいは、連絡が取れる時間帯がその日によってバラバラであるということだ。たとえば、電話やメール、LINEを使って連絡を

表 1　主な対象者の概要

氏名	生年	最終学歴	出身家庭	主な学校体験	主な職業経験
タカヤ	1985 年	職業能力開発大学校卒	実家は電気店で、両親、叔父の小規模自営業。	小学から高校までバスケットボール部に所属。クラス会などを企画することが多かった。登校前の飲酒が教員に見つかり、停学処分を受ける。高卒後は、建築業を学ぶために職業能力開発大学校に進学。	卒業後、県内の建築会社に就職。勤務時間、給料等の雇用条件が劣悪だった。そこを 7ヵ月後に辞職し、臨時公務員、居酒屋でのアルバイト、社員を経験。
ジュン	1985 年	高校卒	母子家庭。母親は保育士。	高校時代はハンドボール部に所属。タカヤ、トシと一緒にいる時間が多かった。登校前の飲酒が教員に見つかり、停学処分を受ける。	卒業後、県内外でのいくつかの仕事を転々とした。途中、友人らと起業を計画するが、その過程で詐欺にあい、多額の借金を背負うことになる。のちに、タカヤが勤める居酒屋で働くことになる。
トシ	1985 年	大学中退	父親は警備会社従業員。母親は銀行員。	小学校から高校までバスケットボール部に所属。タカヤ、ジュンと同じく登校前の飲酒が教員に見つかり、停学処分を受ける。大学受験に失敗し、進路未定のまま高校を卒業。2 年の浪人生活を経て県内私立大学に進学するが、数年後に中退。	卒業後、アルバイトをしながら大学受験に向けて浪人生活を送る。県内の私立大学に進学後、キセツ労働、語学留学を経て、最終的にタカヤが勤める居酒屋で働くことになる。
カズ	1989 年	専門卒	両親は県内有力企業の従業員。	中学の時は学校に行かず、暴走族に所属。高校は「女性がいっぱいいる」という理由で商業高校に進学。高校 2 年生の時、保健室の教員に影響を受け、生活を改めることを決意。猛勉強の末、専門学校に進学。	卒業後、県内の有力企業に就職するものの、タカヤ、ジュン、トシが働く居酒屋に客として訪れ、ジュンと接するなかでサービス業への魅力を感じ、会社を辞職。キセツ労働の経験を経て、Y に加入する。

取ろうとしてもすぐに返信があることは珍しく、たいていの場合、返信がないか、あるいは、数日後に返ってくる場合がほとんどであった。いつ、どのタイミングで、かれらにアポを取ったら話を聞くことができるのか、かれらに近づくためにはどうすればいいのか。

しばらく調査を進めていくなかで、むしろその「連絡が取れない」ということが、かれらの日々の生活や働き方を端的に物語っているのではないか、と考えるようになった。かれらは基本、居酒屋での営業時間外でもさまざまな人たちとの「対面的」な交流を行なっており、その付き合いをいつも大切にしている。たとえば、昼過ぎに出勤し、深夜三時頃まで働いたあと、その足で知り合いの同業者と食事に行く。外が明るくなってくるといったん自宅に戻って数時間ほど仮眠し、再び出勤する。別の日には、深夜三時にいったん退勤し、自宅で二時間ほど仮眠をとったあと、ふたたび「付き合い」に参加するために家を出る。昼にそれが終わるとそのまま出勤し、深夜まで働く。こうした日々が数日続き、ようやく迎えた「たまの休み」は死んだように寝る。ただし日によっては、「たまの休み」も返上し、那覇市内の同業者や地元の友人との付き合いに積極的に参加する場合も少なくない。要するに、かれらは非常に不規則な生活時間を過ごしており、調査目的でわたしが連絡を取ることはけっして容易ではないのである。

そこでわたしは、「とりあえずかれらの店に行ってみよう」ということで、ある日、直接かれらの店を訪ねることにした。返事がなかったので直接来たことを伝えると、かれらは笑顔で「返信してなくてごめーん」とわたしに謝罪し、「今日の営業終了後なら時間がとれるよ」と言ってくれた。ここでわたしは、生活時間が不規則で、かつ、日頃から「対面的」な交流を大切にするかれらに接近するためには、事前に連絡を取り、調査日時や場所を予め決定するだけでは「足りないこと」に気づかされたのである。重要なのは、かれらに直接、それこそ「対面的」なかたちで調査を依頼することだ。それ以降、わたしは、事前に電話やLINEで連絡を取りつつも、返信の有無にかかわらず、かれらの店に直接出向き、顔を出すことを心がけた。その結果、少しずつではあるが調査が前に進みだした。要するに、かれらに調査を実施するためには、かれらの不規則な生活時間の内部にわたし自身が身を置き、かれらとの対面的な状況をなるべく多く作ることが必要だったのである。(5)

二　タカヤの「夢」

ここからは、タカヤの高校卒業後の生活史をみていく。(6)

（5）　生活時間が不規則であるにもかかわらず、地元つながり文化（本書でいうところの沖縄的共同性）の維持を可能にする社会的条件について検討したものに上原（2020）がある。
（6）　本節では、二〇〇八年九月にタカヤに対して実施した生活史調査と、二〇一二年九月二六日の早朝にかれらのシェアハウスにて行なわれたミーティングの会話データを使用している。

前述の通り、タカヤは地元の県立高校普通科を卒業したのちに、県内の職能校の建築関係のコースに進学した。学校の寮に入ったタカヤは、寮の仲間と毎日のように酒を飲み、翌日の授業は二日酔いの状態で出席していたという。かれはもともと建築業界に興味があり、家や店を自分でデザインしたいという気持ちが強かった。職能校の最後の研究発表会ではカフェの設計について発表した。

タカヤ　建築の学校にいたときに、最後の研究発表会も、カフェの設計みたいなかたちで。その、カフェ設計するために、カフェにバイトではなくて、勉強させて下さいってかたちで、時給（給料）でないなか手伝いながら、そこがまた建築一級もってるカフェで。そこでいろいろと勉強させてもらって、そこから飲食すごいなって感じはじめて。(7)

職能校で二級建築士の資格を取得したタカヤは、卒業後、県内の建築会社に就職。その会社は自分で探した。また、職能校時代は寮生活を送っていたが、就職と同時に実家に戻ることにした。就職先である建築会社の仕事現場の多くが居酒屋などの飲食店であったこともあり、タカヤは徐々に飲食業そのものに興味を持ちはじめる。

タカヤ　△△（仕事現場の居酒屋）をみて、すごくかっこいいなぁって思って。で、スタッフさんもめっちゃ楽しそうにやってるっていうのはめっちゃ伝わって。まぁ若さゆえに、そこでかかっている音楽にもすごくマッチして、ハマっちゃったんだけど。そこから飲食業っていうものをやってみたいなと思いはじめて、いったん自分でデザインして。(8)

タカヤ　まぁ、デザインをするためにはまずは現場をみないといけないっていうことで、現場（飲食店）に出されて、そこから現場に出てると、オープニングスタッフたちが集まってワイワイ楽しそうにしている様子が「めっちゃいいなぁー」みたいな（笑）。はやくそこにいこうってなって。(9)

タカヤ　居酒屋を自分でデザインして自分でお店持ちたいなって夢が少しずつ膨らんできてたから、このちょっとした膨らみをもう少し膨らませてみようと思って、それで、（建築会社を）辞めて居酒屋に行こうと思った。(10)

こうして、タカヤは、初職である建築会社を一年足らずで辞職した。かれの語りからは、飲食業へ

（7）　FN/2012/9/26/早朝。
（8）　FN/2012/9/26/早朝。
（9）　FN/2012/9/26/早朝。
（10）　二〇〇八年九月にタカヤに対して実施した生活史調査のデータ。

の興味関心が建築会社の辞職を決意させた、とひとまずいえそうである。

しかし、事態はそう単純ではない。当時勤めていた建築会社の労働環境は非常に劣悪で、朝七時から夜一一時までの長時間労働に加え、手取りが一二万円ほど。長時間労働かつ薄給という過酷な労働環境のなか、タカヤはストレスで次第に体調を崩しはじめた。それに伴い、精神的にも追い込まれ、出勤すらも困難な状況となっていた。当時のタカヤの一日の過ごし方は次のようなものであった。朝、「出勤する」と親に告げ、自宅を出る。職場からできるだけ遠く離れた漁港を目指し、原付をひたすら走らせる。漁港に着くと、防波堤に腰をおろし、しばらくして母親に手渡された弁当を食べる。水平線をボーっと眺めながら時間が過ぎるのをただただ待つ。あたりが暗くなりはじめると、原付に乗って帰宅し、長い一日が終わる。こうした日々がしばらく続き、無断欠勤が親に知られると、タカヤは親にすべてを話した。そして、入社七ヵ月目で建築会社を辞職することになったのである。

このエピソードからも容易に想像できるように、飲食業への憧れの背景には、建築会社での過酷な労働環境があった。そんななか、さまざまな困難に直面する過程で、「自分でお店持ちたいなって夢が少しずつ膨らんできた」のである。

辞職後、しばらく休養をとったタカヤは、体調が回復したのちに、臨時の市職員として働いた。飲食業ではなく、公務員という職業を選択したのは、「とりあえずは、ちゃんとした職業に就いておこうかな」と考えたからであり、かねてからタカヤに対して公務員就職を強く希望していた母親を安心させたかったからだという。しかしタカヤは市役所の仕事が肌に合わず、「もう早く（飲食関係の仕事に）いきたいって逆に（思った）。座っている暇があったらはやく動かないといけない」「市役所に活気がなかった分、活気のある居酒屋で働きたい」と感じていた。そこで、契約更新が可能であった市職員の仕事を三ヵ月で満期退職し、いよいよ那覇市内の居酒屋でアルバイトを開始することになったのである。居酒屋の仕事は求人雑誌で探したそうだ。昼の一二時に家を出て、食材を買い、一四時には出勤。営業終了は翌朝三時で、そこから片付けをし、帰宅はいつも朝五時を回っていた。このように、前職の建築会社に引けを取らないくらい居酒屋の労働環境も過酷であった。しかしタカヤは、やりたいことがやれているという意味で前職よりも「俺はもうぜんぜん有意義だった」と楽しそうに話してくれた。

居酒屋で働きはじめたタカヤは当時、二一歳。その時点ですでに「二七歳までには独立しよう」と考えていた。なぜ二七歳という年齢設定なのだろうか。

上　原　「二七」っていう数字にはなにか思いとか。

タカヤ　それには、あれだね、その、前職の建築会社の社長が「俺は二七歳で独立したよ」って言ったから。「じゃあ負けないです」ってことで。それで「二七歳までに独立する」って話をした。その社長ともいまでもつながりがあるんだけどさ。まぁそういったきっかけでね、期限をつけた。でもそのときはあやふやだったんだけどね。やっていくなかで、日付を決めたほうがスピードも上がるし、そういう成功した人たちからの意見もいろいろと聞いて、そこでやっぱり目

標ってすごい大切だなっていうのを改めて感じて。(11)

「目標ってすごい大切だなっていうのを改めて感じて」と話すタカヤ。ここでおさえておきたいのは、そもそも、そのように思わせる重要な他者(「社長」「成功した人たち」)が身近に存在していたことである。つまり、職業選択における「モデルケース」の存在が、タカヤの「二七歳」という年齢の設定に影響したと考えられる。その意味で、「二七歳」で独立するという目標は、タカヤにとってけっして手の届かない「夢」ではなく、実際に手の届く距離にある、現実的な目標＝ライフコースとして想定されていたのだろう。

那覇市内の居酒屋で働きはじめたタカヤは、その働きぶりが認められ、アルバイト期間七ヵ月を経て、正社員に昇格した。しばらくするとホール主任という役職に就き、のちに、その職場では史上最年少の店長として店を任されることになった。

三　地元の同級生と合流

(1) ジュン——心境の変化

二七歳までに店を持つ、というタカヤの「夢」は、地元の同級生と合流することで具体的に始動していく。[12]

幼稚園から高校までタカヤと同じ学校に通ったジュンは、高校卒業後、県内でいくつかのアルバイトを経験しながら職を転々としてきた。一九歳の時には岐阜県の工場にキセツとして働きに出た。そこを満期退職したあとは沖縄に帰省し、やはり県内でいくつかのアルバイトを転々とした。二三歳の時、さまざまな事業を展開する県外出身者と出会ったことをきっかけに、沖縄の友人らと会社をおこすことを決意。しかし、その県外出身者が「詐欺師集団」であることがわかり、気づいたときには約一二〇〇万円の借金を背負うことになった。

「詐欺師集団」にだまされたジュンは、借金返済のために再び岐阜県の工場にキセツとして働きに出る。九ヵ月後、そこを満期退職し、沖縄に帰省。一度は居酒屋で働いてみたいと考えていたジュンは、当時、居酒屋の店長として働いていたタカヤに連絡を取ることにした。

ジュン　岐阜県から帰ってきて一週間もたたないくらいのときに、電話帳を検索してたら、久しぶりに誰と会おうかなって思ったときに、タカヤだった。久しぶりだったし、ちょっとタカヤのところで働こうかなと思って電話したら、いまいっぱいだからってことで（断られて）。ってい

（11）　FN/2012/9/26/早朝。
（12）　三節と四節及び五節1項から3項までの内容は、基本的に、FN/2012/9/26/早朝に基づいている。

うのも、もともと採用する人が決まってて、それは昼の一四時くらいの話で。で、その日の夕方の一七時くらいにタカヤから折り返しの着信がかかってきて、電話とったら、やっぱりいろいろと考えた結果、ジュンの気持ちが変わらなければ一緒にやらないかって言われて。で、採用する予定だった人を落として、タカヤが俺をとってくれた。

もともと採用予定者が決まっていたにもかかわらず、それをキャンセルにしてまで、タカヤは地元の同級生であるジュンを採用した。当時のことをタカヤは次のように振り返っている。

上　原　(ジュンに) こっちでやって欲しいなって思って?
タカヤ　うん。
ジュン　その理由は、俺はあんまり聞いてない。
タカヤ　まっ、とりえあず、一緒にやりたいっていうのが。

「一緒にやりたい」というタカヤの語りをどのように解釈すべきかについては慎重を要するが、ジュンが地元の同級生であった、つまり「よく知っている」人物であったことがジュンの採用に少なからず影響していたと思われる。なぜなら、仮にジュンが地元の同級生ではなく、「よく知らない」人物であった場合、採用予定者をキャンセルにしてまでジュンを採用したとはとうてい考えにくいからである。

タカヤと同じ職場で働くことになったジュンは、当時のことを次のように語る。

ジュン　でも最初、入った当時は、かけもちで、二二時出勤だったわけ。で、普通に、居酒屋だけでやっていこうっていう気持ちはなくて。お金が欲しかったから、ほんと、かけもちみたいな形で。いろんなのやろうやっさーっていろいろと考えていたんだけど、なんか、知らないけど、人と触れ合うにつれてめっちゃ楽しいなって。っていう感じでハマってしまって。ほんとに、タカヤが二七歳で独立するってそのときも言ってたから、楽しそうだなって。（略）。最初はなるつもりもなかった社員は、タカヤがすすめてくれて。もう俺は、やらないって言ってたけど、居酒屋独立するんだったら、っていうのをいろいろと話してたら、それはやっとかんといけんかなみたいな。そこから段々ほんとに気持ち変わってきて。

当初、多額の借金を抱え、とにかく「お金が欲しかった」ジュンにとって、居酒屋での仕事はあくまでも「腰かけ」に過ぎなかった。しかし、徐々に接客という仕事に楽しさを覚えはじめ、また、タカヤの「夢」に共感したからこそ、アルバイトから社員への昇格をすすめられたときも、「居酒屋独立するんだったら」ということでその話を承諾している。

ここで重要なのは、ジュンの職業選択におけるタカヤの存在だろう。上述の通り、ジュンはタカヤの裁量によって採用され、同じ職場で働くなかでタカヤの目標に共感し、その結果、正社員として働くに至った。こうした一連のエピソードから確認できるのは、タカヤの働きかけがジュンの職業選択に対して少なからず影響し、ジュン自身の心境に少しずつ変化が生じたということである。別の言い方をすれば、「社長」「成功した人たち」がタカヤにとって重要な他者であったように、ジュンの職業選択におけるタカヤの存在もまた、重要な他者として影響した、ということである。

(2) トシ――「共通の目標」として再設定

トシもまた、タカヤの「夢」に共感したひとりだ。トシは高校卒業後、県内の飲食店でアルバイトをしながら大学進学に向けて受験勉強に励んでいた。二年間の浪人生活を経て、県内の四年制私立大学に合格。大学進学後も飲食店でのアルバイトは継続した。しばらくすると、語学留学のためにニュージーランドに行くことを決意し、その資金づくりのために大学を休学してキセツに行った。その一年後、キセツから戻ったトシは、予定通り、ニュージーランドに旅立った。その一〇ヵ月後、沖縄に帰国したトシは、大学復学に必要な資金づくりのため、飲食店でのアルバイトの仕事を探していた。

トシ　外国から帰ってきたときに「あいてない？（バイト募集してない？）」ってタカヤにメール連絡した。大学（に）復学するためにバイトしないといけない。じゃあ飲食がいいなって思って、俺が大好きな居酒屋に全部お願い（応募）したけど、返事貰ったのが、××（タカヤの職場）と、〇〇会社。大学生だけど、キッチンに入れる場所っていう条件で応募して。でも最初に〇〇会社が決まってて。で、タカヤが「来ていいよ」っていうから、タカヤがいるから、それを理由に〇〇会社に謝り（断り）に行って。

トシは、「大学生だけど、キッチンに入れる場所」という条件付きで「大好きな居酒屋に全部お願い（応募）した」。そのなかには当時すでに、那覇市内の居酒屋で働くタカヤの店も含まれていた。最初に〇〇会社という居酒屋から採用の連絡がきたが、そのあとすぐにタカヤからも採用の連絡がきたので、はじめの居酒屋を断った。高校の同級生であるタカヤに採用され、一緒に働けるという理由でタカヤと同じ職場を選択した点は、先のジュンの採用時と状況が酷似している。

当時トシは、タカヤと同様に、飲食店で独立する夢を抱いていた。

上　原　店持つとか考えてた？

ト　シ　店持つ、バーやろうとは考えていたよ。三〇歳までにはバーやる。バーというか、カフェ。

そんなトシは、バイトの休憩中にタカヤと次のような会話を交わしたそうだ。

トシ　休憩中に、裏階段で、タカヤが「お店やりたいんだよ」って。俺が「俺はバーやる」みたいな感じで言って。一緒にやろうぜってなって。じゃあやろうっていう、そういうノリだった。

同じ職場で働くことが一つの契機となり、それぞれが別個に志向していた独立という目標を、タカヤとトシはお互いの「共通の目標」として再設定したといえる。そして目標の再設定以降、大学に通う意味が急速に失われたトシは、大学卒業まで残り半年というタイミングで、周囲の反対を押しきって大学を中退した。

四　若者集団Yの結成

(1)「資金もないから、人脈だな」

二〇一〇年一二月。三人は、居酒屋の開業に向けて活動を開始させることになった。ジュンは当時のことをいまでもよく覚えている。

ジュン　那覇市内にそば屋があって、「寒い、寒い」と言いながらそこに営業終了後、三人で行ったわけ。そしたら、居酒屋の話になって、やるかって。

上　原　それがスタート？

ジュン　それがスタートで。俺ら、資金もないし、じゃあどうやって居酒屋スタートするかっていう話になったときに、じゃあ、俺たちは資金もないから、人脈だなってことになって。じゃあその人脈を活かして、居酒屋をやる前になんかやろうぜってなって。じゃあイベントやろうってなったわけ。それで、イベントやるんだったら、俺らがオーガナイザーってことで、チーム組もうぜってなって。そっから、「Y」ってチームができて。それで、いろんな人脈を増やして、その人たちに、応援されるような、楽しいものをつくりあげていこうぜって。

まず、「居酒屋オープン」を実現するにあたり、「資金もない」状態に置かれているとかれら自身が認識している点をおさえておく。そのうえで、「人脈を活かして、居酒屋をやる前になんかやろうぜ」ということでイベント開催が発案され、それを開催するために「チーム組もうぜ」ということでYという集団が結成されている。実際のところ、かれらは居酒屋オープンまでの期間、ビーチパーティなど、さまざまなイベントを企画し、開催している。ここで興味深いのは、「いろんな人脈を増やして、その人たちに、応援されるような」という語りである。ここには次の二つの重要な論点が含まれている。まず、手持ちの人脈を活用することを通じて、さらなる人脈の拡大をかれらが期待しているということ。そしてその「人脈の拡大」が、今後、居酒屋経営の資源になりうることをかれらが視野に入れているという点である。つまり、自らが経済的資源に乏しい状況にあることを認めていたかれらは、オープン前の段階で、自分たちの活動を応援してくれるネットワークをなるべく多くつくっておく必要があると考えていたのである。その意味で、居酒屋をオープンし、経営していくための「ネットワークの創造」こそが、当時のかれらにとっての至上命題であったことがわかる。裏を返すと、かれらの手元にすでに潤沢な経済資金があり、かれらの活動をさまざまな面で支援してくれる豊富な社会関係が存在していたならば、わざわざ人脈を増やすためにチームを組み、オープンに先立ってイベントを開催していたとは考えにくい。ここに、限られた条件内でなんとか居酒屋の経営を試みようとする、かれらなりの知恵や戦略を読みとることができるのである。

(2)「じゃあ一緒に住むか」

かれらはしばらくの期間、同じ職場で働きつつ、営業終了後にたびたび集まってはチームミーティングを開いていた。そして二〇一一年九月、チーム結成からおよそ九ヵ月が経過した頃、かれらはついに那覇市内でルームシェアを開始する。

ジュン　ここに住んだきっかけも、(略)、営業終了後に集まれる場所欲しいなってことで、じゃあ一緒に住むかって。それで去年の九月にここに移ったわけ。

上　原　それじゃあ、Y結成から、一年近くはそれぞれの実家で集まったりしてたんだ?

ジュン　そう、実家で集まったり、居酒屋とか。あとは一緒に住んだら、その分、密になれるし、

（ミーティングの）時間も長くとれるんじゃないかみたいな感じで、まぁ、住んだ。それが、ずっと三人で一緒に住むかっていう話ではなくて、とりあえず、オープンするまでの間のミーティングができるような場所ってかたちで借りた。

上　原　実際にどう？　ミーティングの回数も増えたり

ジュン　回数はもうばっちり増えたな。

このように、かれらはYとしての活動を進めていくためにそれぞれが居住環境を変え、ミーティングのための時間と場所を確保した。それでは、かれらはミーティングでどのようなことを話し合ってきたのだろうか。次節（1〜3項）では、二〇一二年九月二六日の早朝に行なわれたミーティングの会話データから、その一端を描いてみたい。ちなみに冒頭で触れた通り、かれらは二〇一二年一一月一日に居酒屋を那覇市内にプレオープンさせている。つまり、以下で取り上げるミーティングはオープン約一ヵ月前に行なわれたものであり、かれらのオープン間近の状況を垣間みることができる。

五　オープン間近の状況

(1) 手持ちの資源の活用——競争相手ではなく仲間

オープン予定日の約一ヵ月前。かれらはまだ物件の契約が済んでいなかった。候補は二つ。どちらも那覇市内の物件だ。一つは当時の職場の近くに位置するビルのテナント。もう一つは那覇市の郊外に位置する空き店舗である。結論から先に述べると、かれらは前者のテナントを選んだ。つまり、当時の職場の近くに新たに店を構えることを選択したのである。

タカヤ　（ビルのテナントのほうは）一番やりたかったカウンターでの刺場（魚を捌く場所）があって、全体が見えて、一番はじめの理想図に近い。あとは那覇市内ということで、五年間自分たちと一緒にやってきた仲間が近くにいるので、いろいろとできるんじゃないかなっていうのを思って。

タカヤの語りからは、「当時の職場」の近くであることが物件選びのメリットとして認識されていることがわかる。しかも、「いろいろとできるんじゃないかな」という語りには、いずれはその職場の仲間と協力して何かを企画する、というかれらの思惑が見え隠れする。少なくともタカヤの語りからは、元職場が今後の競争相手として認識されていないことは確かである。

その意味で、次のジュンの語りも興味深い。

ジュン　めっちゃいろんなところに言ってるから。（当時の職場の）お客さんに、場所ももう教えてるから、説明してるから（笑）。お店の名前も言ってるし。一一月からオープンっていうのも言ってるし。

「当時の職場」の「お客さん」に対し、新店オープンの情報――店名と場所――を伝えるジュンの行為をどのように解釈するべきか。まず、「当時の職場」の近所に新店を構え、客に新店情報を伝えるその行為は、一見すると、「当時の職場」から客を奪う行為としても解釈できる。ただし、当時のかれらにとって客を「奪う」という発想が成立していたのかについては留保が必要である。なぜなら、先にみたように、そもそもかれらが「当時の職場」を今後の「競争相手」として把握していないと考えられるからだ。客を「奪う」というよりは、むしろ、「資源として活用する」のほうが当時のかれらのリアリティとしては近いのではないか。

手持ちの資源の活用という点で、タカヤの初職である建築会社の上司もまた、かれらにとって重要な資源として認識されている。次の会話は、新店の看板のデザインを誰に依頼するかに関するものである。

ジュン　そうだよ、あの大きい看板。あれどうすんの？

タカヤ　その、うちの知り合いの建築士さんに話してやっていこうかなと。もともといた（建築）会社の上司で。いまは独立してやってて、海外との取引とかをやってるデザイナーで。けっこうすごい人。まぁそこらへんは、かわいがってもらっている後輩なので、いろいろとサービスしてくれるのかなと、勝手に思っています。

一　同　（笑）

ト　シ　その自信、大事（笑）。

タカヤ　思っていれば、そういう風になるんで。

「もともといた会社の上司」に看板のデザインを頼むという発想は、その後具体化し、実現する。また、「かわいがってもらっている後輩なので、いろいろとサービスしてくれるのかなと、勝手に思っています」とあるように、資源の活用がさらなるメリットにつながるとかれらが期待していることがわかる。その語りには、手持ちの資源を積極的に活用しようとするかれらしい考え方が凝縮されている。なおこれはあくまでも推測だが、その独立した「会社の上司」の存在もまた、タカヤの職業選択における一つの「モデルケース」であったのかもしれない。

以上、居酒屋オープン間近に行なわれたミーティングの一端を記述してきた。「当時の職場」やその客、あるいはタカヤの「元上司」といった、手持ちの資源を活用しようとかれらが考えていたことがうかがえる。とくに「当時の職場」に関しては、後述するように、居酒屋オープン以降も資源として活用されており、ここからも、「当時の職場」が競争相手というよりも、仲間として認識されている点が確認できる。

（2）活動のコンセプト——〈笑顔〉〈きっかけづくり〉〈沖縄を盛り上げる〉

次に、かれらの活動のコンセプトについてみていきたい。かれらは、ミーティング中、居酒屋のドリンクメニューや店の柱となる料理、つき出し料理の有無など、いろいろと意見を出し合い、話し合った。そこで、経営の指針となる部分に話題が移り、次の会話が展開された。

トシ　コンセプト。元気と笑顔は当たり前だけど。
タカヤ　まぁ、目的が笑顔ときっかけづくり、だからね。笑顔になる店内に。笑顔になる一日に。笑顔になる料理、笑顔になるドリンク。
トシ　俺もそれを考えて料理つくる。
タカヤ　まぁいろんなところにね、笑顔を散りばめて。

ここからは、かれらの居酒屋経営のコンセプトが〈笑顔〉〈きっかけづくり〉であることが確認できる。〈笑顔〉に関しては、次のタカヤの語りが興味深い。かれらが物件として選択したビルのテナントは二階にあり、外階段をあがって入店する構造になっている。

タカヤ　外からでも中の雰囲気が見える……。階段あがってくる途中が窓あいてて。それがちょうど角側の所で。そこでちょっと明るい感じを出せたらなと思っている。中の明るさは、自分たちの元気と笑顔と心配りと。それが一番だなって思う。

タカヤは、階段の途中にある窓から店の「明るい感じ」を出し、店内の明るさは「元気と笑顔と心配り」が一番だと話す。店内の「明るさ」を照明といったハードな面からではなく、「元気と笑顔と心配り」といったソフトな面から捉えるタカヤの語りには、居酒屋を経営していくうえでのかれらのこだわりが端的に示されており、ここにコンセプトとしての〈笑顔〉が確認できる。そしてここでいう〈笑顔〉には、客を笑顔にすること、笑顔で接客することの二つの意味が含まれているといえる。

では、〈きっかけづくり〉とは具体的にどのようなものを指しているのか。

タカヤ　自分たちでいろんなカードを持っていて。お客さんがそのカードを選べるっていう。困っていたときに、「ちょっと最近肩こってさ」って言うんだったら、「あっ、いい整体師知ってますよ」みたいな感じの。そういったつながりを俺なんかがつくっていって、そのきっかけづくりをしてあげる。なんかつながればな、と。きっかけになればな、と。

かれらのいう〈きっかけづくり〉とは、タカヤの語りによれば、客に整体師を紹介すること、つまり、「人と人がつながるきっかけをつくること」であることがわかる。

以上、居酒屋経営のコンセプトである〈笑顔〉と〈きっかけづくり〉についてみてきた。他にもう一つ、〈沖縄を盛り上げる〉というコンセプトについても確認しよう。

タカヤ　観光客はターゲットにしていない。
上　原　限定してはいないいんだ。
ジュン　地元、八割は地元を。
タカヤ　観光客が入ってこればラッキー。
上　原　あぁなるほど。地元の人、八割。
ト　シ　俺らは、「沖縄盛り上げ隊」だからな。

かれらが想定する主な客層は、地元＝沖縄の人びとである。そして自らのことを「沖縄盛り上げ隊」と称し、沖縄を盛り上げることが活動の指針として認識されている点がわかる。それではなぜ、〈沖縄を盛り上げる〉なのか。ジュンはこのことについて次のように話す。

ジュン　とりあえず、俺ら沖縄好きやっし（好きでしょ）？　沖縄をガンガン盛り上げていこうぜってなったわけさ。いま、沖縄、内地企業に参入されてきて、やられてる。じゃなくて、俺らからガンガン発信していこうぜってかたちで。

ジュンの語りからわかるのは、地元沖縄への愛着と、その沖縄が県外の企業に「やられている」状況をなんとかしたいと考えていること、そしてそれが〈沖縄を盛り上げる〉という活動コンセプトの一つの根拠になっていることである。実際のところ、那覇市内を中心とした商業エリアには、県外の大手居酒屋チェーン店がいくつも進出しており、「やられている」というジュンの語りの背景にはそのような現状が反映されていると思われる。そしてジュンの語りからうかがえるのは、「内地－沖縄」という二分法的な枠組みが認識の前提にある、という点である。このことに関しては、すぐあとで再び触れる。

(3) 参照点としての「地元の先輩」「内地」

Yは、人脈を増やし、Yとしての知名度を上げるべく、居酒屋オープン前にさまざまなイベントを企画・開催してきた。その主たるイベントがビーチパーティである。わたしがミーティングに参加したその日、部屋の隅に置かれたテレビ画面からはY主催のビーチパーティの映像が流れていた。

上　原　こういうビーチパーティっていろんなところでやってる？　そうでもない？

ジュン　ビーチパーティ自体はいっぱいあるけど。
タカヤ　かーくん（地元の先輩）なんかも、でっかいのを企画してて。もう終わった？
ジュン　うん、来月ってよ。
タカヤ　来月って？　クリーン活動してからビーチパーティ。あっちも一〇〇名規模だよね。
ジュン　そう。一人一八〇〇円で。

この語りで注意をひくのは、かれらが地元の先輩が開催するイベントの内容についてよく知っていることだろう。それは、「ビーチパーティ」「クリーン活動」「あっちも一〇〇名規模」「一人一八〇〇円」という語りからも明らかである。とくにここでは、「あっちも」という表現について考えてみたい。というのも、この表現からは、かれらが少なくとも先輩のイベント情報を参照し、そのうえで、自らのイベントもそうであると意味づけている点が確認できるからだ。つまり、自らのイベントを意味づける際に、地元の先輩のイベントが一つの参照点になっているのである。その意味で、バースデーケーキのサプライズ提供に関するタカヤの次の語りも重要である。

タカヤ　前回のイザコウ（居酒屋甲子園[13]）の優勝したところのバースデーみた？　ほんとに、デザートはちっちゃいんだけど、お皿はちょっと大きくて。お皿にメッセージ書いて。

タカヤはこうも語っている。

タカヤ 前もっての予約とかだったら、それなりに（客について）調べられるから。調べて、準備して。歓送迎会とか、送別会とかも、まぁ主役になる人とかいたりするから、その会社のことをいろいろと調べたりして、準備して。そうやってやってるところ、多いんだけどね。沖縄ではあまりないけど。内地とか。

ここでもまた、地元の先輩と同様に、居酒屋甲子園に参加する沖縄県外の居酒屋の接客方法が強く意識され、参照されていることがわかる。そして先にみたように、かれらの認識には「内地－沖縄」という枠組みが前提としてあることがうかがえる。

以上、かれらは、居酒屋オープンに向けてYというチームを組み、それぞれの居住環境を変え、一つ屋根の下、共同生活を送りながら準備を進めてきた。そこでは、さまざまな場面で手持ちの資源を最大限に活用しようとする試みや、〈笑顔〉〈きっかけづくり〉〈沖縄を盛り上げる〉を活動のコンセプトに置きつつ、「地元の先輩」や「内地」を参照しながら活動を進めていく姿が確認できた。しかしながら驚くべきことに、かれらは肝心の開業資金を貯めることができずにいた。

（4）開業資金を借りる

タカヤの「二七歳」の誕生月に居酒屋をオープンさせること。これがかれらの設定した目標であり、これまでもそれに向かって活動を進めてきた。しかし実際は、開業資金を貯めることができずにいたため、その目標を達成することが難しくなっていた。そこでタカヤは次のような行動にでる。

まず、その旨を母親に相談。そのうえで、母親の兄で伯父にあたる親戚に、資金の援助を頼むことにしたのである。その伯父は、卸売業の自営で事業に成功した人物で、タカヤの居酒屋オープンに理解を示していた。その結果、伯父から開業資金六〇〇万円を借りられることになり、なんとかオープンの目処がついた[14]。こうしてYは、予定通り、二〇一二年一一月に念願の居酒屋を那覇市内にオープンさせた。

伯父の資金援助についてタカヤに話を聞いてみると、「それ（資金援助）がなければオープンは間に合わなかった[15]」と振り返っている。わたしは後日、その伯父に話を聞きにいった。なぜ資金を援助

（13）二〇〇六年に非営利活動法人（NPO）として設立。公式HPには次のような紹介文がある。「「居酒屋甲子園」とは、〝居酒屋から日本を元気にしたい〟という想いを持つ全国の同志により開催された、外食業界に働く人がより誇りを持ち、学びを共有できる場を提供する大会です」。本大会は、二〇一九年度で第一四回を迎えた。法人の活動内容や運営体制、及び、大会に関する詳細はhttp://izako.org/#firstPageを参照。

（14）FN/2013/6/2

（15）FN/2013/6/2

したのかというわたしの問いかけに対し、「まぁ出来る範囲で応援してあげようって気持ちで、うん。将来自分も助けられるかもしれないから[16]」と話した。

以上、居酒屋オープンというタカヤの「夢」が、ジュン、トシといった地元の同級生＝地縁ネットワークと結びつくことによって具体化し、集団Yが結成され、Yは本格的に活動を開始した。また、「開業資金の問題」に直面した際も、かれらは親戚といった血縁ネットワークを資源として活用することで、その状況をなんとか乗り越え、居酒屋オープンという目標を結実させた。それでは、居酒屋オープン以降、かれらはいかにして居酒屋を経営してきたのだろうか。

六　ネットワークの活用・創造・維持

ここからは、かれらの居酒屋経営の実践を具体的にみていく。とりわけ本節では、経営一年目の活動に主に焦点を当て、検討することにしたい。一年目に焦点を当てる理由は、かれらの経営スタイルのプロットタイプが理解できると考えるからだ。まずはそのスタイルを把握すること、そのことを通じて、結果的に二年目以降のかれらの活動をよりクリアに理解することができるだろう。

（1）地縁・血縁ネットワークを活用する

オープン以前と同様に、オープン以降もかれらは、居酒屋を経営していく過程で地縁・血縁ネットワークを資源として活用している。

ジュンは、当時四つの模合[17]に参加しており、そのなかには地元の同級生や先輩・後輩といった地縁ネットワークで構成された模合がある。その模合にジュンが仕事でどうしても参加できないときは、「うちの店で（模合を）やってくれないか。そしたら俺も参加できるし」と働きかけるそうだ。また模合メンバーも、「いいよ。そしたら居酒屋の売上げにも貢献できるしな」と言ってくれる[18]。つまり、自分の店で模合を開催するように働きかけることで、勤務中でも模合に参加できるだけでなく、結果的に、店の売上げにも貢献することができるのである[19]。

血縁ネットワークも同様に資源として活用されている。たとえば、Yの居酒屋の店内には数台の液晶テレビが設置されており、そのテレビはタカヤの実家である電気店から購入している。また、かれらが毎年開催するビーチパーティの音響機材の設置、ビデオカメラでの撮影、映像編集、ＤＶＤ作成

（16）インタビュー/2013/9/5
（17）模合とは、「頼母子講や無尽講の一種で広く庶民に親しまれている相互扶助的な金融の仕組み」のことである（沖縄大百科事典刊行事務局編 1983：658）。
（18）FN/2013/10/23
（19）上原（2020）では、自らの店で模合を開催することの社会学的意味について検討した。

といったすべての行程も、業者ではなく、タカヤの実家に依頼している。タカヤによると、実家だと頼みやすく、通常よりも安価でサービスを利用することができるという[20]。

このように、Yのメンバーは、居酒屋オープン以降も、自らの働きかけを通じて地縁・血縁ネットワークを経営上の資源として活用してきた。こうした側面は、現在まで続く、かれらの基本的な経営スタイルとして把握できる。ネットワーク活用のその他の事例は後述するとして、次に、かれらがネットワークを新たに掘り起こそうとする、その試みについてみていこう。

（2）ネットワークを掘り起こす

ある日、わたしは、かれらの居酒屋のカウンターにひとり座り、泡盛を飲んでいた。タカヤは、団体客の会計を済ませたあと、わたしのところに来て、内地での生活はどうか、彼女とは仲良くやっているか、など、わたしの「向こうでの生活」についていろいろと尋ねてきた。わたしはそれに対しあれこれと答えつつ、その流れでさっきの団体客は常連か、とタカヤに尋ねた。タカヤは笑顔で頷き、しばらく考え事をしているようであった。そして、「常連は単価が安い。どうしても安くしてしまう」とし、新規客の獲得が重要であるとわたしに語った[21]。この何気ないタカヤの一言は、Yの経営実践を考えるうえで非常に重要である。じつのところYは、「人脈の拡大」のため、居酒屋オープン以降もイベントの開催に力を入れてきた。オープン以降の主なイベントに限定しても（表2）、かれらが積極的にイベントを企画し、開催してきたことが確認できる。

表２　Y開催のイベント一覧（2015年７月４日時点）

日付	イベント企画・参加	備考
2012.11.01-3	プレオープン	
2012.11.05	グランドオープン	
2012.11.23	居酒屋Yホームパーティー	
2012.12.23	クリスマスイベント	
2012.12.31	大晦日カウントダウンパーティー	
2013.01.18	60年会	
2013.02.09	第１回 合コンPARTY	
2013.02.20	Y Let's Party! 2013	
2013.02.25	異業種交流会パート１	
2013.03.01	新店長就任祭	
2013.03.03	ひな祭りパーティー	
2013.03.27	異業種交流会パート２	
2013.04.21	店長独断ゲリラ企画	
2013.04.25	異業種交流会パート３	
2013.04.28	第２回 Y合コンPARTY	
2013.04.29-05.06	ゴールデン飲み放題♪	
2013.05.03	那覇ハーリー参加	
2013.05.22	Yマグロ解体SHOW!!	
2013.05.28	店長独断ゲリラ企画	
2013.05.29	異業種交流会パート４	
2013.06.14	コミュニケーションパーティ	
2013.07.15	第３回 Yビーチパーティ	
2013.08.03	店長独断ゲリラ企画	
2013.08.08	店長独断ゲリラ企画	
2013.08.09	店長独断ゲリラ企画	
2013.08.10	店長独断ゲリラ企画	
2013.08.25	第１回 モノマネ芸人のライブイベント	
2013.08.26	店長独断ゲリラ企画	
2013.08.28	全日本女子バレーのイタリア戦の放映	
2013.08.28	第２回 モノマネ芸人のライブイベント	
2313.08.30	店長独断ゲリラ企画	
2313.10.31	ハロウィンパーティー	
2013.11.04-06	１周年記念パーティー	
2013.11.28	ゲリラ企画	
2014.04	2000円ポッキリプラン♪	
2014.05.09	ボーリング大会	
2014.05.27	マグロ解体ショー！！	
2014.07.12	第４回 ビーチパーティ	
2014.09.07-09	オープニングパーティ	３店舗目
2014.10.28	ハロウィンパーティ	３店舗目
2014.11.04.-06	居酒屋YSS ２周年 時間無制限食べ飲み放題	
2014.11.22	ディナーショー	３店舗目
2014.11.24	全店舗研修会	
2014.12.07	那覇マラソン参加	
2014.12.23-25	クリスマス限定！ プレゼント	
2015.01.01-03	新年キャンペーン	３店舗目
2015.01.21-23	K店長のゲリラ企画	
2015.02	２月限定フェア 生ビール半額	３店舗目
2015.02.04	第２回 寒ブリ祭り	
2015.02.20-23	那覇カレーグランプリ2015参加	
2015.03	魚の捌き方講習会	
2015.03.15	平日限定のステキなキャンペーン	
2015.04	ボトルフェア	
2015.04.04	KAMASワインフェア	３店舗目
2015.05.10	全体研修	
2015.05.26	第３回 マグロ祭り	
2015.05.31	会員様限定パーティ	３店舗目
2015.06	モヒートフェア	３店舗目
2015.06.05	ジムビーム ナイト	３店舗目
2015.0605-14	ジムビーム week	３店舗目
2015.07	瓶ビールフェア and 料理半額	３店舗目

かれらのイベントには次のような特徴がある。まず、経営一年目（二〇一二年一一月～二〇一三年一〇月）に「異業種交流会」が四回も行なわれていることからも確認できるように、「職業」という属性が強く意識されている。参加者の属性は飲食業、美容師、広告業、アパレル業などのサービス業従事者が比較的多く、他にも、公務員、保育士、薬剤師、弁護士といった専門職従事者も参加している。こうした職業という属性を媒介に形成されたネットワークを、本章では、職縁ネットワークと呼ぼう。

さらに、ブログやFacebookなどのインターネットやSNSを利用してイベントの告知を行なっている点も特徴の一つだ。というのも、情報が芋づる式に拡大・拡散していくSNSを利用することによって、かれらの「知り合いの知り合い」にイベント情報を届けることが可能となり、それが新規客の獲得につながっているからだ。ジュンによると、「Facebookで知って来ました」と言われることが少なくない[22]。他にも、「ブログ見た人限定」といった条件付きのイベントもあり（二〇一三年八月二六日、二〇一三年八月三〇日の「店長独断ゲリラ企画」）、かれらが積極的にインターネットを利用してイベントの告知を行なっている点が確認できる。「店－客」の関係を介して形成されたネットワークを、ここでは、客縁ネットワークと呼ぶ。

このように、既存の地縁・血縁ネットワークの活用にとどまらず、居酒屋を経営していくために新たなネットワークを掘り起こそうとかれらが試みている点が確認できる。沖縄の人びとの生活や働き方に注目が集まる際、しばしば強固な地縁・血縁ネットワークに議論が集中する傾向にあるが（第一章参照）、Yの活動を丹念にみていくと、地縁・血縁ネットワークに注目するだけでは不十分であることがわかる。かれらは、沖縄でもっとも飲食宿泊業の競争が苛烈なエリアで居酒屋を経営するために、地縁・血縁ネットワークの活用だけでなく、新たなネットワークの掘り起こしに力を入れているのである。

（3）ネットワークを維持する

それでは、かれらを取り巻く地縁・血縁・職縁・客縁ネットワークは、いかにして維持されていくのだろうか。

まず注目したいのは、Y自らが主催したイベントに地元の同級生・先輩・後輩、そして家族を招待していることだ。たとえば、Y主催の第三回ビーチパーティには、ジュンの母親と親戚、カズの両親と弟が参加している(23)。またかれらは、居酒屋オープン前の二〇一二年の母の日に、親を食事会に招待し、「今後もグループYとして頑張っていくこと」「これからも応援して欲しい」といった決意と感謝の想いを綴った手紙を親にプレゼントしている(24)。二〇一三年の母の日も食事会を開いたそうだ(25)。おそ

（20）　FN 2013/08/26
（21）　FN/2013/6/2
（22）　FN/2013/11/7
（23）　FN/2013/11/7
（24）　FN/2013/9/5

らくこうした日頃の働きかけが、地縁血縁ネットワークの維持につながっているのだろう。

次に、同業者など、職縁ネットワークについてみていこう。営業終了後、わたしはカズに対してインタビュー調査を実施するため、カズと一緒に適当な居酒屋を探していた。そのときカズはわたしに対して次のように話した。

カズ　○○ってお店もいいんですよね。でもこの前行ったし、△△でいいですか？　そこ最近顔出せてないんで。(26)

このなにげないカズの語りは非常に重要である。なぜなら、同業者と日頃から頻繁に交流している様子がその語りからうかがえるからだ。まず、「○○ってお店もいいんですよね。でもこの前行ったし」という語りには、カズがその店のことをよく知っており、日常的に交流が行なわれている点が確認できる。次に、「そこ最近顔出せてないんで」という語りからは、「顔を出さなければいけない」という規範の存在と、その規範を意識し行動するカズの姿を読みとることができる。つまり、同業者間における日頃のさまざまな相互作用を通じて、またそれによって生成され共有された規範を媒介に、職縁ネットワークが維持されているのだろう。この点については、他の事例を検討することでより具体的に把握することができる。それも後述する。

最後に、客縁ネットワークについて考えてみたい。ジュンによると、新規客の約一割が常連客としてその後も関係が続くという(27)。こうした関係はいかにして維持されていくのだろうか。Yの居酒屋の常連客にシンという男性がいる。かれは、那覇の国際通り付近の土産販売店の副店長で、タカヤ・ジュン・トシと同年齢である。シンは来店すると決まってカウンター席に座る。常連シンの最初の一杯が泡盛であることを知っているYのメンバーは、かれが席に座ったことを確認すると、キープ中の泡盛と水割りセットを用意し、それをおしぼりと同じタイミングで提供する。シンは、Yメンバーの元職場の常連客でもあり、当時の集団Yの接客や活動に魅力を感じ、居酒屋オープンの話を聞いた時は「絶対に応援しようと決めた」という(28)。

ある日、Yの居酒屋で友人らと一緒に酒を飲んでいたシンは、閉店時間と同時に会計を済ませ、友人らとともにいったん店を出た。しばらくして常連シンはひとりで店に戻り、「あと一時間飲みたい！」とカウンターにゆっくりと腰をおろした。照明を弱め、制服を脱いで片付けをするYのメンバーは誰ひとりとして嫌な顔はせず、笑顔でかれにふたたび泡盛をだした。Yの経営のコンセプトの一つである〈笑顔〉が見事に具現化された瞬間であった。タカヤが「元職場からよくしてもらってる

(25)　FN 2013/11/7
(26)　FN/2013/8/26
(27)　FN/2013/11/7
(28)　FN/2013/9/3

シンさん」とわたしに紹介すると、シンはわたしの方に体を向けて次のように話した。

シン　最初の客は知り合いばっかりなるからよ。わん（俺）がどぅしんちゃー（友人たち）誘ってYにお金おとしているばーよ[29]。

しばらく帰ろうとしないシンは、「まだ飲み足りない」とアピールし、タカヤはかれを誘って近所の居酒屋に移動した。朝五時頃まで飲んだという。

こうした一連のやりとりからうかがえるのは、まず、Yのメンバーが重要な常連客としてシンを認識し、一見「迷惑」にうつるシンの行動に対して否定することなく、かれらはシンとの関係性を大切にしていることだ。当然、こうした側面がすべての常連客に該当するわけではないが、日頃のきめ細やかな接客行為が、客縁ネットワークの維持に貢献していることは確かだろう。その意味で、元職場の新規客であったカズが、ジュンの接客や活動に魅了されるなかで常連客となり、結果的にかれらの一員として活動することになった事例はまさにその象徴だろう（表1を参照）。

（4）経営二年目以降――活用・創造・維持は続く

ネットワークを活用し、創造し、維持していく。これが、ネットワークとの関連において把握できる、かれらの居酒屋経営のスタイルである。こうした経営スタイルは、居酒屋オープン二年目以降も続いていく。

冒頭で触れたように、Yは、二〇一三年一二月に二店舗目をオープンし、また、二〇一四年九月には三店舗目をオープンさせた。わたしは三店舗目のオープン準備に立ち会った。その時のエピソードからみていくことにしよう。

わたしは、店内の壁の拭き込みや、テーブルの移動、ペンキ塗り、キッチンの掃除など、かれらの指示に従いながら作業を手伝っていた。そんななか、店の入り口から作業着姿のタカヤの父親が入ってきた。右手にぶら下げた工具箱を床に置き、タカヤと店内の音響機器や配線の位置について話しはじめた。

父　親　配線はこうしたほうがいい。スピーカーの配線はこうきてるから。
タカヤ　スピーカー新しいやつにしたほうがいいかな。[30]

タカヤは、電気店で長年勤めてきた父親に相談しながら音響の配置を考えている。音響機器の作業が終わると、とくに「金銭的なやりとり」を交わすこともなく、タカヤの父親はキッチンにいたトシ

(29)　FN 2013/8/26
(30)　FN/2014/9/1

とわたしに軽く合図を送り、車を自宅方面に走らせた。この事例はまさに、血縁ネットワークの活用といってよい。

三店舗目のオープン準備には、他のネットワークも活用されている。ある日の夜、わたしはタカヤから話を聞くために、かれの元職場である居酒屋に入った。席に着いてしばらくすると男性スタッフがおしぼりを持ってきた。どうやらタカヤの知り合いのようだ。しばらく二人の会話に聞き耳を立てていると、そのスタッフが「タツさん」という人で、Yの三店舗目のオープニングスタッフとして働くことがすでに決まっていることがわかった[31]。次の日の夕方、二日酔いのわたしは、オープン準備を手伝うために三店舗目に顔を出した。するとそこには、カウンター周りを片付けるタツさんの姿があった。どうやら、出勤前の空いた時間を利用し、Yのオープン準備を手伝いに来ていたようである[32]。さらにその二日後、やはり二日酔いのわたしは、オープン準備を手伝うために顔を出し、タカヤの指示のもと、さっそく天井のホコリ取りから作業を開始した。しばらくすると、仕事帰りのタツさんが若い男性二人を連れて店に入ってきた。職場の後輩を連れてきたようである。ジュンはすかさずその二人に声をかけた。

ジュン　名前なんて言うの?
男性A　〇〇〇〇です。
男性B　▲▲▲▲です。

ジュン　ありがとうー、助かります。[33]

「応援」に駆けつけた二人は、適宜、ジュンやトシの指示に従い、黙々と作業を進めている。結局のところ、二三時頃に店に来たかれらは、深夜三時までオープン準備を手伝った。

ここで少し、居酒屋オープン前のかれらの状況を思い起こす必要がある。物件選びの際、かれらがこだわったことの一つに、「当時の職場から近いこと」があった。なぜなら、当時の職場を、客を取り合う競争相手ではなく、「仲間」として認識し、その「仲間」が経営上の資源になるとかれらが期待していたからである。さらに付け加えるならば、その認識は、二年近くの月日が経過してもなお、変化らしい変化はみせていない。なぜなら、二〇一四年二月時点で、タカヤは私に対して、「那覇のライバル店は仲間。一緒にやっていきたい。蹴落としてまで、というよりも、協力し合って」と語っているからである。[34] そして実際のところ、先のタツさんの事例からも明らかなように、元職場の近くに店を構えたことで、Yは元職場の現役スタッフを経営上の資源として活用することに成功している。まさに職縁ネットワークの活用の事例である。

（31）　FN/2014/9/2
（32）　FN/2014/9/3
（33）　FN/2014/9/5
（34）　FN/2014/2/7

さて、わたしは、二〇一四年七月二一日に開催されたY主催の「第四回ビーチパーティ」にボランティアスタッフとして参加した。総勢約二〇〇名が参加したそのビーチパーティには、すでに顔見知りで、日頃から交流のある「いつもの人たち」が一定数含まれていた。その一方で、当然ながら初参加の者もおり、以下の会話は、初参加の男性と、鉄板で肉を焼いていたわたしとの間で交わされたものである。

上　原　毎回参加してるんすか？
参加者　今回初めて。
上　原　どういう経緯で。
参加者　俺が開いた交流会にジュンが来てくれたから、今度は俺が。(35)

その男性は那覇市内で飲食業に従事しており、Yのビーチパーティは今回が初めてだという。まず、こうしたやりとりから確認できるのは、男性が開催した「交流会」にジュンが参加していたという事実である。そしてここで注目すべきは、その事実が先行することではじめて、「今度は俺が」という男性の参加動機が帰結されているという点である。つまり、他者の交流会に顔を出すというジュンの働きかけが、自らのイベントにその男性を呼び込むことにつながっているのだ。そして、このような日々の相互作用を通じて、職縁ネットワークが掘り起こされ、維持されているのだろう。その意味で、わたしがジュンに連れられて入った那覇のとあるバーの店員が、翌日、Yの居酒屋に顔を出していた事例は重要である。[36]

他の事例をみていこう。Yの店から徒歩五分圏内にある小さなバーにジュンと二人で入った際、その店長である田中さんはわたしに対して「Yはこのあたりで話題になってて、同級生三人がって。最初はうわさだけは耳にしてて。いまはこうして仲良くさせてもらってるけど、当時うわさだけは聞いてたんすよ」と語った。[37] そしてこの日、ジュンは、三店舗目を新たに出店することを田中さんに伝えた。

ジュン　三店舗目オープンなんです。
田　中　マジで。最近二店舗目オープンしたばかりじゃない。いつ？
ジュン　今月の七、八、九（日）です。
田　中　（付箋をとりにいき、メモをしている）

（35）　FN/2014/7/21
（36）　FN/2013/9/5
（37）　FN/2014/9/1

同業者である田中さんの「いまはこうして仲良くさせてもらってる」という語りや、Yの三店舗日のオープン日をメモしたという行為からも、かれらの日頃の交流の一端と、その相互作用を通じたネットワーク維持の側面を読みとることができる。

以上、那覇市を中心とした商業エリアにおいて、Yが同業者と交流している点を確認した。ここで、こうした交流がどのような営みであるのかについて少しばかり立ち止まって考えてみたい。まず、同業者との交流が、ネットワーク重視の経営戦略をとるYにとって重要な営みであることは言うまでもないだろう。とはいえ、ネットワークを掘り起こし、日々の交流を通じてそれを維持していくという活動には当然ながら、さまざまな負担が生じることにもなる。たとえば、それらの交流の多くは休日返上あるいは退勤後に行なわれている。飲食サービス業の多くがそもそも休日や就労時間帯が不規則かつ不定期であることに鑑みると、たまの休日を同業者との交流に費やすことはけっして容易いことではない。また、同業者との交流にはお金がかかる。具体的には、自宅から那覇市内までの交通費や駐車代、飲食代などであり、とくに飲酒した場合は——飲食業間の交流会において「飲酒しない」という選択肢はあまり考えにくい——、当然ながら自家用車を運転することができず、代行運転を利用して帰宅するため、出費がさらに重なってしまう。ちなみに、深夜営業を常とする飲食業において、バスやモノレールといった公共交通機関の利用は運行時間帯が限定されるために現実的ではない。そこに、鉄道が敷かれていないという沖縄の特殊事情も重なり、深夜帯に飲食店に顔を出し、酒を飲み、その足で自宅に帰る人の多くが代行運転を利用することになるのである。

それにもかかわらず、Yのメンバーは、同業者との交流を大切にしている。なぜなら、ネットワークこそが居酒屋を経営していくうえで最も重要な資源であるとかれらが認識しているからだ。次のジュンの語りにそのことが凝縮されている。実家生活を終え、那覇市内のアパートで一人暮らしをはじめたジュンは、那覇市内に住むことのメリットを次のように表現した。

ジュン　那覇に住んでよかった。これまで休みの日は挨拶回りしてたんだけど、地元から通って、代行（運転）で帰って。その意味で、那覇に住むのは経済的にも、付き合い的にもすごく助かってる。[38]

実家を離れ、都市で一人暮らしをはじめることは、一見すると、経済的コストの増大――経済的非合理――を意味するだろう。実家暮らしの方が経済的コストははるかに安い。しかしながらジュンは、那覇に移り住むことはむしろ、「経済的にも、付き合い的にも」合理的であるとしている。つまり、居酒屋経営のために必要なネットワーク資源を掘り起こし、それを維持していくという問題は、学歴や経済資本に乏しいYにとって、文字通り「死活問題」であり、その意味で、多少の経済的コストを引き受けてもなお、同業者との交流を重視するといったかれらの経営戦略は、かれらにとって経済的

（38） FN/2014/2/13

にも、社会的にも合理的なものとして位置づけられているのである。

さて、同じ商業エリアの同業者は、交流の「相手」であると同時に、その存在や経営スタイルが強く意識される対象でもある。たとえば後輩スタッフのトモキは、自分の店と他店との共通点や相違について次のように語っている。

上　原　このエリアって飲食店がひしめきあってるよね。何だろう、お互いであの店はいいなとか、意識しあってるの？

トモキ　ああ、ありますね。自分の中では、H（店名）。雰囲気がいちばん似ているお店。あとは置いてるドリンク、ワイン、日本酒、焼酎、角ハイ、ビール。で、そこはだいたいあってる（共通している）のかな、提供の仕方。盛り上げ方は、お店のやり方、それは違うんですけど。スタッフはほとんど喋らないんですけど、楽しめる。たとえば、悩みとか、これからどうするか、とか。そういうことをゆっくり話ができる場所がHなのかなと思う。楽しむんだったらHよりこっちかな、とか。(39)

トモキによれば、自分の店とHは、店の雰囲気や提供する酒の種類という点で共通性がみられる。しかし、客を盛り上げるその「やり方」に相違があり、「ゆっくりと話ができる場所」としてHが認識されている。ここからは、同じ商業エリアの他店の経営スタイルが意識され、またそのことが自らの経営スタイルを認識する契機となっていることがうかがえる。つまり、「地元の先輩」や「内地」がそうであったように、同じエリアの「他店の経営スタイル」もまたかれらにとっての一つの参照点なのである。

七　互酬性と没入

（１）ネットワークの互酬性

以上みてきたように、Ｙは、居酒屋を経営するプロセスにおいて、さまざまなネットワークを活用し、創造し、維持してきた。つまり、学歴や経済資本が豊富にあるとは言い難い若者集団が、飲食店がひしめき合う商業エリアにおいて、「ネットワーク重視」の経営実践を展開し、多種多様なネットワークを幾重にも折り重ねてきたのである。それではこうして重層化されたネットワークには、どのような性格が備わっているのだろうか。最後にこの点について考えたい。

ある日の午後、わたしは、タカヤに話を聞くためにＹの二店舗目に顔を出していた。わたしはカウンターテーブルに座り、タカヤはテーブルの向こう側で空のグラスを拭いていた。タカヤとたわいも

(39)　インタビュー/2015/11/1

ない話をしていたわたしの横には、常連客の男性がひとり座っていた。かれは、タカヤと同級生であることをわたしに説明したあと、ビールを片手に次のように話した。

常連客　タカヤがYだから、お金落とさんと。全然知らんやつに金落とすくらいなら、同級生に落とした方がいいやし。いつかその恩が返ってくるだろうし。(40)

この語りは、六節3項で紹介した常連客シンの語りを想起させるものであるが、やはりここで興味深いのは、「いつかその恩が返ってくるだろうし」の部分だろう。この常連客の男性は、同級生の店でお金を落とすことによって、いつの日か何らかの恩が自分に返ってくると期待している、少なくともそのようにわたしに語ってみせている。どのような恩が期待されているのかについてはこの語りからは確認できないものの、贈与返礼といった互酬的な性格が、ここから示唆される。こうした側面は、開業資金を貸したタカヤの伯父の語り「まぁ出来る範囲で応援してあげようって気持ちで、うん。将来自分も助けられるかもしれないから」(五節4項参照)においても確認できる。以下、二つの事例から、ネットワークの互酬性についてもう少し詳しくみていこう。

二〇一四年九月、わたしがYの三店舗目のオープン準備を手伝っていると、店の入り口からガス器具の業者が入ってきた。その業者は、タカヤの元職場(建築会社)の上司の兄貴で、一店舗目のオープンの際もガス工事を依頼した相手だそうだ。

タカヤ　知り合いに頼むと、融通が利くし、頼みやすいし、協賛がついてくる。たとえばフライヤーとか。一店舗目のときもキッチンをもらった。むこうも長い付き合いができれば利益として得をするので、お互いWin-Win。こういうのもすべて信頼関係。国際通りとかの内地の企業だと、途中で内地に逃げるパターンとかもあるみたいだから。[41]

知り合いの業者に工事を依頼することで、融通がきき、協賛がついてくる。またそれだけでなく、長期的にみて、依頼先の業者側の利益にもつながる。つまり、「お互いWin-Win」なのである。したがってここからは、Yと業者の間で形成された職縁ネットワークには、「信頼関係」に基づいたある種の互酬的な性格が備わっていることが確認できる。ちなみに、この「信頼関係」を説明するときに「内地の企業」が比較対象として用いられている点にも、五節2項、五節3項で指摘した「内地－沖縄」という認識枠組みを読みとることができる。

最後に、「ホテル宿泊割引券」に関するエピソードを紹介したい。二〇一四年一二月、関西在住のわたしは、大阪に出張に来ていたジュンと梅田でおちあった。繁華街の中心にある東通商店街のとある居酒屋に入り、Yの近況について話を聞いていた。[42]そこで、三ヵ月前にオープンさせた三店舗目の

(40)　FN/2014/2/9
(41)　FN/2014/9/1

経営に関する話題が出たときに、ジュンは、三店舗目の新規客が増加傾向にあることをわたしに教えてくれた。なぜ増加しているのか、というわたしの問いかけに対し、ジュンは、会員特典の重要性について熱く語ってくれた。

会員特典とは次のようなものである。まず、会員入会は無料で、会員特典として来店二回目は「一品サービス」、三回目は「ボトルワインサービス」、四回目は「白州のボトルサービス」、一〇回目は「現金五〇〇〇円のキャッシュバック」という内容である。さらに入会者には、県内大手ホテルPの宿泊利用七五％OFF券の特典もついてくる。この割引券は、ホテルの関連会社で働く知人からもらえるそうで、その知人はジュンの模合メンバーのひとりでもある。一回で最高二〇枚程度、無くなればその都度もらえる。ジュンによれば、ホテル宿泊割引券を配ることには会員特典以上の意味があるという。つまり、割引券を受け取った客も安価でホテルに宿泊することができ、そしてホテル側もまた、「空室が埋まる」という点で利益があるというのである。要するに、「宿泊割引券を客に配る」というサービスが、Yのみならず、ホテルと客にとっても利益があるという発想に基づいて実施されているのだ。

以上、伯父、同業者、客との間で形成されたネットワークには、信頼に基づく互酬的な性格が備わっていた。換言すると、那覇市内の商業エリアを拠点に活動するYと、かれらを取り巻く地縁・血縁・職縁・客縁ネットワークが分かち難く結びついており、そこには、お互いがお互いを支えあうような関係性が構築されているということである。そして繰り返しになるが、沖縄の人びとの「存立性の根拠」かつ「人間の生存や生活を支える相互扶助的な関係」としての地縁・血縁ネットワーク（第一章参照）にとどまらず、那覇市という都市において新たに掘り起こされ、維持されてきたネットワークにおいても、互酬的な性格が確認できることは、従来の研究が看過ごしてきた側面だろう。

（2）ネットワークへの没入

若者集団Yとの間に形成され、維持されてきたさまざまなネットワーク。そこに備わる互酬的な性格を七節1項で検討したが、その性格はときに、人びとをそのネットワークの中につなぎとめ、囲い込む。いわば、ネットワークへの没入である。

二〇一三年八月下旬の早朝、わたしは仕事帰りのジュンと二人で近くの居酒屋に飲みに行った。簡単な乾杯を済ませ、しばらくお互いの近況報告などをしながらお酒を楽しんでいた。しばらくするとジュンは、突然深刻な面持ちで、ある出来事についてゆっくりと語りはじめた。どうやら、飲酒運転で交通事故をおこしたようである。

ジュンによれば、事故直後、当時付き合っていた彼女にすぐに連絡を取り、事情を説明した。そのあと、Yのメンバーや親にも事情を伝えた。当時の心境を、ジュンは次のように振り返っている。

ジュン　Yのメンバーや常連さん、いつもよくしてもらっている飲食関係の人に申し訳ない[43]。

このようにジュンは、「Yのメンバー」だけでなく、「常連さん」「いつもよくしてもらっている飲食関係の人」に対しても「申し訳ない」としている。この語りから読みとれるのは、常連客や同業者の存在が「Yのメンバー」と同等に扱われている、少なくとも同等の存在として語られている、ということである。

こうしてジュンは、自責の念からグループYの脱退を決意する。このままでは「沖縄にはいれない」とし、内地に行くことを考えていた。しかし、脱退の意向を周囲に伝えたところ、ジュンの彼女や母親、そしてYのメンバーはそれを引き止めた。つまり、脱退を許さなかったのである。当時のことについて、ジュンの彼女は「ただただ、ショックでした。けど落ち込んでいても仕方ないし、これからどう頑張っていくかが大事だと思った」と振り返り[44]、ジュンの母親も「やってしまったことは仕方がないから、これからどうやってYのメンバーやお客さんに恩返ししていくかが重要だからってかれには言いました」としている[45]。そして、Yの主要メンバーであるタカヤとトシは、罰金三〇万円は店が肩代わりする代わりに、Yからの脱退だけは許さないことを強く伝えたという[46]。こうした一連のやりとりを経て、最終的にジュンは、銀行からお金を借りて罰金を払い、Yにとどまったのである。

ジュンの事例からどのようなことが指摘できるだろうか。まず、自責の念にかられたジュンの脳裏に、Yのメンバーだけでなく、常連客、同業者の存在が浮かんだことや、ジュンの母親の語りのなかに「お客さん」が含まれていたことからも、日頃からYがさまざまなネットワークに囲まれ、居酒屋を経営していることが再度、確認できる。次に、Yのメンバーとそれを取り巻くネットワーク――ここでは主に地縁・血縁ネットワーク――にとっては、飲酒事故による「裏切り行為」よりも、このネットワークからの脱退こそが罪深き「裏切り行為」だということである。その意味で、かれらが共同体から抜け出すことはけっして容易ではない。要するに、Yを取り巻くネットワークの総体は、かれらをその共同体内部につなぎとめ、囲いこむものとして機能する。別の言い方をすると、Yのメンバーらは、その共同体に没入しながら、飲食業の競争率が高い商業エリアで居酒屋を経営し、暮らしているのである。

最後に、給料の支払いをめぐる事例について検討する。ここからも、共同体への没入の側面がはっきりと確認できる。

二〇一四年二月。Yが居酒屋経営をはじめて一年三ヵ月の月日が経とうとしていた。この時期は営業成績があまり伸びず、経営が厳しくなりはじめていた。実際、二〇一四年二月から二〇一四年九月現在まで、スタッフに対する給料の支払い方法を、月払いから月二回の分割払いへと変更している。

(43)　FN/2013/8/21
(44)　FN/2013/9/15
(45)　FN/2013/8/26
(46)　FN/2013/8/21

タカヤによると、銀行からの借り入れ等でこれまでどうにかやってきたが、借金も重なり、厳しい状況にあるという(47)。

こうしたなか、Yは、二〇一四年九月一日、今後の経営に関する話し合いの場を設けようと全体総会を開いた。全従業員が参加するその総会には、今後の経営方針に関することだけでなく、互いに意見を交換し、日頃の想いを伝え合うという狙いがあった。

意見交換の場面で、後輩スタッフであるトモキは、自ら手を挙げ、先輩たちに向けて次のような発言をした。それは、給料の分割払いという厳しい経営状況を念頭に置いてなされた発言である。

トモキ　一人ひとりのシアワセを形に。ということだが、実際は難しい。だけど、互い（従業員間）で認め合うことは大事だと思うから、ひとりで抱え込むことはやめよう。自分も生活が厳しい。キセツの貯金が一〇分の一になっている。奥さんの奨学金の返済もはじまった。自分はそれを抱え込みたくない(48)。

一九八九年に沖縄市で生まれたトモキは、地元の工業高校を卒業後、県内の専門学校に進学した。父親の仕事は鉄筋関係の自営業である。専門学校在籍中は空港関係の仕事に従事し、卒業後は実家の仕事、キセツを経験。その一年後に、沖縄にUターンし、しばらく実家の仕事を手伝っていた。その時期、たまたまYの居酒屋を訪れたトモキは、Yのメンバーからの誘いもあり、居酒屋で働くことになった。

Yでのトモキの給料は手取りで一五万円。かれは結婚しており、子どもがひとりいる。上記の総会での発言の背景には、キセツでの貯金が少しずつ減ってきたこと、また、子どもの洋服代や病院代などの養育費がかさむこと、そして、育児で妻が働けないため、トモキの一五万円の収入とわずかな貯金だけが家族の生活費であることなどがあげられる。妻の実家で生活していた分、家賃はかからなかったとはいえ、わずかな収入で家族を養うトモキの状況はけっして恵まれているとはいえず、経済的に厳しい状況にあった。こうしたなかで、勤め先であるYの居酒屋の経営状況の悪化が追い打ちをかけることとなり、先の発言がなされたのである。

しかしトモキはYを辞めることを選ばなかった。かれは、居酒屋の代表であるタカヤらに対し、「何をすれば（給料）上がりますか?」と尋ね、スキルを磨き、料理長や店長に昇格すれば給料が上がることを知った。するとかれは、自らその昇格コースを志願し、スキルを身につけ、料理長、店長と一気にのぼりつめていくことになる。

料理長、店長と役職を任されるようになり、トモキの給料も約束通り上がっていった。それぞれ手取りで一八万円、二二万円である。とはいえ、店の経営状況が苦しいことに変わりはなく、分割払い

（47）　FN 2014/9/1
（48）　FN/2014/9/1

は続いていた。なぜ、トモキはYを辞めないのか。役職を任されるようになり、給料が上がったからか。その側面を完全に否定することはできないが、トモキの解釈はこうである[49]。

トモキ　普通であれば、たぶん、じゃあここ（Y）より、違うところに行こうってなるかもわかりませんけど、自分のなかで、トシさん、タカヤさん、ジュンさんには勝てるものがない。

上　原　いまも？

トモキ　勝てるものがない。なんだろう、一人ひとりに対して勝てるかって言ったら勝てないっていう。その人たちについていきたいかって思うかってことなんですよ。やっぱり、その店のレベルってあるじゃないですか、お店の質とか。それを作り上げるのって簡単じゃない。でもそこ（他の職場）に移動して（仕事を）覚えることって簡単だと思うんですよ。

トモキがYを辞めないのは、先輩たちに勝るものがなく、店を一から作り上げてきた「その人たちについていきたい」という気持ちが少なからずあるからである。トモキにとって、他の仕事に移動してそこで仕事を覚えることは、先輩たちが一から作り上げてきたことに比べたら「簡単」なことなのである。それほどトモキの目には、タカヤらのこれまでの活動が魅力的に映っているのだ。

先輩たちの存在が、トモキをYにつなぎとめている。その意味で、次のトモキの語りは非常に興味深い。かれは、「本気でやっている」先輩たちの姿に、「中途半端」だったこれまでの自らの人生を重ね合わせている。

上　原　「普通だったら（Yを）抜けるだろ」って思うところを抜けてないのはなんでだろってい うのが聞きたかった。

トモキ　それは、やっぱり自分が、いままで何に対しても、中途半端だと思いはじめてるからです。えっと、たとえば、やっぱり小学生の時にバレー部に入って、兄ちゃんがめっちゃエースだったんですよ。で、めっちゃかっこいいと思って入ったのはいいけど、やっぱり、そこまで。中学校にあがって、何だろう、あまり練習にもいかず、でもあまり周りが上手くないからレギュラーにはなれてしまって、みたいな。で、工業高校に入ると、そこって（バレーが）強かったんですよ、メンバーから「やろうぜやろうぜ」って言われても、そこで一回、バイクに走ったりとか。で、やっぱり、全部が全部、中途半端だなっていうのはあって。で、専門学校も親の金で行かせてもらって。で、空港で働いたあと、そこから親父の鉄筋屋さんに入って二年間。そこでもやりたい仕事ではないってことで、なんか、「なぁなぁ」とやってきてます。そこで一回は内地に行ってみたいなってことで、中学の時から嫁さんと付き合ってたので、二人で一緒にキセツに行って。（満期の）半年間が終わる前くらいに、子どもができたってなって。そこからいま戻ったら（経済

（49）　以下のトモキの語りはすべて二〇一五年一一月一日のインタビュー記録からの引用である。

的に）やばいってことで、一年（延長して）帰ったんですよ。で、帰ってきて二、三ヵ月後くらいに、Yに入ってってことで。いま、この状況になって、そこでまた辞めたら、ずっと同じ、中途半端な。一生懸命やった方が楽しいってことに気づかず、中途半端に人生が終わってしまうんじゃないかっていうのがあるのと、やっぱり、本気でやってる三人を知っている。一生懸命、自分なりに一緒にやりながら、楽しくできると思っているんですよ。

このように、トモキは自らの人生を「中途半端」なものとして意味づけている。そして、その対極には「本気でやってる三人」の一生懸命な姿がある。その姿に魅了されることでトモキは、過酷な労働条件や厳しい経済状況を「積極的」に選び取っていくのである。

しかしそんなトモキも、ある時期を境に、憧れの先輩らに対して「怒り」に近い感情を抱きはじめる。Yの経営状況が厳しさを増すなか、タカヤらは従業員に対し、希望退職者を募る方針を固め、それを従業員全員に伝えることにした。タカヤらは従業員を集め、希望退職に関する書類を配布し、今後給料が払えない可能性があること、これまで通り一緒に頑張ろうとは言えない状況にあること、そして後日、辞職の意志について知らせて欲しいことをメンバー全員に伝えた。その説明を受けたトモキは納得がいかなかった。

トモキ　そこで（希望退職者の）説明があって、自分たちが未熟で、みたいな。ちょっとお金（給料）を払いきれない可能性がある、と。いままでも迷惑をかけていて、これからもその可能性があるから、ちょっとここは（給料を）上げるから頑張って一緒についてきて、とは言えないっていう感じの説明を受けて。そこでぜんぜん納得できなくて。で、それ（説明会）をやったときに、ついてくるかこないかをその場で選んでくださいっていうニュアンスがあって。「ちょっと待ってください」って言って。じゃあ、辞めるってなったら辞めるでいいですけど、ついていくってなったときに、誰でも不安じゃないですか、どうしていくっていう。「それはどうなってるんですか」ってトシさんに聞いたら、「それは人数が減ったら店舗を縮小するかもしれないし、わからない」って言われました。で、わからないじゃなくて、残ったメンバーってじゃあ何を希望に頑張るんですか？って。こんな不安ななか、ついていきますって。いままで信じてきた人にそう言われて、何をじゃあ希望に頑張れるの？って思って。だから「これはすぐには決めれないです」って言って。あの、「（スタッフが）減った場合ってどうするのかって考えてるんですか？」って聞いたら、「そこも考えれてない」って言ったんです。だったら、その話をもってくるのは早すぎるじゃないかって自分は思ったんで、それも全部言ったんですよ。

上　原　それはみんなの前で？　それともトシだけに？

トモキ　トシさんだけに。あまりにも突き放されている感がすごかったので。

このように、Ｙの経営状況は非常に厳しい状況にあった。と同時に、前述したように、トモキには妻と子どもがいて、家庭の経済状況は厳しさを増していた。そんななか、給料の払いが滞る可能性があることや希望退職者を募ることが、先輩からトモキへと告げられたのである。トモキが納得できないのはしごく当然だろう。ただしここで注目したいのは、トモキの怒りの矛先である。トモキは、給料の支払いが滞ることよりも、あの憧れの先輩たちに、つまり、「信じてきた人に」「あまりにも突き放されている感がすごかった」ことに納得がいかなかったのである。要するに、先輩らの希望退職者を募るその非人格的な「やり方」や、そこから感じられる先輩らのどこか「冷めたような態度」がここでは問題となっているのである。希望退職者の話に納得がいかないトモキは、後日、経営者であるタカヤ、ジュン、トシを呼び出し、自らの思いを伝えることにした。

トモキ　三人呼んで、みんなで話しているときに「辞めてほしいんですか辞めてほしくないんですか」って自分が最初に聞いて。「本当は辞めてほしくないよ」って。「そんなの言わないとわからないですよ」って。ましてや、辞めるか辞めないかマルだけつけなさいって、人間のやることじゃないって感じだったんで。企業だったら、面接とかしてってなるけど。直属の上司でありオーナーである三人がいながら、そういうやり方しかできないっていうのはどうなのかなって。いままでは何かあるたびに、キツい思いさせたら「ありがとうね、ごめんね、よくしていくからね」って言ってたのに。おかしいじゃないですか。

上　原　急に突き放してきたじゃないけど、ドライな感じ。

トモキ　やり方が、おかしかった。たぶんなんですけど、経営者目線になりすぎているんですよ。

このように、事実上経営者である三人に対し、トモキは、「経営者目線になりすぎているんですよ」と語っている。一見すると非常に奇妙な語りである。しかしこの語りには、トモキがタカヤら先輩をどのような存在として認識しているのかがもっとも端的に示されてもいる。トモキにとって先輩たちは、非人格的な企業の単なる「経営者」ではない。むしろ、「直属の上司でありオーナーである三人」は、尊敬すべき対象であり、これまで「中途半端」な人生を歩んできた自分にないものを持っている、人格的な存在なのである。それゆえに、非人格的ともいえる希望退職者を募る先輩たちの「経営者」としてのやり方や、先輩らのどこか「冷めたような態度」にトモキはどうしても納得がいかなかったのである。それらは、給料の支払いが滞ること以上に、トモキにとっては無視できない問題であり、その意味で、トモキと給料未払いをめぐる一連の出来事はまさに、経済的問題にのみ回収されるものではなく、それこそ人格的な、共同体的な問題として解釈されるべき事柄なのである。

結局のところ、トモキはYにとどまり、Yのメンバーとして働き続けることを選んだ。トモキが経済的に厳しい状況に置かれていることに変わりはない。しかし、居酒屋を立ち上げ、経営を展開してきた先輩らの姿は、「中途半端」な人生を送ってきたトモキにとって偉大であり、魅力的であり、人格的な存在としてある。こうしてトモキは、タカヤを中心とした共同体へと没入する。

おわりに

中学・高校と、常に地元の同級生の中心にいたタカヤ。かれは、高卒後、どのような進路を歩んできたのだろうか。職能校卒業後、どのような職業に就き、どういった暮らしをしてきたのだろうか。こうした関心を出発点に、タカヤの生活史をたどることから本章をはじめることにした。

職能校を卒業したタカヤは、初職である建築会社を一年足らずで辞職。居酒屋独立の目標をかかげ、那覇市内の居酒屋で働きはじめた。そこに、地元の同級生であるジュンと、高校の同級生トシが合流。三人は、那覇都市圏でもっとも宿泊・飲食業が密集した商業エリアで居酒屋を立ち上げることを決意する。

経済的資源に乏しいかれらは、居酒屋を経営していくに際し、「ネットワークの創造」こそ、自らの至上命題であると認識していた。そこで、Yというチームを組み、居酒屋オープンに向けてさまざまなイベントを企画、開催した。しかもかれらは、ミーティングの機会を設けるため、それぞれの居住環境を変え、那覇市内にアパートを借りて共同生活を行なった。ミーティングでは、今後の方針についてさまざまなことを話し合い、なかでも、手持ちの資源を最大限に活用することに重点が置かれた。たとえばそれは、三人の「当時の職場」を競争相手ではなく仲間として認識し、それが今後の資源となりうることをかれらは期待した点に端的に表れている。実際にその資源は、居酒屋オープン以降、見事に活用されている。当時の職場の客や元職場の上司もまた、資源として期待され、活用されている。そしてかれらは、〈笑顔〉〈きっかけづくり〉〈沖縄を盛り上げる〉を活動のコンセプトとしつつ、「地元の先輩」や「内地」を参照しながら居酒屋オープンに向けて準備を進めていった。開業資金に関しては、親戚に工面してもらった。このように、かれらは、地元の同級生や元職場の上司、親戚など、手持ちの人的資源を最大限に活用することで、目標であった居酒屋オープンを達成させたのである。

飲食店間の競争が激化するエリアにおいて、Yは、居酒屋オープン後も人的資源を創造し、活用するという試みを実践してきた。その活動は、かれらの経営スタイルのプロットタイプである。まずYは、地元の友人、先輩、後輩、家族などの既存の地縁・血縁ネットワークを資源として活用した。同時に、さまざまなイベントを企画し、SNSなどの利用を通じて職縁・客縁などの新たなネットワークの掘り起こしも積極的に行なった。なぜなら、常連客だとどうしても単価が安くなるためである。新たなネットワークの掘り起こしとはまさに、新たな収入源の確保を意味する。そして、かれらを取り巻く地縁・血縁・職縁・客縁ネットワークは、Yの日頃のさまざまな働きかけを通じて維持されていた。こうした活動スタイルは、経営二年目以降もかわらずに実践されていた。

また、Yを取り巻くネットワークの総体＝共同体には、互酬的な性格が確認できた。それは、常連客や親戚、あるいはガス器具会社やホテルなどの同業者との関係性においてみられ、それは端的にいうと、「お互いWin-Win」の関係性であった。そしてその性格はときに、共同体のなかに人びとをつなぎとめ、囲いこむものとしても機能していた。こうした共同体への没入の側面は、ジュンの飲酒運転をめぐるエピソードに端的に表れていた。ジュンは、自らが起こした飲酒運転事故を機に、Yの脱退を決意した。しかしながら、Yのメンバーや母親、そしてジュンの彼女はその脱退を「裏切り行為」として許さなかった。かれらにとって、飲酒運転事故よりもYを脱退することの方が許し難い「裏切り行為」であった。次に検討したのは、給料の支払いをめぐるものであった。経済的に厳しい状況にあった後輩トモキは、給料の支払いが滞る可能性があるなかで、それでもなお、Yを辞めようとはしなかった。なぜなら、「中途半端」な人生を送ってきた自分とは対照的に、居酒屋を一から立ち上げた先輩らを尊敬していたからである。こうしてトモキは、タカヤら先輩の存在に強く影響されるかたちで、Yにつなぎとめられたのである。

このように、タカヤの居酒屋独立の「夢」は、じつにさまざまなネットワークがタカヤのもとに集結し、それらが幾重にも折り重なり、日々の暮らしのなかで再編される過程で、現実のものとなっていった。従来の先行研究が繰り返し指摘してきたように、地縁・血縁ネットワークを基礎にした沖縄的共同性は、沖縄の人びとの「存立性の根拠」であり、その共同性の存在が、沖縄の人びとの都市社会への適応を可能にしてきた。そのように考えると、タカヤを起点に活用され、創造され、維持されてきた地縁・血縁・職縁・客縁ネットワークの総体もまた、都市への適応を可能にする沖縄的共同性として把握できるだろう。しかし本章でみてきたように、地縁・血縁にとどまらない点がYの事例のユニークな点である。それゆえに、本章でみてきた共同性は、自明かつ「所与のもの」として語られてきた共同性とは性格を異にする。Yが依拠する共同性には、那覇という都市空間で新たに掘り起こされたネットワークが含まれており、その共同性もまた、日々の経営実践によって再編され続けているからである。

それでは、共同性に依拠するYの経営実践についてどのように考えることができるのか。人脈拡大のためにイベントを開催すること。店の看板のデザインを元職場の上司に依頼すること。親戚から開業資金を借りること。地元の模合を自らの店でやるように促すこと。液晶テレビを実家から安く購入すること。DVD作成の全行程を業者ではなく実家に頼むこと。新規客の掘り起こしのために積極的にSNSを使うこと。不規則な生活を送るなか、関係性を維持するために休日返上で「挨拶回り」を行なうこと。代行代などの出費が重なるのを承知のうえで「対面的な交流」を日頃から大切にしていること。新店舗をオープンする際に元職場や親から協力を得ること。——これらすべての行為は、競争が激化した商業エリアで居酒屋を経営していくために行なわれていることをまずは繰り返し強調しておく。要するに、居酒屋の経営資源であるネットワークを活用し、創造し、維持していくことは、学歴や経済資本が豊富にあるとは言い難い若者らにとってはどうしても必要なことなのである。なぜなら、ネットワークを資源として活用できるか否かという問題は、店の収益にダイレクトに影響し、それはそのままYのメンバーの給料に反映し、場合によっては自らの生活基盤を揺るがしかねないからである。まさに「死活問題」である。そして、日々の経営実践の過程で、タカヤを中心としたネットワークの総体に共同体としての性格が宿り、その延長線上に共同体への没入があるならば、若者が共同体に没入することはけっして不自然なことではない。たしかにそのあり方は、一見すると、経済的に非合理である。ただし、居酒屋を経営していくだけの「十分な資本」が手元にない若者たちが、それでも居酒屋を立ち上げ、経営していこうとするならば、ネットワークといった「手持ちの資源」を活用することがもっとも最適で、現実的で、そして経済的にも合理的な選択肢として、少なくとも当事者たちの生活世界のなかではそのように感覚されている可能性は否定できない。不規則な生活を送るなか、関係性を維持するために休日返上で「挨拶回り」を行なうことや、代行代などの出費が重なるのを承知のうえで「対面的な交流」を日頃から大切にする行為は、こうした文脈において理解されなければならない。逆にいうと、学歴や経済資本に相対的に恵まれ、毎月決まった日に一定の給料が振り込まれる「安定層」の人びとが、はたしてYのような実践を行なうだろうか。おそらくは行なわないだろう。それは、行なう必要がないからである。その意味で、「安定層」にとって共同体は「死活問題」とはならない。

それでは、給料が分割払いとなり、支払いがいずれ滞るかもしれない状況のなか、後輩のトモキがYを辞めなかったことをどのように理解すべきだろうか。尊敬する先輩らの存在が強く影響したことは繰り返し述べてきたが、このことも一見すると、経済的利益よりも人間関係を優先した行為としてある。しかも人間関係やそこから醸成されるやりがいを媒介に、過酷な労働環境にトモキをつなぎとめるという意味では「〈やりがい〉の搾取」（本田 2008）の典型例としても解釈できるだろう。ただしこうした解釈は一面的であると言わざるをえない。というのも、沖縄の脆弱な経済構造を背景に、専門学校卒業後、常に不安定な職業移動を繰り返してきたトモキにとって、一から居酒屋を立ち上げたタカヤらの活動が「魅力あるもの」に映ったことは何ら不思議なことではないからである。しかもトモキは、先輩たちに対し、直接賃金交渉を行なうなど、過酷で不安定な労働環境の改善をも視野にいれ、働いている。脆弱な経済構造に規定されながらも、そのなかで、自らの置かれた状況を「よりよいもの」に変えていこうとする試みがここからは読みとれる。要するに、タカヤを中心とする若者集団のメンバーは、学歴や経済資本が相対的に乏しく、沖縄の脆弱な経済構造に規定されながらも、与えられた条件内で自らにとって常に「ベストな選択」を模索し、行為を決定してきた。その帰結が、ネットワーク重視の経営実践であり、共同体への没入なのである。没入そのものを無批判に肯定するべきではないが、一方で、〈やりがい〉の搾取という言葉では片づけることができない若者たちの社会的現実を、地域的なコンテクストとの関連で捉え返し、共同体への没入状況を地域内在的に理解する必要があることも、また確かなのである(50)。

(50) 今回、ジェンダーの視点を取りいれることができなかった。Yの活動には、タカヤの妻や他のメンバーの彼女、女性スタッフの存在などが大きく影響していると思われる。別の機会に論じたいと思う。

二〇一五年の秋口、関西で暮らすわたしの耳に、地元中学の同窓会が来年の夏に行なわれるという情報が届いた。あの成人式から約一〇年。関西での生活も一三年目を迎えていた。もちろん、今回も実行委員長はタカヤである。しかしながら、というか、やはりというべきか、どうやらタカヤは実行委員の集まりにほとんど参加できていないらしかった。高校卒業後のタカヤの暮らしを地元の友人として、または調査者として見つめてきたわたしとしては、不規則な生活を送るタカヤが集まりに参加できないことはもちろん納得のいくことであったし、地元の友人たちの多くもタカヤの多忙さをきちんと理解していた。それにもかかわらず、タカヤは今回も実行委員長に選ばれた。このエピソードは、わたしたちにとってタカヤという人物がどのような存在かを端的に物語っている。

同窓会当日。タカヤ、欠席。

あの場所で、いつものように、睡眠時間を削りながら、笑顔で働いているのだろう。

文献

上原健太郎、2018、「地元の友人に話を聞いてみる」有田亘・松井広志編『いろいろあるコミュニケーションの社会学』北樹出版
上原健太郎、2020、「沖縄の飲食業で働く若者たちと地元つながり文化」谷富夫・稲月正・高畑幸編『社会再構築への挑戦──地域・多様性・未来』ミネルヴァ書房
沖縄大百科事典刊行事務局編、1983、『沖縄大百科事典 上下巻』沖縄タイムス社
本田由紀、2008、『軋む社会──教育・仕事・若者の現在』双風舎

第四章　排除Ⅰ——不安定層の男たち

打越正行

はじめに——終わらないパシリ

上地　正直、この年（三〇歳前後）で、（建築現場や地元での先輩からの厳しい仕打ちは）きついっす。時々、自分（の存在が）なんなんだろって思います。

これは、沖縄で生まれ育った元暴走族の上地という男性が、建築現場からの仕事帰りに私と二人きりの「現場号（建築現場の移動で用いるワンボックスカー）」で嘆いた言葉である。上地は現場でパシリとして扱われており、暴力的な仕打ちを受けていた。またこの日も仕事を終えて帰路についた途端、地元のしーじゃ〔先輩〕から送迎のお願いが三件も立て続けに入った。しーじゃたちは免許や移動手段をもっていないため、現場号の運転手である上地は送迎役として適任だった。彼は帰宅後にシャワーも浴びないままに、着替えを済ませて、しーじゃたちの家へ向かい、その日寝床についたのは深夜の一時を越えていた。三〇代になってもパシリであり続ける彼は、その仕打ちそのもののきつさに加えて、その状況が終わる見通しが立たないこと、つまり「終わらないパシリ」という現状に嫌気がさしていた。

はじめに上地の言葉を紹介したのは、本章が対象とする沖縄の下層の男性が生きる地元社会の現在を端的に表していると思うからだ。彼は、地元の暴走族を経験して、地元の建築業で働き、実家で生活する若者であった。彼は一〇代で結婚し、子どもができたが、その後に離婚して実家に戻った。生まれ育った地元のなかで行動していて、人間関係は中学のしーじゃとうっとぅ〔後輩〕の関係が中心である。しーじゃとは、うちなーぐち〔沖縄方言〕で兄や年上という意味である。同様にうっとぅとは、年下や弟という意味である。親族で使われるうちなーぐちではあったが、若者たちの間では、先輩と後輩をさす言葉として浸透している。そして、その上下関係の厳しさは、年齢を重ねても変わらない。むしろ、より殺伐としたものへと組み直されている。地元は、彼にとって情緒的な安心感を与える場所とはなっていなかった。

本章は下層の若者の生活、就労、そしてそこで起こる暴力をめぐる物語である。それを通じて、下層の若者の視点から沖縄の階層と共同体のあり方を考察することを目的とする。彼らのつながりのあり方は、沖縄的共同性として描かれる互恵的な「ゆいまーる〔相互扶助〕」ではない。彼らのつながりは主たる生活資源にもならないし、生活のきびしさを和らげる緩衝材としても、役に立つものではない。沖縄の下層の若者たちは、まず地域の共同体から排除される。そして彼らはその状況を生き延びるために、ある種の共同体を自分たちで新たにつくろうとするのだが、それは彼らにとっては拘束として機能する。たとえば、ゆいまーるやエイサーの青年団などの共同体から排除されている。さらに、中間層にみられるような商売上のつながり、親族の集まり、地域の友だち集団からも距離をとられている。同時に、彼らは、仕事の現場でも生活でも、たとえば、しーじゃとうっとぅのような縦型の人間関係に強く拘束されている。その人間関係にある限り、将来もそこにとどまり続けることになる。なぜそのように拘束力の強いつながりを自ら選択するのか。そこにある彼らなりの選択の理由を描き出す。沖縄の下層の若者の〈共同体からの排除〉と〈共同体への拘束〉といった一見すると相反する現実は、そこから排除されようと、そこに拘束されようと、彼らにとって共同体が重要であることを表している。またそれは、後述するように、沖縄の産業構造の変容とは無縁ではない。たとえば、彼らの主たる収入源である建築業の規模の縮小にともなって、労働現場における暴力の意味付けが変わり、それによって彼らのつながりも過酷なものとなっている。沖縄の下層の若者にとっての共同体は、生活と就労が成り立つ条件でもあるが、同時にそれを過酷にもさせているのだ。

一　暴走族のアジトへ

表1は本章で取りあげる主な若者たちのプロフィールである。図1は、それらの若者の簡単な人物相関図である。このなかの太一と上地という若者は、本章の主人公である。詳しくは後述するが、二人とも地元のT地区の暴走族である沖縄連合で活動し、地元の建築会社の沖組で働いた経験がある。太一は上地の三歳年上で、二人ともに年齢は三〇代前半である。ともに結婚して子どもが生まれたが、その後に離婚を経験している。

太一は数々の格闘技大会に出場し実績を重ねてきた格闘家であり、同時に「ストリートファイター」である。彼の路上での武勇伝はたくさんある。上地は暴走族時代の派手なバイクの運転で沖縄全島で名の知れた若者である。バイク事故を何度も経験しているが、そのたびに過酷なリハビリを乗り越えて不死鳥のように復活してきた。この節では彼らの視点から沖縄の共同性について考えるために、彼らが所属していた暴走族の仲間集団の日常生活を描く。

（1）アジトに入り浸る若者たち

沖縄連合のバイク倉庫

T地区の沖縄連合は、一五歳から三〇歳くらいまでの約三〇名の若者によって構成された暴走族で

表１　調査対象者のプロフィール

名前	年齢＊	学歴	警察経験	居住形態	仕事(2015年)	結婚
太一	3歳上	高卒	あり（元妻へのDV、繁華街での暴行）	マンスリーアパート（仲里と同居）	建築業（元沖組従業員）	離婚（元妻･子どもと交流なし）
慶太	2歳上	中卒	あり（恋人への暴行）	公営住宅（親と同居）	建築業（沖組）	離婚（元妻･子どもと交流なし）
仲里	3歳上	中卒	なし	アパート（太一と同居）	建築業（沖組）	離婚（元妻･子どもと交流なし）
裕太	8歳上	高卒	なし	実家	建築業（沖組）	既婚（妻・子ども有）
光司	8歳上	中卒	なし	実家	建築業（沖組）	未婚
貫太	6歳上	中卒	なし	アパート（妻、子ども）	運送業	既婚（妻・子ども）
上地	―	中卒	あり（元妻へのDV）	実家（父、母、兄と同居）	建築業（沖組）	離婚（元妻・子どもと交流有）
達也	6歳上	高校中退	あり（住居侵入、窃盗）	アパート（妻、子ども3人）	建築業（沖組）	既婚（妻・子ども）
健二	3歳上	専門中退	あり（集団暴走）	アパート（妻、子ども2人）	建築業（沖組）	既婚（妻・子ども）

＊　年齢は最年少の上地を基準とし、彼からみて何歳年上かを記した。

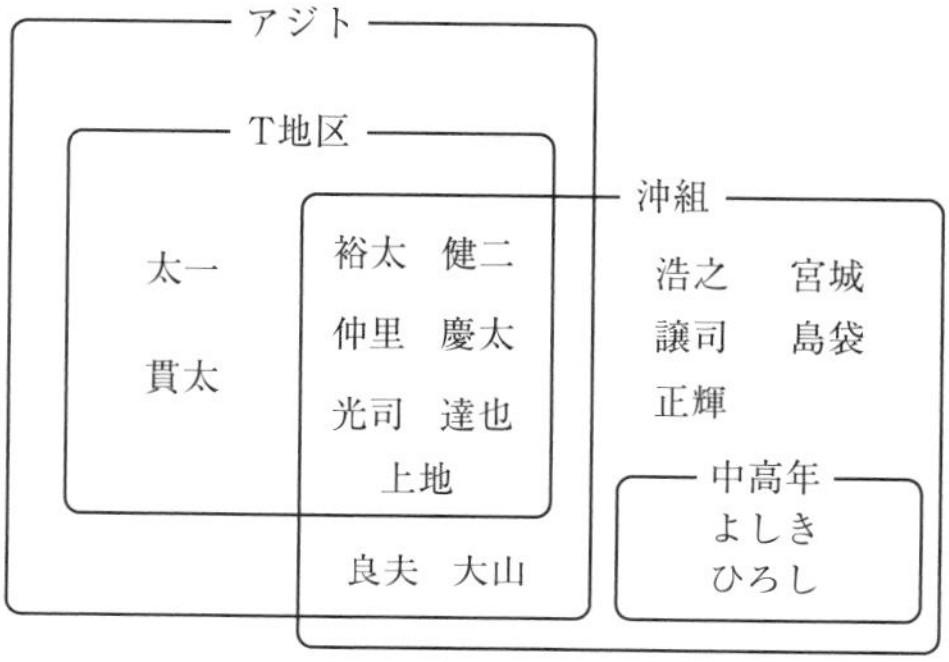

アジト
T地区
沖組
太一
貫太
裕太　健二
仲里　慶太
光司　達也
上地
良夫　大山
浩之　宮城
譲司　島袋
正輝
中高年
よしき
ひろし

図１　人物相関図

ある。沖縄連合は、T地区の小さなガレージを「アジト」と呼んでたまり場にしていた。周辺的なメンバーを含めると三八名の若者が、そのアジトに出入りしていた。アジトには毎晩、メンバーの若者のうち一〇名ほどが集まっていた。だいたい夜一一時頃から集まり始め、朝方まで誰かがいる。携帯で連絡を取り合って集まるのではなく、アジトに行ってみれば誰かがいるという感覚で集まっていた。沖縄連合は二〇〇九年に集団暴走で一斉に逮捕・補導され、それをきっかけにアジトの場所を変更した経緯がある。それからアジトへの警察による捜査を警戒しており、バイクの出し入れ以外は正面のシャッターを開けることはなかった。正面側からはただの空店舗を装っているために、シャッター前でたむろすることも禁止されていた。

アジトに保管されているバイクは、しーじゃたちの間では貸し借りは自由であった。鍵は常にバイクに付けられており、燃料が空の状態で保管され、乗る者が補充して乗るシステムになっていた。また倉庫の家賃（四万二〇〇〇円）は、バイクを持つ六名のしーじゃたち（一人・七〇〇〇円）によって賄われていた。

生活の場としてのアジト

私は二〇〇七年から、アジトがなくなる二〇一三年まで、そのメンバーの一員として参与観察を行った。ナイチャー（本土出身者）でしかも学生である私は、はるかに年下の彼らのパシリの役割を担うことによって、その場にいることを許されていた。そこにはいろいろな若者が入り浸っていた。この節で描くのは二〇一〇年前後のアジトの様子である。

当時、アジトに集う若者の一人に良夫がいた。彼はのちに（二〇一五年頃）、キャバクラの店長となる。良夫は、中学一年のときに家出をして、二年生になるまでの一年間、しーじゃたちと他人の空き家に住んだ。食事はスーパーで万引きをして、賄った。[1]空き家の電気の配線を改造して、夜だけ電気を引いて、ゲームなどをして過ごした。小学校四年生のときに特別支援の教室で授業を受けさせられ、頭にきたことがきっかけで学校には行かなくなった。良夫は空き家での生活について「おもしろかったんですよ」と語った。彼にとっては家や学校ではなく、このしーじゃたちと過ごした空き家が落ち着く場となっていたようだ。その後、彼の家出生活は、警察にばれて終わりをむかえた。そんな彼が、次に通ったのが隣町であるT地区のアジトであった。

（1）良夫に限らず、沖縄の下層の若者の万引きのターゲットは、漫画、雑誌、文房具ではなく食料であることが目立つ。この他にも上地も大型スーパーで食料を調達していたと語る。ここから、生活のための最低限の物品まで確保されていない現実がうかがえる。

上地もまた中学にほとんど通学しなかった。一年の一学期に一五日ほど中学に行き、その後はほとんど行かなくなった。ゆえに高校受験することなく、中学を卒業後はすぐに建築現場に向かった。この他にもT地区で出会った若者の多くが中学卒業後に高校受験することなく、現場仕事に就いた。なお表1の他の中卒の若者も、実際には中学にほとんど通っていない。そのような少年らも、アジトに集まっていた。

アジトはもともと沖縄連合のバイクを収納する倉庫だったが、いつのまにか良夫や上地のような学校や家庭に居場所を持たない若者にとって、生活の場や夜の居場所として重要な役割を果たすようになっていった。沖縄連合は、二〇〇〇年頃に結成され、このチームのメンバーが、バイクを収納する倉庫を一〇年以上にわたり借りていた。それが、アジトとなった。沖縄の他の暴走族も、だいたい自らの居場所を持っていた。しかし沖縄連合のように立派なバイク倉庫を自前で借りているチームはまれであった。

キセツから帰ってくる場

アジトにいた若者は、学校にほとんど行っていなかった。一〇代の頃は朝まで暴走したり、それを見物して夜の時間を過ごしていた。アジトに顔を出す中学卒業後の若者は、無職者や求職中の若者が多かった。そのような若者の多くは、徐々に建築現場で肉体労働をやり始める。ただし一〇代のうちは、彼らが建築業に定着することは至難の業である。そんな彼らは、「キセツ」(2)で一時期沖縄を出て働くこともあった。多くのキセツは沖縄の仕事より条件がいい。ただし孤独な環境などで、内地での生活があわずに期間終了を待たずに帰ってくる若者が多かった。その場合は、稼いだ金がいくらも残らないこともざらにあった。

賃金以外の面でも言語にまつわる難しさもあった。彼らの多くが日常生活では「うちなーぐち」を用いるが、それは祖母や祖父に育てられたためであったり、中学の頃から建築業などで年上の親方らと働いていたためである。またあるキセツ先の製造業の現場では自分以外の全ての従業員が、ブラジル人労働者や、中国人研修生といった事例もあった。このように外国人に囲まれることで、彼らはより孤独を感じていた。

加えて、仕事を終えても遊ぶところがないことも彼らの孤独を深めた。沖縄にいたとき、彼らは仕事のあとや週末にはバイクで遊んだり、お酒を飲んだりして、深夜まで友人たちと過ごしていた。しかし、キセツ先では夕食後から翌日の朝まで寝る以外にやることがなかった。彼らはわずかな娯楽であるフィリピンパブやパチンコで、働いてえた賃金を浪費してしまった。

このように、アジトに顔を出す若者には、一〇代の頃は仕事に定着できず、キセツを経験して帰っ

（2）　もともと季節労働とは北海道や東北地方の農家が、仕事のない冬季に都会へ出稼ぎに出ることを表すものである。ただし昨今の沖縄の下層の若者は、慢性的な失業状態ゆえに、季節に関係なく内地への出稼ぎ一般のことを指して、キセツと呼んでいる。

てくる者も多い。キセツに行っても、なかなか貯金もできないし、ベルトコンベアー式の製造業が中心で手に職をつけられるような仕事でもない。また先ほど述べた言葉の問題などもあり、内地で人のつながりをつくることもできない。キセツに行く若者の多くは、やっぱり地元がいいとの思いを強くして帰ってくる。このように、いろいろ挫折を重ねながら、徐々に建築現場に入っていくことになる。アジトは、彼らがキセツから帰ってくる場所であり、また職業の選択肢を建築業へと緩やかに方向付ける場所でもある。そして、彼らが建築業に定着していく過程では、アジトでのギャンブルの時間が重要な役割を果たしていた。

（2）アジトの日常

ギャンブル

アジトでは、暴走族雑誌の『チャンプロード』を読んだり、バイクを改造する以外に、ギャンブルが頻繁に行われていた。そこではおもにダーツとトランプが行われていた。ダーツの場合、掛け金は一〇〇円から始まり、盛り上がってくると五〇〇円まで跳ね上がる。アジトにはうっとぅが経営していたダーツバーがつぶれたあとに譲り受けた立派なダーツマシーンがあった。それは、少人数で行う時間つぶしにちょうどいいギャンブルだった。ダーツは、技術がものをいうギャンブルである。そして長年アジトに通っている上の世代の若者たちは、そのダーツの技術に習熟していた。

うっとぅをギャンブルに巻き込む際に重要な役割を果たしていたのがしーじゃとうっとぅの間の中

堅メンバーであった。中堅メンバーは、うっとぅの参加意欲を刺激し、場をかきまわし、そしてしーじゃにお金が回収されるようにふるまう。彼らは大勝ちも大負けもしない立場に落ち着くことで、アジトに溶け込んでいた。またしーじゃがダーツで勝つのは、「餌をまく」戦い方ができるためである。うっとぅに最初は勝たせて、その気にさせて、その分も含めて最終的にもっていく。しーじゃたちが、いきなり大勝してはうっとぅたちが次から参加しなくなる。しーじゃによる餌まきと、中堅メンバーによるかきまわしによって、うっとぅたちの所持金はしーじゃたちの財布に回収されていく。結果として、うっとぅたちから巻き上げられたお金は、倉庫代の一部にあてられていた。

続いて、トランプは沖縄連合独自ルールの大富豪や「ソロ」というゲームが行われていた。こちらの掛け金は常時一〇〇円である。トランプのルールを習得することは、新参者にとってはアジトに出入りするためには必須科目のひとつだった。当初はしーじゃの人数合わせやカモであった新参者が、だんだんと存在を認められ、呼び名を与えられていくために大事なのが、このトランプであった。ダーツが、その技術と地位が対応しているのに対して、トランプにはそのような対応関係は見出せなかった。むしろ毎晩通うなかで見えてきたのは、トランプが普段の上下関係をひっくり返すギャンブルであるということである。その結果、運良く（と同時に結果としては運悪く）しーじゃに勝ってしまったうっとぅは、存在を認められると同時に、次からしーじゃからのトランプの誘いを断れなくなる。このような過程を経て、うっとぅはアジトの常連になっていった。

うっとぅは毎晩のようにアジトに通うようになると、ギャンブルでの負けが込み資金不足となる。

そこでしーじゃたちは、うっとぅたちの資金調達のために沖組の紹介を行う。沖組はアジトのリーダー的存在である裕太（男性・三〇代）の父親が経営する型枠解体屋である。裕太はアジトのメンバーでは数少ない高卒の若者だった。私をいろいろなところに連れていってくれる案内役であり、本調査におけるキーパーソンであった。仕事を紹介されたうっとぅは沖組で働き始めるが、その多くが数カ月で現場の過酷さに挫折してアジトに帰ってくる。そして、またお金が無くなると数カ月間だけ働くということを繰り返していた。

キャバクラへ連れていく

私も暴走族の若者も、毎晩のようにアジトに入り浸っていた。調査を始めて三年ほどたったある夏の日の週末、しーじゃたちは私とうっとぅたちをキャバクラに連れていってやると言い出した。沖組には、うっとぅの初めての給料日に風俗街に連れていくという風習があった。風俗に行くことを躊躇した私を、しーじゃたちはキャバクラに誘ってくれた。メンバーは、リーダーの裕太、貫太、うっとぅ二名と私の五名だった。貫太はリーダーの裕太の二歳年下で、裕太が沖縄連合の重鎮的な地位であるとしたら、貫太はその相談役である。貫太はかつて沖組で働いていたが、現在は米軍基地の中の米兵の住宅専門の引っ越し屋で働いており、時々土曜日に沖組で働いて小遣い稼ぎをしていた。また彼は沖組を辞めた地元のうっとぅたちを雇って小さい型枠解体屋を始めていた。これは貫太のもうひとつの収入源となっている。それ以外にも、貫太は個人的にお金に困っているうっとぅにお金を貸していた。利子は一カ月で一割である。貫太は携帯電話のメモ機能にそれを記録して、利子だけを毎月確実にうっとぅから回収している。彼は元本をそのままに「利子だけ返しとけばいいさー」とやさしく声をかける。中学生の頃は会うたびに暴行と金銭せびりをしていた貫太が、殴りもせずお金を貸してくれる姿は「やさしく」さえみえる。地元でギャンブルをするとき、飲み屋に行くとき、貫太は「借りとくか」とうっとぅたちに声をかける。内地にとぶ（逃亡をはかる）うっとぅも時々いるが、貫太は地元の情報網を駆使して必ず突き止めて回収していた。

夜九時にアジトに集合して、私たちは沖縄県中部の繁華街へと向かった。コザ（沖縄市）を中心とする沖縄本島中部の都市部は、嘉手納基地などが集中しており、米兵も非常に多く、那覇とは違った独特の雰囲気の街である。中部の中心的なキャバクラ街である、中の町に到着すると、たまたまそこでアジトに入り浸っていたうっとぅの良夫が、キャバクラ店がひしめくビルでキャッチのアルバイトをしていた。どの店に入るかを選ぶ際に、私以外の四名は知り合いのボーイに電話をして、時間と料金、どんなキャバ嬢がいるのかといった情報を集めていた。最終的にビル一階の店の前で、貫太に「打越、行け！」と押され、パシリの私が先頭きって入店することとなった。

私たちは店内のテーブル席に案内された。キャバ嬢の女性たちが着席する前に、うっとぅの一人から「ここでは、（女性と男性が話す場所だから）男同士が話すのはダメだよ」と念を押された。裕太は胸の大きな女性に私の隣に座るように指示を出した。華麗なドレスを着た女性たちは、男性の間に交互に座り、泡盛の水割りで乾杯し、各自隣の女性との会話が始まった。お酒もまわってきて、場も盛り上がってきた。となりの女性に目をやると、彼女の胸元には蝶々のタトゥーがあった。少しだけ目で蝶々を追うと、女性に「お客さん、どこみてるの。エッチー」とからかわれた。一緒に行ったメンバーは、冗談で私に追加料金を支払うようにふっかけた。私がトイレに行って席に戻ると、うっとぅたちが私に下ネタを話せという。仕方なく話し始めると、隣の女の子にいきなりビンタされめがねが飛んでいった。目の前が見えなくなりめがねを探し出すと、再びテーブルは盛り上がった。私が席を外したときに、みんなで仕込んだことのようだった。その後も何度もビンタされた。キャバ嬢も味を占めてきて、ビンタはだんだんと強度を増し、きれいに振り切る技術や連続技を習得していった。そのテーブルのキャバ嬢たちは、お客を殴るノリと私たちの上下関係を一時間足らずで読み取った。上下関係をつかめることは男性だけでなく、それを接待する女性たちの一部にも浸透していた。サービスの時間を終えて、店を出た。キャッチとして働くうっとぅの良夫のおかげで、私たちは一〇分ほど長くサービスを受けた。同行したうっとぅ二名分の代金は裕太が支払った。初めてのキャバクラは、殴られて終わった。

その後も何度かアジトのメンバーでキャバクラに行くことがあったが、しーじゃの隣に売れっ子のキャバ嬢を座らせ、私たちうっとぅはテーブルを盛り上げる役を担当した。うっとぅたちは、キャバ嬢とともにしーじゃを接待するのが彼らのキャバクラでの作法であった。その作法がわかっているキャバ嬢は、うっとぅとチームプレイを展開した。定番のビンタのやりとりもチームプレイのひとつである。しーじゃたちが私は殴られると喜ぶとキャバ嬢に吹き込み、女性もしーじゃの指示に優先順位を置く。私は殴られたことにびっくりし憤慨すると、毎回盛り上がった。このように、アジトの中だけでなく、アジトの外でも、しーじゃとうっとぅの上下関係が有効であることがわかる場面であった。

(3) アジト、その後

アジトには、T地区の出身者だけでなく、隣町の若者たちも通っていた。その多くは家にも帰らず、学校にも通っていなかった。一〇代の頃は仕事を転々としながらキセツに行き、返ってきてもアジトで過ごす時間を重ねていた。最終的にアジトの常連メンバーとなると、沖組で働くことをすすめられた。

そんなアジトも、二〇一三年にはなくなってしまった。ここまでの話は、裕太が仕切っていた頃のアジトの様子である。裕太がバイクに乗らなくなり、うっとぅたちにアジトの引き継ぎがなされたが、その後ながくは続かなかった。ただし、裕太が仕切っていた頃のメンバーは現在でも建築業や水商売で当時のつながりをもとに働いている。ことあるごとに、あいつは今どこで何をやっているかといった情報交換がなされ、私もほとんどのメンバーの近況をそのつながりから把握することができる。アジトのメンバーは今でもつながっている。

二　暴走族から建築業へ

二〇一三年にはT地区のアジトはなくなった。ただしそこでつくられたつながりは、地元建築業の沖組で引き継がれた。一節で取りあげたアジトには、私が通った二〇〇七年から二〇一三年の間に三八名の若者が顔を出した。そこで、しーじゃたちに紹介される形で二二名が沖組で働き始め、そのうち一カ月以上継続して働いた者は一七名にもおよんだ。学校や家庭に居場所を持たない若者たちは、アジトに通った。そこでキセツの挫折経験などを共有していくなかで、建築業という選択肢が身近なものとなっていた。アジトのしーじゃたちが、地元建築業の沖組で働き始めては辞めることを繰り返しながら徐々に定着する姿をうっとぅたちは目の当たりにする。そしてうっとぅもしーじゃに誘われて沖組で働き始めた。このようにして、アジトに通う若者の多くは、沖組で働き始めた。もともとはただのバイク倉庫であったアジトは、彼らにとって居場所であり、そこに通う者の挫折も含めた経験を共有する場であり、そして職業を紹介し定着させる場としての重要な役割を果たした。以下ではそのアジトに通っていた若者の多くが働く沖組の様子を描く。

沖組は建築業のなかでも型枠解体業に特化した会社である。型枠解体業とは、型枠にコンクリートを流し込んで、コンクリートが固まったあとに、ベニヤの型枠を撤去する仕事である。私は沖組で、表2に示した期間にわたり、彼らと一緒に働きながら参与観察を行った（図2）。この章では、まず沖縄

表２　参与観察調査概要（沖組）

	調査期間	出勤状況
第１回調査	2008 年２月 13 日から３月７日	24 日間にわたり 13 日出勤
第２回調査	2012 年８月 28 日から８月 30 日	３日連続
第３回調査	2013 年２月 22 日から３月１日	８日間にわたり３日間出勤
第４回調査	2015 年７月２日から８月 21 日	51 日間にわたり 23 日出勤

図２　調査中の筆者

の建築業や沖組について概観する。次に参与観察の経験をもとに、彼らの日常的な労働現場の様子を描く。そして型枠解体屋で「一人前になる」こととその困難についてまとめる。

（１）沖縄における建築業

まず沖縄の就労構造の特徴を、以下の三点にまとめる。（１）産業構造のなかでも製造業が極端に少ないこと、（２）高失業率や低賃金など、就労環境をめぐる指標が低いこと、（３）キセツを含む移動や転職が多く、不安定就労の割合が高いこと。そして、このような不安定な状況を相互扶助の関係で支えてきたとされるのが、典型的な沖縄社会の語られ方であった。ただし、第三章で上原健太郎が描くように、共同体のつながりを仕事と生活の面で資源化しているのは、中間層であり、

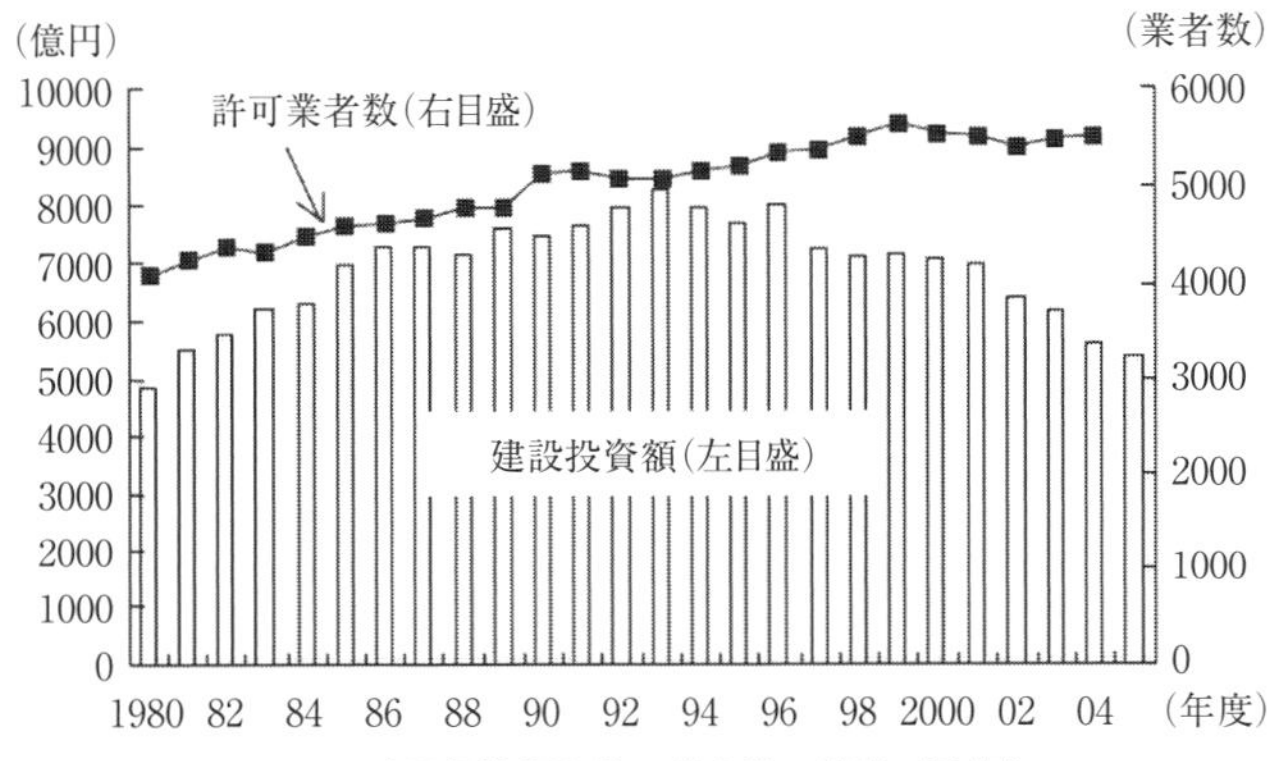

図３　建設投資額と許可業者数の推移（沖縄）
(注) 建設投資額の2003〜2004年度は見込み、2005年度は見通し。
許可業者数は年度末。
(資料) 国土交通省「建設投資見通し」、「建設統計月報」、沖縄県「土木建築部要覧」

沖縄の低学歴の若者にとって、製造業がないことで職業の選択肢は建築業に制限された。このように、沖縄の産業構造の特徴からみても、彼らにとって建築業以外の仕事の選択肢は、ほとんど存在しない。アジトは、そのような環境の下で、彼らを建築業に向かわせ、そして定着させる役割を担っていたのである。

(2) 型枠解体屋の日常

沖組は一五歳から三〇歳前後の男性の若者と、五〇歳前後の中高年男性、そして軽作業を担当する女性従業員たちによって構成された従業員一〇〇名前後の中規模の建築会社である。男性がこの二つの世代によって構成されているのは、上の世代は社長の中学時代の地元のうっとぅたちであり、下の世代は社長の息子たちの中学時代の地元のうっとぅたちであるためである。元請けである内地のゼネコン、下請けである沖縄の大手建築会社、その孫請けというのが沖組の位置づけでである。沖組は、今まで比較的大規模の現場を担当してきたが、二〇〇〇年以降は業界全体で受注額が減少したことにより、小規模、中規模の現場が増えてきた[3]。

次に現場の様子を紹介する。沖組の従業員は、毎日朝早くから、五名程度で編成される班ごとの現場号に乗って、建築現場まで移動する。免停中であったり、免許を持っていない従業員にとっては、家から現場までの送迎はありがたい。午前八時半から午後五時半までが定時である。また給料は、基本給×出勤日数で計算される月給制で、ボーナスはなく、残業代もつかないことが多い。ただし沖組は他の沖縄の建築業者と比較して、給料日前の前借りが可能であること、そして給料日に給料が遅れず満額支給されるといった利点があった[4]。多くの社員が前借りをしてしまうので、実質的に日雇いの

(3)　沖縄の二〇〇五年の建設投資額は、一九九三年のピーク時のほぼ三分の二となった。それにもかかわらず、許可業者数は増加し続けている（図3）。

(4)　よしき（四〇歳代後半）は本土と沖縄で建築業を転々としてきた。そんなとき、社長に誘われて沖組で長く働くことになった。そんなよしきは、以下のように話してくれた。

——沖組で働き続けるのは何でですか？

よしき　給料も遅れずに、満額でる会社がどこにある？　沖縄の建築でこんなのないよ。前借りもやり放題なのに。

——ということは他の建築会社は、働いても給料日に満額でないんですか？

よしき　（会社が）潰れて一生（給料を）とれなくなったところもあるよ。一カ月分の給料払われんとかざらにあるよ、なあ。

ような賃金体系となり、実際の給料日には数万円の賃金しかもらえない従業員も多い。

以下では私の参与観察をもとに、型枠解体屋の労働現場の様子を描く。

初めての建築

私は沖縄の暴走族の若者に話を聞いているうちに、アジトに出入りし、パシリとしてメンバーになり、そこで過ごしていた。彼らと話をしているうちに、彼らのうちの多くが沖組というところで働くようになるということを知った。そのため、私は彼らと一緒に沖組で働いてみようと決心した。

私は建築現場で働くことが初めてだった。そこで働く前に、私は沖組を経験したアジトのメンバーにアドバイスをもらった。彼らは、「釘踏んだら痛いぞ」、「打越なら、一週間もたんはずよ」、「どうせ辞めるから、道具借りた方がいいやんに、俺、超ロング〔作業着のズボン〕持ってるから、貸してやるよ」、「沖組は坊主じゃないとくるされるよ〔殴られるよ〕」と冗談半分に脅された。沖組で働くことはアジトの若者の多くが通る道のようだった。私はアドバイスに従い、前日に頭を丸刈りにして、アジトのメンバーに教えてもらった工具を買って、初日の仕事に備えた。ちなみに坊主にしなければならないというのはうそだった。

初日の朝、私は六時前に起きて、事務所に向かい、社長と裕太に元気よくあいさつした。エスティマが私たちの班の現場号だ。裕太が運転席に座り、「新米は後ろ」と言われて後ろに座った。車内には、『チャンプロード』、『実話ナックルズ』、『ヤングマガジン』などの雑誌、そして地下足袋や作業道具が散乱していた。出発して間もなく、ある家の前に到着した。裕太がクラクションを軽く鳴らすと、新しい皮の手袋を持った達也が出てきて、助手席に座った。「はじめまして、打越です。しばらくの間、お世話になりますが、よろしくお願いします」と大きな声であいさつした。達也はＴ地区出身で、裕太のうっとぅである。彼の第一印象はとてもいかつい風貌で内心ビビったが、よくみると優しい目をした好青年だった。彼は裕太と同じ高校に入ったが、裕太が働き始めることをきっかけに高校を辞めて、沖組で働き始めた。達也も裕太も沖組で一〇年ほど働く中堅の従業員である。彼はスロットが大好きでそれが原因でよく仕事を休んだ。彼の奥さんもスロットが好きで、奥さんが打ちにいくときは、達也が子どもの面倒をみていた。

そのまま車は次の家へ向かい、クラクションを鳴らすと、アイパー（アイロンパーマ）をあてた光司が出てきた。彼の大きな体とミスマッチな婦人用サンダルと、そのうちなーぐちは強烈だった。あいさつしても反応は薄かった。光司もＴ地区出身で、裕太と同級生である。その後も数カ月は、私から話しかけても反応は薄かった。今ではＴ地区の重鎮的な存在であり、うっとぅから尊敬されているが、中学時代はうっとぅたちへのシゴキが激しかった。光司に呼び出されると、墓地で三時間くるされる〔暴行を受ける〕というのは、今となってはＴ地区の伝説となっている。また隣町の暴走族との決闘ではうっとぅを引き連れることなく一人でカタをつけに向かったという伝説もある。

また光司は現場での暴力に対し抵抗していた。暴行をはたらいたある中高年の従業員に「次、地元のうっとぅやったら、俺がゆるさんからな」と告げることがあった。体力こそ光司の方が上だが、この業界で一回り以上も年上のしーじゃに対して、このような発言はありえないことだ。そのことは他の従業員もわかっていて、当分の間、建築現場には緊張感がはしった。ただしその後は、徐々に現場における暴力の秩序は作り上げられていった。そのうえで光司はギャンブルで敵なし状態で、忘年会のダービーレース（削りくじ）、トランプ、高校野球などでうっとぅたちから確実に「集金」した。そして定期的に飲み会を開きうっとぅたちにふるまった。

この他にも沖組には様々な人が働いていた。

正輝は隣町に住む一七歳の少年だった。アジトの常連ではなかったが、アジトの中心メンバーの大山の地元のうっとぅとして沖組で働き始めた。本人によると、正輝ら同級生は、高校受験の日に長ランと金髪で受験した。不合格となり進学できなかったが、学費が年間一二〇万ほどかかる私立の通信制高校に通いながら、沖組で働いているという。また正輝は、参加したエイサーの青年団で意味もなく殴られ続けた。聞いてみると、青年団のしーじゃから四〇〇〇円を借りたのに、くるされて（殴られて）いつのまにか五万円を要求された。家までお金の要求に来られて、脅されて、近所のゴルフ場の駐車場でまたくるされた。ちょうど同級生の友だちがみんなキセツで内地に行っていて、助けてくれる友だちもいなかった。結局、お金の件は、正輝のしーじゃの大山に間に入ってもらって解決した。大山はバイクのウィリー（前輪を地面につけず走行すること）が得意で、調子者だった。私からみても、バイクに乗っているときとうっとぅの面倒をみているときの大山はとてもかっこよかった。

この他にも、中高年男性でやせ型のひろしが働いていた。ひろしは、休憩時間に「（かけ算の九九の）ににんがいくつだっけ？　五だったたっけ？」と言って、従業員を笑わせる。私は笑っていいのかわからず、帰りの現場号で裕太たちにひろしのことを聞いた。裕太によると、ひろしは頻繁に覚せい剤を使用し、刑務所に行くことがあったという。ただ、最初は刑務所から出てきても半年ももたずに再び入所していたが、最近は外にいる時間がだんだんと長くなり一年、二年と沖組で働けるようになり、落ち着いてきたという。こういう人が普通に働いているところをみて、私は沖組というところは「すごい」会社だと思った。暴走族や少年院出のやんちゃな若者もたくさんいたが、いくら社長のうっとぅとはいえ、ひろしのように薬物中毒であっても、抱え込んで雇う沖組という会社のあり方に私は衝撃を受けた。私はこのような型枠解体屋・沖組で働くことができた[5]。現場の話に戻る。

作業内容は朝から晩まで、とにかく建築資材（角材、算木、そして鋼管、サポートなど）を運ぶことであった。物を運ぶ際の体の動かし方として、腕力だけではなく、足腰で持ち上げるということ、そして運ぶ資材の重心を上下させずに、動いているものをそのままとめずに動かすことが、大切であることを実地で理解できた。ただ資材を運ぶ作業を繰り返すゆえに、身体的なきつさは避けることができなかった。特に真夏の建築現場では体格や体力に関係なく、熱中症で倒れこむ従業員が続出した。

（5）　裕太が紹介してくれなければ、私は沖組で働くことはできなかった。そこで経験させてもらったこと、出会った人たちのことは、今回の調査だけでなく、私の人生の指針となっている。何かを考えたり決めたりするときに、彼らの立場やそこからもこぼれ落ちる人びとのことを想像することが、私の基準となった。

また釘を踏む、倒れた資材に衝突するなどの、体の外からの痛みにはなんとか耐えうる従業員も、ヘルニアや四十肩などの関節の内部からくる痛みには耐えきれないと話していた。ちなみに、釘を踏むとハンマーで傷口を強くたたくと痛みがなくなると言われていた。それは痛みがなくなるのではなく、もっと強い痛みで感覚を麻痺させているのだろう。

私は、はじめの数日は単純作業を割り振られたが、数日たつと材料だしの作業に加えられた。材料だしとは、解体した建築資材を決められた場所に移動し既定の数ごとに組み上げていく作業である。同じ階での移動だけでなく、二階から一階へ、また三階から屋上へというように階をまたいで移動させる場合もある。ある日、私が二階から下の従業員に鋼管を渡す役割で材料だしをしていた。これは資材をおろす作業なので、比較的楽に作業を進めることができていた。すると下で受け取る従業員から、私の配置交替が命じられた。私の下で働くとけがをしそうだからという理由だった。手を滑らすなどして危険な場面に遭遇したあとではなく、それ以前にけがが起こりそうな雰囲気を、その従業員は感じ取った。型枠解体業におけるけがは、即、大きなけがとなる。ただし、そのけがのあとの労災などのサポート体制は期待できない。型枠解体業に限らず、建築では大きなけがをしたときが定年と言われていた。ゆえに、けがをしそうな場面や状況を察知することは、この仕事を続けるためにとても重要なことであった。このように建築現場では、若いことやできないことを理由に、特別扱いは存在しない。どんな理由があろうと、隣で作業をしていて、それに巻き込まれたら、誰もそれを守ってくれないからだ。だから、私は交代を命じられたのである。

またとなりでけがをするのではなく、失敗をして足を引っ張ってしまう場面もある。そのような場面では作業を間違えたうっとぅは厳しくあびられる〔叱責される〕。具体例で説明する。鋼管は長さをそろえて、横一〇列×縦五段の束にして組み上げる。そうすることで、クレーン車を使って資材をトラックに積むことができるからだ。ただし、そのためには鋼管の束の下にクレーンで運べるように鎖を敷いておかなければならない。その鎖を忘れると、そもそもクレーンが使えないので、作業は人の力で一からのやり直しとなる。このような場面で、手順を間違えたうっとぅは、しーじゃたちによって資材を蹴ったり投げたりされながら、あびられることになる。

このように、型枠解体屋は身体的なきつさとケガと隣り合わせの緊張感に満ちた現場であった。それは暴走族あがりも関係のない実力主義の世界であった。そして、だからこそ暴走族の若者が沖組を辞めたときに帰ったり、一時的に休んだりできるアジトの役割が大きいことを痛感した。

建築現場で見えてきたこと

二〇〇八年に行った初めての参与観察では、私は作業自体についていくので精一杯であったが、いろんな場面で「部外者」の対応をとってもらっていた。たとえば、材料だしで建築資材をバケツリレーの要領で運ぶとき、私は楽な位置につかせてもらった。しかも私の前後には、よく体の動く中堅社員が配置された。しかし、二回目以降の参与観察では、そのような特別待遇はとられなかった。ある日、裕太によって「だー、打越やってみろ。そろそろ、こいつにもやらせんとまずいだろ」と言われ、屋上へ材料を送り出す大変力のいる位置に配置された。「部外者」から徐々にその社会の構成員となった。そして、それによって初回のときは、見せてもらえなかったことや、見えなかったことに気付くことができた。

暴行の場面

二〇一二年以降の調査から見えてきたことのひとつが、建築現場における暴行であった。ある日、病院の現場で、クレーン会社が次の日から旧盆で休みのため、沖組では三〇名を超える集中的な人員配置がとられた。三階のステージには、前日にくくられて整理された鋼管やサポートがセットされており、クレーン車が一〇時に到着し、一二時までには材料を運び出すトラックが到着する段取りになっていた。ただこの日に限って、作業前に普段はあらわれない現場監督が、作業確認に訪れた。監督はその場にいた島袋という沖組の従業員に「玉掛け技能講習」(6)の修了者がいるかの確認をとった。島袋が講習を受講してないこと、そして現場監督に聞かれたので、本日の現場には有資格者がいないことを、彼は正直に答えた。現場監督は作業の継続を認めず、その場で中断するように命じた。三〇名を超える従業員は、現場で作業をすすめることができなくなり混乱した。従業員同士の雰囲気は悪くなり、それぞれの班長から若い従業員が八つ当たりを受けていた。島袋の班のしーじゃのよしきは作業が止まったことで激高し、島袋を呼び出し、釘の刺さったままの算木で彼の左腕をぶん殴った。島袋の腕からは血が流れていた。この暴行で現場の雰囲気は静まった。その後は、免許を持っている従業員が急きょ呼び出された。すぐに資格を持った従業員が到着したおかげで、午前中の作業をすめることができた。島袋は昼食中に沖組の食事場所の角で自ら正座していた。班長の裕太は、「もういい、（他の会社に恥ずかしいから）やめろ」と言い放った。資材を投げたり、うっとぅをあびるだけでなく、建築現場には暴行に発展しうる場面が日常的にあることに直面した。

お金の動き

もうひとつ見えてきたことが、従業員のお金の動きであった。このときの調査は、上地の家に泊まり込んで彼の所属する健二の班で沖組の参与観察を行うというものであった。健二は裕太の弟であり、温厚な性格であった。バイクが好きで旧車會[7]としての活動歴も長い。暴走族の現役時代は、警察に補導されると兄の裕太が親のかわりに警察に迎えに来てくれたという。ただ警察署を出た瞬間に警察以上にボコボコにされた。「捕まるくらいならやるな」ということらしい。健二は兄の裕太に殴られてきたため、自身は暴力をめったにふるわなかった。彼は沖組の若手を殴らずに育てていくべきだとの

（6）「玉掛け技能講習」は、建築現場におけるワイヤーなどを掛けて、荷物を高所へ移動したり、回収する際に要求される資格のひとつである。労働安全衛生法に規定されており、修了者でないとこの作業を担当することができない。

（7）旧車會とは、暴走族ＯＢによって結成された、改造バイク（旧車）でツーリングを楽しむ同好会である。

考えをもっていた。

健二の班は、この他に仲里、慶太らで構成されていた。

仲里はT地区出身で健二と同い年の沖組従業員だ。自身を好きになってくれた女性と結婚して子どもが生まれたが、その後に離婚した。当時の自分のことを「(自分は働かずに)奥さんに働かして、スロット行って、最低のバカ野郎さ、下衆の極みよ」と振り返った。生活は厳しくマンスリーアパートに住んでいるが、入ったお金をすぐにみんなにおごってしまう。普段おごってもらうことが多いので、お金があるときは後先考えず全員分をおごってしまう。結果として、ますます生活は厳しくなり、アパートを又借りしたり、マンスリーアパートを転々としたりしていた。大手の消費者金融からの借金を踏み倒しており、身元がわれないように住民票は移していない。今ではどの市町村に住民票があるか自身でもわからないという。

続いて慶太は、T地区出身で健二たちの一歳年下のうっとぅの沖組従業員である。格闘家の太一をライバル視しており、幾度もけんかをしかけているが、今のところ勝ててはいない。しかもそのたびに大きなけがを負っている。慶太は格闘技で沖縄チャンピオンになった実力者であるため、冗談のつもりでヘッドロックをされたり、蹴りを入れられると、一週間は痛みがとれない。酒癖(8)が出ることもあり周囲からは距離をおかれることも多いが、私のプライベートな相談に親身になってのってくれるなど人情味もある。

再び現場の話に戻る。今回は温厚な健二の班ということで少し安心していたのだが、この日は現場で厳しく指導するスタイルの裕太の班と合流することとなり、私は気が抜けなかった。さっそく一〇時の休憩のときに、裕太と以下のようなやりとりがあった。

裕太　だー〔おい〕、いくら持ってる？

——（財布の中身のチェックを受けることを予想して事前に減らしてきたので）いやいや、そんなに持ってないですよ。

裕太　（財布を渡して、中を見られる）三〇〇〇円か。これじゃ飲みに行けないさ。（打越の）歓迎会もできんさー。

——すいません。あんまりお金ないんですよ。

裕太　おまえ、隠してるだろ。

——いやいや、見てのとおり三〇〇〇円しかないんすよ。

裕太　ふん、おまえ、見られてるんだよ。財布のお金、なくなったらいつもATM行くだろ。

——そりゃそうでしょ。皆さんも行くでしょ。

裕太　（お金が）入ってもないのになんで行く？　だから前借りするのに。

（8）　酒癖とは、長時間飲酒することで、同席者にからんだり、最終的に手を出したりする特性である。

私は裕太から、沖縄では歓送迎会などでは歓迎される人がお金を出すのだと伝えられていた。それはもちろんうそだった。また多くの従業員は、給与を前借りして生計を立てていた。同じ仕事をする班のメンバーであれば、今週何日仕事に出て、いくら前借りしたか、つまりだいたいの所持金がわかる。例えば、慶太は、同じ班の上地が養育費をもって元奥さんの家に向かったと話したことに対して、「うそだろ。あいつ養育費払えんよやー。一緒にいたらわかる」と話した。同じ班のメンバーであれば、お互いの所持金をなんとなくわかっているのである。これによって、飲み会やギャンブルの誘いを、お金がないという理由で断ることができなくなる。そして私もコンビニのATMに行くところを見られていた。通常の感覚であれば、コンビニでお金をおろすというのは日常の一部だが、沖組のメンバーはお互いがどのくらいの所持金を持っているのかを常に互いに気にしていた。だから私がATMでお金をおろすところも関心をもって見られていたのである。前借りが可能な沖組で働くことで、懐の事情もお互いに把握しながら付き合うことになる。従業員にとってはいずれ受け取る給与が貯金のかわりとなり、その前借りは銀行引き落としにあたる。特別な貯金を持つ者でない限り、そもそも銀行のATMは不要なのである。

また別の日の仕事のあとに、私と上地は慶太の減量トレーニングに付き添った。彼はその週末に本土でのキックボクシングの試合を控えていたのだ。ただ慶太をサウナまで送ろうとしたが、刺青のある彼が入場できるサウナ施設はなかなか見つからなかった。二、三時間探し、やっとのことで一軒見つけることができ、減量の目途が立った。慶太を自宅まで送迎し、エールを送って別れた。別れ際に私たちに飲み物をおごってくれ、小遣いをくれた。金額は長時間の付き添いに見合うものではなかったが、彼の所持金がほとんどないことがわかっていたので、ありがたく受け取った。

(3) 沖組で働く

沖縄の建築現場では、型枠解体屋に限らず他の建築業でも、暴力は生じてきたようだ。また建築業のなかで低賃金かつ上げ幅の小さい型枠解体屋の沖組では、互いにお金の動きを把握する行動様式が形成された。たとえば、特定の従業員にまとまったお金が集積されると、上下関係を通じて略奪が起こるが、そのために相互のお金の動きを把握する行動様式が出来上がったのだろう。あえて言えば、奪い合うためのつながりがつくられたのである。このように沖組で働くなかで見えてきたことは、現場における暴力と略奪といった過酷で何ともしがたい現状であった。とはいえ、沖組の従業員はそうした暴力をなんとか抑制することや資源を確保することを試みようともしている。以下は、部分的ではあるが彼らが自身のおかれた環境を作り直していく場面について紹介する。

沖組で働くことの利点①——「トンヅラ」年休

まず低賃金と賃金の上げ幅が小さいことなどの条件面について、彼らは「トンヅラ年休」という非公式な仕組みを作り上げた。これは従業員が事務所に連絡を入れずに、半日で仕事をあがることを、私が名付けたものである。そもそも建築業に就く彼らには年休はないが、いわゆる仕事をばっくれる

「トンヅラ」を年休とみなしトンヅラ年休とした。

二〇〇八年三月、新年度の四月に工期を設定している建物は、型枠解体の作業がほとんど終わっていて、作業量としては落ち着いている時期だった。そんな時期のある日、昼食を手短に済まし、現場号で昼寝を終えて昼明けの作業に向かう途中だった。光司が「トンヅラするから、送れ」と言い、私を捕まえた。理由がよくわからないが、なにかまずいことに巻き込まれたようだったので、理由も聞かずに光司の指示に従いマシン屋（パチンコ）まで送った。私は現場に戻って、仕事に復帰した。現場の沖組のメンバーは、光司が現場から抜けたことを知っているが誰もそのことについて口にしない。三時休憩のときに、私は達也に聞いた。彼によると、「みんな、時々トンヅラする」のだという。事務所には知らせずに帰ることで、従業員はまるで年休のように給料を減らすことなく休暇を取得できる。沖組に限らず建築業では正式な年休制度もなく、加えてボーナスもなく、残業代もほとんどつかない。そのような就労条件を、部分的に緩和する営みとして、トンヅラが年休のかわりとなっていた。ただし、このトンヅラ年休は、誰もがいつでもとれるものではない。まずは、周囲から経験と職歴を認められることが条件である。そのような条件を満たすのは、必然的にしーじゃの立場にある従業員である。続いて、いつトンヅラするかを見誤らないことが条件である。現場の規模より、沖組の従業員の配置が過剰である場合、トンヅラは可能となる。だいたい五年以上務めると、現場の難易度や終了時刻の予測が可能となると言われていた。実際、光司がトンヅラ年休をとった日は、定時より三〇分程度早く作業が終わった。

もちろん残業見込みの場合は誰もトンヅラすることはできない。またいくら従業員が余っていても、うっとぅはトンヅラできない。このように就労条件を緩和する営みにおいても、上下関係がものをいうのである。しーじゃであれば、このような恩恵を受け取ることが可能となっていた。

沖組で働くことの利点②——罰金の肩代わりと生涯にわたる雇用

次に職を失うリスクに対して、沖組は生涯にわたる雇用関係（終身雇用）を確立し、従業員も低賃金と引き換えにそれを受け入れていた。具体的には、中堅従業員が緊急事態におちいると社長からの金銭的援助が受けられるということが行われていた。上地と慶太は元奥さんや恋人への暴行で三〇万円の罰金処分を受けた。期日を過ぎても完納できない場合、労役場[9]に三カ月間にわたり収監されることになる。しかし、二人とも罰金を社長に肩代わりしてもらい、沖組で働きながら返却することになった。

上地は社長に三〇万円借金して沖組で働き続けるか、それとも来月から労役場で作業をしてくるかを直前まで悩んだ。労役場ではほとんど刑務所と変わらない生活となる。かといって、罰金を自腹で

（9）　罰金刑が確定すると、罰金を支払わなければならないが、罰金を払わない、あるいは払えない場合、労役場に収監されることになる。労役場は沖縄では那覇にあり、そこでは封筒貼りなどの軽作業をする。これを数カ月続けることによって、罰金のかわりになる。

払うことはできないので、彼には労役場に入るか、社長からお金を借りるかの選択肢しかなかった。ここで彼は意外なことに労役場に入りたがった。彼は実はその年になってもまだ沖組や地元でパシリ扱いをさせられていて、地元の人間関係が苦痛になっていたのだ。罰金を自分で払えなくなることをきっかけにして、むしろ彼はいっそのこと労役場に入り三カ月間、外の世界と音信を断つことによって、そのしがらみから抜けようとしたのだ。彼は「自分のこと忘れてくれないかな、出てから他の仕事したいんっすよ」と嘆いていた。しかし最終的には、労役場に向かう日の朝、彼は社長からのお金を受け取り、罰金を支払った。そしてその日から沖組で再び働くこととなった。社長の押しにながされたということもあるが、上地自身も三カ月労役場に行った程度で途切れるつながりでないことに対するあきらめがあった。

また慶太も社長に罰金の肩代わりをしてもらった。それについて仲里は「(慶太も)借りたくないのは本音だはず。要は借りてしまったら、犬(社長の言いなり)にならんといけんから」と話した。二人とも社長への借金の返済のめどはたっておらず、上地も慶太も地元のしがらみから抜け出ることはより難しくなっていった。

この他にも、少年院や鑑別所から出てきた若者や、覚せい剤使用で刑務所に何度も服役経験のある従業員を、社長は「(刑務所から)そろそろ出てくる頃だろ」と話し、従業員として雇い入れた。

沖組は給料日に満額支給され、また給料日前に前借りも可能である。これにより従業員の金銭的な困窮具合が可視化される。社長は従業員に対して、日常的にお金を貸すことはないが、罰金で労役場に行くことになったりする場合は肩代わりして、給料から返済させる形をとる。また刑務所から出てきた元従業員を再び雇う。このように沖組は、地元のうっとぅである従業員の生活を生涯にわたり囲い込んでいる。低賃金で過酷な沖組で働き続けるのは、このような利点の存在が大きい。またそうすることで沖組はそのような行き場所がない従業員たちを低賃金で雇うことができる。このように沖組も、そこで働く従業員も、相互に依存しあう関係であった。

沖組で働くことの利点③——「兵隊」がつくこと

労働の現場における利点、将来展望に関する利点について紹介した。最後に沖組の従業員たちは、労働以外の生活の場面でも利点を作り出した。

具体的には、現場で一人前となると「兵隊」をつけることができるという利点である。兵隊とは、自身の指示に忠実にしたがう地元のうっとぅのことである。現場ではそのようなうっとぅのことをしーじゃたちは兵隊と呼んでいた。彼らは仕事のときに、雑用係から重要な相方役までを担当する。ただし、この兵隊の仕事は建築現場だけでは終わらず、しーじゃの生活の場面にまで、その範囲は及んでいた。たとえば、免許を持たないしーじゃの飲み会後の送迎が兵隊の役割であった。しーじゃたちは深夜の二時、三時に、うっとぅに電話をかけて「まわってこいなー」とやさしく声をかける。まるでタクシーのようにうっとぅが街をまわっている前提で、そのついでに俺を乗せて家まで送ってくれという誘い方をする。うっとぅは寝ていても送迎に向かう。電話に出ないと何度もかかってくる。

上地は趣味をバイクから釣りに変えたが、それは週末に夜釣りに行けば、電波の届かない場所でなんの不安もなく趣味に没頭できるためであった。この他にも、しーじゃのバイクのメンテナンスや修理は工賃なしで代行することになっていた。

ある夏の調査で、私は地元の中学生と裕太のバイクのホイールを一日中磨く仕事をすることになった。磨くといっても布でふくのではなく、裕太から指定された、粗さが異なる五枚の紙やすりを使って、手で磨くのである。まずは一番粗い紙やすり一枚を使い切って、次は一段階細かいもので磨くという作業を五段階にわたり行った。地道な作業で段々と磨く指が反っていくので、そのうっとぅと交互に作業した。いい加減な私が、これ機械でやったらすぐ終わるんじゃないかと聞くと、彼は「機械だとむらがでてきれいにならないんですよ」と教えてくれた。朝から始めた作業は夕方まで続き、仕事帰りの裕太がアジトに出来上がりを確認しにきた。「上等だ」と褒めてくれた。私は調子に乗って、「そりゃそうですよ。二人で朝から今まで手でやったんですから。機械でやったらむらが出ますからね」と伝えた。後輩の彼にはマックのバリューセットが買い与えられた一方で、私は何もいただくことはできなかった。

この他にもナンパ要員として女性に声をかけに行くこともうっとぅの重要な役割であった。このように沖組でしーじゃとなることで、仕事から生活の隅々にまで世話する「兵隊」をつけることができることも利点であった。

集団的実践としての「一人前」

少なくともこれら三つの利点により、沖組の従業員は歳をとっても増えない賃金や、厳しい労働条件を部分的に緩和してきた。最後に、沖組で一人前になるということについて整理し、それゆえに彼らは沖組により定着していくことについて述べる。

型枠解体業で「一人前になる」とは、個人が高い水準の技術や能力を身につけるということだけではない。たとえば、それは自由に使える兵隊としてのうっとぅを自身の周囲に備えて、それらを使って作業を進めるようになることである。

型枠解体屋の沖組は、しーじゃとうっとぅの関係を利用することで、成り立っている。この独特な関係のあり方は、新米の雇い入れ方に由来もする。社長は地元のうっとぅたちの罰金の肩代わりや、刑務所出のうっとぅの積極的な雇い入れを行った。それによって従業員にとっての沖組は、ピンチになったら生活を支えてくれる重要な存在となる。他方で普段は沖組に縛り付けてしっかりと搾取する。このような雇い方は沖縄の建築業界で生き残るのに適合的であった。つまり、社長からすると従業員を囲い込むことで安定して労働者を確保し、賃金を抑えることができる。他方で従業員にとっては、厳しい労働環境や生活にもかかわらず、何があっても雇ってくれる会社の存在は重要である。それゆえに、彼らは仕事や生活の拠点を容易に変えることはない。たとえ、隣町の同業種の建築会社であっても、鞍替えは容易にはできないのである。

（4）「一人前」になることの困難――暴力をめぐって

ここまで、型枠解体屋で一人前になることと、それによって得ることのできる利点について述べた。建築業界は厳しく、建築現場は殺伐としているものの、社長と従業員の相互に都合のいい関係性を作り上げることで、その厳しさは緩和されているようにみえた。ただし、建築業の投資規模の縮小によって、その関係性は徐々に揺らいでいく。ここではその様子について取りあげる。

現場における暴力

上で述べたように、建築現場ではしーじゃからうっとぅへの暴力が、たびたび生じてきた。特に一〇代の従業員への暴力はかつてからよくあった。暴力のきっかけは、うっとぅが失敗を繰り返す場合もあるが、単にしーじゃの機嫌が悪くて生じる場合もあった。そしてそれは型枠解体屋の沖組に限った話ではなく、沖縄の建築現場ではどの職種でも生じえるものであった。うっとぅたちの多くはその暴力に抵抗することはなく、暴力に耐えながら働いてきた。そのことについて、達也は「俺も若いときはやられた。ただあと五年ふんばれば、こういうことがなくなると思ってふんばった」と話してくれた。彼は五年間耐えれば、殴られなくなるとの見込みをもって働いてきた。殴られなくなるのは、自らの技術も熟練し、また周囲の関係性が変化するためである。そして実際に周りには殴らなくなったモデルとなるしーじゃたちがいた。このように激しい暴力はあるものの、それがいつかなくなるものという見通しが、従業員のなかには共有されていた。また建築現場には新参者が辞めても下の世代からどんどんと入ってくるという見込みがあった。しかし二〇一〇年代には、新しい若者が入ってこなくなり、この見込みは揺らいでいった。そしてそのことを表す象徴的な出来事が起きた。

浩之が辞める

裕太の班には、よしき、宮城、浩之がいた。よしきは、元あしばー〔元やくざ〕の四〇代後半の従業員である。復帰前のM地区で、彼は「鉄砲玉」として、敵対する組の成員を車でひき殺そうとした。仲間が彼をとめたので相手の被害はけがですんだため、彼は数年の刑期を終え刑務所から出ることができた。その後、建築業で働き、結婚し、子どもが生まれた。そんなときに、息子が重病にかかった。数百万円の治療費は借金し、本土で大工をして返済した。息子の病気が治り少し落ち着いた頃、沖組の社長に誘われたことがきっかけで、沖縄に戻ってきた。

宮城は、裕太の弟分の中堅従業員である。彼は裕太への気づかいがとてもうまく、沖組に溶け込んでいた。整った顔立ちの彼は、女性経験が豊富だった。彼は女性をしかす〔ナンパする〕のが上手で、それをしーじゃたちに評価されていた。もともと、彼は隣町の暴走族で活動していたが、健二の誘いでアジトに通いだし、それをきっかけに沖組で働いていた。

最後に浩之は隣町の一〇代の若者で、中学時代はほとんど少年院で過ごした。社長の知り合いによる紹介で、沖組に入ってきた。体は細身だったが、それをいかして狭い場所でも俊敏に作業していた。彼はとても仕事のできるうっとぅだった。腰痛持ちで、時々仕事を休むことはあったが、一〇代にしてはよく働くし、なにより厳しい裕太の班でよく作業をこなしていた。

浩之が働き出して数年たったある年末の夜、沖組の忘年会でキャバクラに行くことになった。聞いた話によると、そこでダービーレースという削りくじのギャンブルで、たまたま浩之は数万ほど大勝ちした。そして浩之は宮城にトイレでくるされた〔暴行を受けた〕。宮城が暴力をふるったのは、浩之がひとり勝ちしたことへの腹いせだったのは明らかだった。その日を境に、浩之は仕事に出なくなった。宮城は自分が浩之にふるった暴力について、どう思っていたのだろうか。この事件から数カ月後、移動中の現場号でその話になって、そのときに宮城は煙草を吸いながら振り返った。「俺たちも（暴行は）やられた。（しーじゃの言うことは）右から左に流せばいいわけよ。あいつ（浩之）はそれが顔に出るのがよくないわけよ」と話した。宮城も自分が言っていることが理不尽であることをわかっていた。しかし彼にしてみれば、そういうしーじゃたちの仕打ちを自らは我慢していた。それに対し、浩之はそれを顔に出したようだ。宮城はそれを理由に殴った。

浩之が沖組を辞めたあと、しばらくして、ある現場での休憩時間に裕太がぽつりと話し始めた。「スラブのはずし方を浩之に教えたのは、俺だよ。他の従業員は教えても（スラブを外すことが）無理だから教えん。親父（社長）に（浩之が）仕事がんばってるって言って、給料あげてもらったのに辞めやがって」。このように辞めていったうっとぅの話題がのぼることはまれである。しかし浩之のことはみんなが残念そうに話していた。彼の言葉からは若い浩之に期待していたことがわかる。

浩之は、建築現場での厳しい仕打ちに耐えていた。ただ彼からすると、なぜそれをギャンブルで大勝ちした直後にやられるのか、そこは我慢ならなかっただろう。宮城からするとしーじゃは仕事でもそれ以外でも理不尽なもので、それを受け流せない浩之に我慢ならなかった。そこには、「俺たちも若いときはやられた」と話すしーじゃたちと、それに我慢できないうっとぅたちとの溝ができていた。浩之が沖組を辞めたあと、一〇代の従業員が次々と辞めていった。浩之の離脱からは、生活面も含めてうっとぅを囲い込むという沖組でつくられてきた関係性が綻び始めたことがわかる。

達也がくるされる

浩之が辞めて、現場には一〇代の若いうっとぅがほぼいなくなった。その後しばらく、現場であびられる役は、三〇歳前後の上地となった。現場は雰囲気が悪い状況が続き、そんなときに再び暴力トラブルが生じた。

二〇一三年の猛暑が続く夏の日、いつものように達也はスロット通いで、連続して仕事を休んでいた。そして達也が久しぶりに仕事に出た日、同じ班の中高年従業員のよしきに暴行を受けた。無断欠勤が理由だった。暴行自体はそれほど激しいものではなかったが、それが一〇年近く務めてきた中堅従業員の達也への暴力であることをめぐって現場は揺れた。私はそのとき、現場にいなくて見ていなかったが、その日の夜に仲里と別件で電話したとき、はじめて達也が現場でくるされたことを聞いた。

彼はその驚きを語った。

——達也（が暴行を受けたのは）はなんでなんですか、どんな感じですか？　ボコボコですか？

仲里　一応は俺、現場には、俺いなかったけど、夜に俺に（達也から）電話あったわけ。

——達也から？

仲里　達也にーに〔兄〕から、仲里かー、ってから。すぐらったんよふーじー〔殴られたんだよー〕。はーってから。誰によ？　よしきにーにくるされた〔暴行を受けた〕って言ってるわけよ。まじでねって、引き合わんねえ。もういいよー、辞めようってから、他の仕事やろう。俺も達也にーにのこと好きだから。だから要は、友だちがこんなってやられたら引き合わんさ。俺もこれで辞めたのに。バカみたいだなあって。

この暴行をきっかけに達也は沖組を辞めた。またそのことを伝え聞いた同世代の仲里も憤慨し、そしてしばらくして慶太も沖組を辞めた。一〇年以上働いてきた従業員が、三名も辞めた。沖組は沖縄の建築業ではめずらしく給与を給料日に遅れず満額支給し、容易に前借りができるという利点があった。そしてそのことを三名とも知っていた。三名が就いた次の仕事は、より過酷なものとなり、予測した通り給料日には給与が一部しか支給されなかった。彼らの沖組を辞めるという選択は、衝動的なもののようにみえるが、それには彼らなりの合理的な理由があった。

彼らは若いときには「いつかは殴られなくなる」という見通しをもち、しーじゃからの暴力などの屈辱的な扱いに耐えてきた。実際に、達也はくるされる前にそのように話していた。ただ二〇一三年の達也への暴力は「その頃に我慢したから今がある」との下積みの経験を台無しにし、それは彼らにとっては「結局、一〇年やっても一〇代の頃の仕打ちと変わらない」とのメッセージとして、伝わったのではないだろうか。この暴力は彼らの一〇年という時間を奪うものであった。その点で、この暴力は若いときに受けたしーじゃからの暴力とはまったく異なるものであった。この暴力トラブルとその後の脱退からは、一〇代の頃に受けたものとは異なる意味の暴力がふるわれたことがわかる。

浩之と達也がくるされた要因

一〇代の有能な従業員がいなくなり、三〇代前後の中堅従業員の多くが抜け、沖組には比較的若い世代がいなくなってしまった。新しいうっとぅもほとんど入ってこず、たまに入ってきても複数のしーじゃたちで兵隊の奪い合いとなり、すぐに辞めていった。沖組を辞めていった地元のうっとぅたちが、隣町の同じ型枠解体屋で働くようになった。アジトがあった頃、沖組では隣町の暴走族少年も働いていた。T地区のうっとぅが沖組を辞めて、隣町の同業種の型枠解体屋で働くようになった。そんなことは、今までなかった。健二はそのことに憤るというより、さみしさと危機感をいだいた。しかし、この頃にはアジトも解散しており、地元や隣町の暴走族少年を沖組に送り出し、定着させることはできなくなっていた。

なぜこのようなことになったのか。ここでは、その背景についておさえる。

現場の小規模化

一九九三年以降、沖縄では建築業の受注額が減少し続けていた。それにともない、沖組が担当する建築現場の規模が小さくなった。二〇〇七年の一回目の参与観察のときには、軍港やホテル、大きなマンションが主な現場であった。二〇一三年には、三階建て程度の民間のアパートの現場が増えた。この変化は、一〇代の若い従業員が一人前となる仕組みを大きく変えた。一〇階を超える大きな建物は一年以上かけて建てるため、うっとぅは一日中単純作業をしながら、隣で仕事の見通しを見て学ぶことができる。言葉を通じて教わる機会のめったにない建築現場で一人前となるには、この過程で何らかの技術や見通しを自分で習得するしかない。だが、小さい現場では、単純作業を班のメンバー全員で済まして、次の作業に移る。そして、その次の作業は難易度が高くうっとぅたちは役に立たない。結果として立ちっぱなしでいたり、勝手に自分で考えて資材を積む場所を間違えたりすると、しーじゃから厳しく怒られたり、暴力を受けることになる。このように学習機会を奪われ、理不尽な暴力ばかり受けた若い従業員は、次々と沖組を辞めていった。暴力が生じたのはしーじゃたちの気質が変わったのではなく、以前からあったしーじゃたちの暴行が生じやすい場面が、現場が小規模化することで増えたことが要因である。これによって、うっとぅたちは建築現場を去り、またその暴力の矛先は中堅従業員へと向かった。

少子化

現場の小規模化と同時に、沖縄における少子化傾向も暴行が生じた見逃せない要因である。[10] 暴走族やヤンキーの若者たちの地元社会を成り立たせるには、下の世代から次から次へと、ヤンキーの若者が送り込まれることが重要である。二〇一三年に解散するまで、T地区のアジトは地元の暴走族、ヤンキーの若者はもちろん隣町の者まで抱え込んだ。そして沖組に送り込む重要な役割を果たしていた。しーじゃたちの厳しいやり方はなかなか変わる見込みはない。ただし、それに耐えうる下の世代の人数がある程度存在しないと、建築の仕事そのものが立ち行かなくなる。

沖縄の建築業者たちがおかれてきた厳しい条件を生き抜くなかで、解体屋の沖組は会社と従業員、そしてしーじゃとうっとぅの間に独特の関係をつくり、両者が潰れない仕組みをつくってきた。これは、沖縄固有の文化に基づくものというものではなく、これまでみてきたような環境とそこを生き抜く人たちによってつくられたものである。そして、ふたたび現場の小規模化と少子化という世俗的な要因によって、その関係性が壊れつつある。

＊　＊　＊

(10) 沖縄県の年少人口は、二〇〇〇年代に入り（生産年齢人口も）減少し続けている。その傾向は全国平均と比較して小さいが、それは本土と比べて少子化の時期が遅れているためである。

沖縄のヤンキーの若者たちは、家庭や地域から排除されていた。たとえば、家出を繰り返す者や中学にもほとんど通学した実績のない中卒の若者たちばかりであった。このように家庭や地域から、あるいは学校からすら排除された若者たちが集まって、必死で作り上げたのがT地区のアジトであった。しかし、そのアジトは非常に厳しい縦型の人間関係で支配されていた。彼らがつくった居場所は決してやさしいものではなかった。そしてアジトに集まった若者たちも生活のために沖組にリクルートされていった。彼らの多くは沖組で働くことを選択せざるをえなかった。しかし、沖組での仕事や人間関係は、おそらく彼らが思っていた以上に過酷だった。たとえば建築現場において算木で殴るなどの暴行や、ギャンブルで勝ったことに対して理不尽に殴られたりと、沖組での生活は暴力によって支配されていた。彼らの物語は、共同体的なものから排除されて、自分たちで新しく共同体的なものを作り上げようとするものの、なぜかいつもそれは過酷なものになってしまう。次節以降では、沖組のなかのさらに数名に焦点をあてて、沖組のなかからさらによりどころを探して集った若者たちが、沖組での仕事よりもさらに過酷な関係性を作り上げてしまった物語について描く。三節ではT地区のアジトや沖組から距離をとられていく過程を〈共同体からの排除〉として、また四節はそこから排除された若者同士が再び強く結びつく過程を〈共同体への拘束〉として描く。

以下では、「太一グループ」の物語を描く。それは太一という非常に有名なカリスマ的存在を中心とした、五、六名の「やっけーしーじゃー〔厄介な先輩〕」によって構成されたグループである。彼らは寝食を共にするぐらい強く結びついていたけれど、なかの関係性は暴力にまみれていた。私は太一グループに入り、泊まり込みで調査することができた。今回の参与観察の中心がこのグループである。書くべきことはたくさんあるが、紙幅の都合でここではリーダーの太一と、そのなかのメンバーの一人でみんなからうっとぅ扱いされていた上地の二人を取りあげる。

この二人はしーじゃとうっとぅの関係にあった。沖縄の共同体世界では、男性は兄弟分的な縦の関係性でつながることが多い。ここに貧困や排除の要因が加わって、彼らのしーじゃとうっとぅの関係は特に暴力的なものになっていた。三節ではしーじゃの太一を、四節ではうっとぅの上地を中心にして描く。

三　沖縄的共同体の外部に生きる——〈共同体からの排除〉

本節では、太一の生活史インタビュー、そして太一グループへの参与観察をもとに、沖縄の下層の若者の〈共同体からの排除〉の様子を描く。

太一との出会い

私は太一に会う前に、T地区のメンバーによって、以下のような彼に関する武勇伝を何度も伝え聞いていた。

裕太　T地区の太一は、でーじ〔とっても〕ケンカ強いよ。昔、上地が暴走してるときに、空き缶を投げた三人組がいたばあて〔いたんだよ〕、（太一は）そいつらをワンパンチで気絶させよったよ。大の大人の、しかも男を一発で気絶させるのは、なかなかいないよ（笑）。

裕太はT地区の伝説的な人物として、太一の話をしてくれた。ただし二〇一二年までは、私は太一と会うことはかなわなかった。私が太一に興味を示すと、裕太から「打越にはまだ早い」と告げられていた。太一は、かつて沖組の中高年の従業員と暴力沙汰があった。裕太からすると、太一は「しーじゃー（上下関係のルールが）わからん」存在で、沖縄の暴走族、ヤンキーや建築業で支配的な上下関係秩序でもってしても、コントロールできないうっとぅという位置づけだった。また当時、太一は離婚直後で生活が不安定であったため、ちょっとしたことでトラブルに発展するとの裕太による判断だった。そして二〇一二年夏、沖組のビーチパーティが開催された。他の従業員もたくさんいるそのような場なら、私に太一を紹介しても問題ないと、彼は判断した。

ビーチパーティ当日、私は午前中から裕太と宮城とともに準備をすすめた。バーベキューセットを借り、肉とお酒を購入し、砂浜にテントを張った。炎天下のなか、私は場所取りを指示された。あまりの暑さに現場号で仮眠をとると、買い出しを終えて帰ってきた裕太と宮城から「なに居眠りしてるか」と叩き起こされた。夕方から従業員が集まり始め、だいたい三、四〇名が集まった。いつもやっているトランプゲームが始まり、活気づいてきた。私は泡盛をつくり、肉を焼いて、焼きそばをつくり、そして泥酔した従業員を送迎した。朝方になり明るくなり自然と片付けが始まる。前日の午前から準備していたので丸一日ビーチパーティに参加したことになるが、これでもまだ解散しなかった。残ったメンバーでカラオケに移動し、昼過ぎまで歌った。健二たちは、かつて中学をサボってカラオケでよく歌っていたGLAYやT-BOLANを歌っていた。二日目の昼過ぎ、三〇時間におよぶ沖組のビーチパーティはやっと終了した。

私はこのビーチパーティで、太一とあいさつを交わすことができた。太一は聞いていた通り、体の大きさが規格外だった。太ももは一般女性のウエストほどあり、指は太く硬い。この日、私は朝まで彼の話をじっくり聞くことができた。クラブで大暴れした話や、キャバクラ街に行ってもキャッチがキャッチしない話[11]、そして米軍住宅に襲撃をかけた話[12]など、彼の話はどれも衝撃的だった。太一は、その日だけでは話し足りない様子で、連絡先を交換して話の続きを聞かせてもらうことになった。後日、私は彼のアパートに招待された。

太一の生活史

私は泡盛と氷を持って、太一のアパートに向かった。彼が住んでいたのは、同級生の仲里のマンスリーアパートだった。太一が仲里に頼み込んで、二人はアパートで共同生活をしていた。玄関の窓を開けるとそこには二人分の靴が並んでいて、狭いワンルームの室内には作業着などの洗濯物が干されていた。メインのベットで仲里が寝ていて、太一は床に布団を敷いて寝ていた。太一はきれい好きなので自分のものをきれいに整理してある。仲里の方は、布団の上やその周辺に飲みかけのペットボトルや、たばこが入りきらない灰皿などが散乱していた。以下はそこで聞いた彼の生活史である[13]。

太一は、沖縄のT地区で生まれ育った三〇代の男性である。彼は練習をあまりしていなかったが、その体格で凄腕の格闘家だった。

太一 鍛えれば、強くなるって、今の（空手道場の）先生にも言われてるよ。「本当におまえがやる気があって、持続して」と言われたさー、まだ三〇代前半だし、「本当にやるんだったら、今だよ」って言われてるよ。「酒が無かったらよ（酒を飲まなければ）、絶対おまえ全国レベルでやんどー〔やれるよ〕」って言われてる。「全日本の大会も出れるくらいの実力がある」って言われているわけさ、これ、（空手大会の）カレンダー、ポスターみてみ、俺白帯だけど黒帯の選手と戦ってるから。（ポスターに載っている空手家を指して）これにも勝ってるからよ、一、二カ月練習してよ。

――それで勝てるんですか。

太一 試合前しか練習しない。三回戦くらいまでいったな、二回戦の相手が極真、全日本の総本部のでーじ〔とても〕強い人間だったわけ、（昔に）優勝したよ。はっきり言って、あれ（試合相手）からしたら、わー〔俺〕は無名の選手よ。でも俺からしても（相手は）無名の選手やんばよ

（11）　キャッチがキャッチしない話（フィールドノートより）。

繁華街に向かうと、太一は気持ちが高ぶっていた。彼はいきなり鉄製の街灯にハイキックをかました。街灯は「KO」され、電気は消えた。メイン道路を歩いて、キャッチに遭遇したが、いつもはしつこいキャッチが、どのキャッチもこの日は声をかけてこない。仕方がないので店の入り口にいるキャッチに声をかけると、まだ一一時前なのにどの店も満員や貸し切りを理由に入店を断られた。仕方なく、地元のうっとぅが働いている店に入ることになった。うっとぅは席に着くまで、何度も太一に「特別にいい娘つけますから、お願いしますよ（暴れないでください）」と説明していた。その後は楽しい時間を過ごしたようだった。退店するときに太一はグラスをそのまま持ち出し、泡盛を飲み干すと、床にぶち投げ粉々にした。何かに憤るというわけでなく、彼は酔うとそのようにふるまうのである。彼の勢いは収まらず、車道を横切る際には、自動車がよけていく形で、彼が歩く道がひらけていった。

（12）　米軍住宅に襲撃をかけた話。

太一　北谷で（米兵による沖縄出身女性への）レイプ事件があったばあて、知り合いが米軍住宅の窓を一軒ずつバットでちゃーわりしたって〔ぶち壊したって〕。

――犯人を捜すためですか。

太一　ううん、もう（犯人は）捕まってたけど。米軍に対する俺たちの気持ちでやった。

――どういう気持ちで？

太一　わったー〔俺たちの〕島の女は俺たちで守らないといけないさ。あれたちになめられたらいけんさ。

――それは事件になったんじゃないです？

太一　次の日に新聞載ってたってよ。器物損壊よ。

（13）　以下の記述は、谷富夫ほか編の『持続と変容の沖縄社会』（ミネルヴァ書房、二〇一四年）に収録された、拙稿「沖縄的共同体の外部に生きる」と一部重複する。

〔なんだよ〕、なんでって言ったら、ジャンルが違うから。俺、空手のこと、何もわからんわけ。誰が強いとか、一戦一戦、目の前の相手を叩きのめすだけしか考えてないから。これ極真よ、鼻くそやーたんどー〔いちころだったよ〕、道であったら殺すよくらい、ようしゃないよ。問答無用ど。

また彼の母親はかつて飲み屋（スナック）で働いていた。父親はかつて暴力団の構成員であった。二〇一二年当時、父親は本土で人夫貸し(14)をしていた。彼は一人っ子で、両親は彼が幼い頃に離婚した。彼は、「パシリの弟が欲しかったなあ」と呟いた。あるとき久しぶりに父親から電話がかかってきたことがあった。

太一　おとー〔父親〕から、電話かかってきたからーて、「最近。やー〔おまえ〕（何してるかって）、ほんとにやる気あるんだったら、（ヤクザの仕事を）紹介する」と（いう内容だった）。

――えぇー、組をですか。親父さん、今何されてるんですか？

太一　いまは、もうヤマトで、なんかもう、堅気なってるけど、もう会長クラスのあれ（ヤクザ）になってたから、「おまえがほんとにやる気があるんだったら紹介するよ」（って言われた）。でもな、はー、でもな、でもなよ。わかるでしょ、（ヤクザは）いいところもあるけど、あれもあるさ、一〇年くまる〔収監される〕意地あるの？　一〇年くらい。要は、いちむどやーよ〔行ったり、来たりする人〕。しっちー〔しょっちゅう〕、刑務所行く人よ。

——はいはいはい。

太一　行ったり来たりの根性あーみー〔あるのか〕？

——根性あるかと、親父さんに聞かれたわけですか？

太一　うん、一〇年くらいくまるぐらいの根性あーみー〔あるのか〕。〔その気があるなら〕紹介するみゃんどー〔できる〕、あんな、へえー、「今の世の中ふらーらりん〔ふらふらして〕、ヤクザしてられるか、ボケ」って〔言って〕、〔電話を〕ブシってきってから、それ以来電話もないな。

——今はどこで何してるんですか？

太一　人夫貸しの仕事で、東京よ。神奈川やっさー、川崎よ、鶴見よ。

「いちむどやー」とは、うちなーぐちでは行ったり来たりする人という意味だが、彼らは刑務所に入り浸る人という意味で使っていた。太一は父親からの誘いを断り、そのような生き方を反面教師として生きていく覚悟を語ってくれた。

その後、彼は高校時代に出会った女性と一八歳で結婚し、翌年に子どもが生まれた。彼は沖縄連合

（14）　人夫出しともいい、主に建築業労働者の斡旋をする者である。

の中心メンバーでT地区のアジトに通い、その後、沖組で働き始めるが、中高年の従業員とトラブルを起こして辞めた経緯がある。その後は、親戚のおじさんの働く建築会社で働いていた。
結婚生活も一〇年以上たった二〇一二年の夏、太一は夫婦げんかの末、妻に暴行をはたらき逮捕され、離婚した。

——いつから別居されてるんですか。
太一　先月からよ。
——（奥さんと）けんかしちゃったんですか？
太一　けんか。なんちゃって、けんかよ。
——私もよくしますよー、けんかの原因はなんですか。
太一　性格の不一致よ。はっきり言って、まさかの不一致。
——（笑）。いやそうでしょう、性格が一致するカップルなんていないっすよ。
太一　なあ。要はエスとエスはあわんだろうやあ。
——……
太一
——けんかして、仲直りするときはどんなしてたんですか。
太一　セックスして、仲直りよ。
——今回はそういう感じにならなかったんですか。

太一　なかよしセックスよ、仲直りセックスよ。死に燃えるよなあ。

——確かに、そうですねえ。

そして、同じように離婚後に単身生活を行っていた同級生の仲里のアパートで、二人は共同生活を始めた。繁華街のなかにあるマンスリーアパートは男性二人が住むには狭かったが、同級生でしかもお互い妻と離別し単身状態という共通点もあった二人の生活は順調に滑り出した。友人たちは繁華街から近い仲里のアパートに頻繁に泊まり、同世代のたまり場となっていた。友人たちのなかには、なかばそのアパートに住み込んでいる者もいた。だからそのアパートには常時、三人か四人の仲間がいた。すべて男性で格闘技経験があり、体には立派なタトゥーがあった。私は遭遇したことはないが、女性を招いて淫らなパーティを開くこともあった。

ただ数カ月後には、この共同生活は終わりを告げた。二人は生活上の些細なことで、酒を飲んでいたこともあり、大げんかとなった。仲里が太一に「お前、でかい顔すんな、出ていけ」と言い放ったが、彼は格闘技をしていた太一にベッドの上で一方的に暴行を受けた。仲里の顔面は原形をとどめていないほど腫れあがり、あざだらけになった。その場にいた慶太も格闘技の心得もあったので、なんとか制止し警察を呼んだ。その後、警察がアパートへ駆けつけたものの、太一は妻への暴行の前科があり、傷害事件になれば確実に実刑になるため、太一は仲里に頼み込んで被害届は提出されなかった。そして二人の共同生活は終わりをむかえた。Ｔ地区のメンバーは、このグループでは、このような暴行はよくあることだから気を付けるようにと教えてくれた。

裏切りの世界を生きる

太一たちは私を、カラオケ、高校野球の応援、ビーチパーティによく誘ってくれた。太一はパシリとしてよく働く私を評価してくれていた。伝統舞踊であるエイサーの最終日を、沖縄ではウークイ〔送り〕という。私はそのウークイの夜に、太一たちにエイサーを見に行こうと誘われた。迫力のあるエイサーを見て、そのあと居酒屋に行くことになった。太一、仲里、慶太、そしてしーじゃの譲司〔隣町出身の三〇代、沖組従業員〕で、地元のある居酒屋に入った。太一はその店で以前、暴れて店を破壊した「前科」があった。入店禁止ではなかったが店員は太一の顔を見て、私たちは誰もいない二階の個室に案内され宴会は始まった。

太一 なんかこっち場所わるくないか。
仲里 なあ。
太一 〔壁で〕仕切りされてるさー、わったー〔俺たち〕だけ、ぬーがらー〔なんか〕、かくまってるふーじー〔雰囲気〕。
譲司 下〔の階〕だったらいいけどな。

われわれは人のいないエリアに「隔離」された。私を除いて、このメンバーの年齢は、一番上に譲司、次に同い年の太一と仲里が続き、一番年下が慶太という順番だった。酒に酔ってちょっとしたことでけんかとなり、慶太は太一とかつて殴り合いのケンカをしており、鼻の骨を折られたことがある。飲み会などでお酒が入ってしまうと、彼らは酒癖が出て、最終的に暴力事件となる。彼らは、体も大きく、建築現場で体を鍛えているので、ちょっとした暴力でも相手の骨を折るなどのけがに発展することが頻繁にあった。しかし、これで関係が壊れることはなく、しばらくすると普段通り仲良くする関係に戻る。太一に殴られたことをきっかけに慶太は格闘技を始め、太一をいつか倒そうと懸命に練習に励んでいた。しーじゃの譲司は格闘技大会の企画に携わっており、太一と慶太から尊敬の念を抱かれている。ただこの日は、少しいつもとは様子が違った。泡盛を飲み過ぎた年下の慶太の酒癖が出てしまった。飲み始めてから一時間にわたり、ずっと慶太は仲里にからみ続けた。

この数日前、仲里は慶太の交際相手である女性と慶太に内緒でコンパをしていた。慶太は仲里がその女性に手を出したのではないかと疑っていた。仲里が否認しても信じることはなく、泥酔した慶太は、深夜にもかかわらずその女性に直接電話をかけると言い出した。女性は夫と同居しているため、しーじゃたちは電話をしないように説得していた。仲里は「ふらー〔あほ〕か、やー〔おまえ〕、くまいん〔収監される〕ど、やー、また」と伝え、慶太が酔っぱらっているときにやったことは、後日後悔することになるから絶対にやめとけと伝えた。太一も「こんなにしつこくやったら、やーが逆に訴えられるよ。だーるだろ〔そうだろ〕。慰謝料ないいん〔ないだろ〕。やめれ」と説得した。慶太は説得するしーじゃたちに向かって、「なんで弱気になってるんですか」と挑発した。譲司は「それは弱気じゃない」と伝えたが、とうとう慶太は女性の自宅に電話をかけた。夫が電話に出て女性にはつながらなかった。仲里はその女性とはなにもやっていないことを信じてくれと何度も慶太に伝えたが、慶太は信じられないと言い張った。そのやりとりをみていた太一がとうとう激怒した。

太一　やー〔おまえ〕、これ（仲里）に言ってるば〔言ってるのか〕、やー〔おまえ〕、しーじゃんかい〔先輩に〕（机叩く）あびとんば〔言いがかりをつけるのか〕、おい。

譲司　ええー、落ち着け。

太一　おい、おい、やー〔おまえ〕、びんでちぶる〔ビールジョッキで頭を〕、おい。

（太一、ジョッキで慶太を殴ろうとする）

仲里　待て待て待て待て、やるなー！

慶太　（ビールが）いっちょーんど〔入っているだろ〕、ふらーや〔バカ野郎〕、わかるやし〔わかるだろ〕。

太一　えっ、おいおい。

——落ち着きましょう。

太一　やー〔おまえ〕（打越）、関係み〔関係ないだろ〕。

——悪いのは別のやつですから。

慶太　やー〔おまえ〕（太一）、やつあたりんど〔だろ〕、よりわかいんどー〔わかっているよ〕。
太一　やー〔おまえ〕、仲里とあびとんばあ〔に向かって声を上げているのか〕、むる〔全部〕あびとんば〔言ってるのか〕。
仲里　やー〔おまえ〕、ふらーやんにやあ〔バカ野郎か〕。
慶太　ボケ。
太一　だまれ。
慶太　わー〔俺〕わかるやし〔わかるだろ〕。わー〔俺〕よりわかいんど〔わかってるだろ〕、仲里、やったー〔おまえ〕、感情〔が高ぶってた〕やっさーに〔だろうに〕、わかるやっさーにー〔わかるだろう〕。
太一　やー〔おまえ〕が疑いそうたし〔疑っていただろ〕、仲里がじょうれすんど〔やるわけないだろ〕、ずっとまじょーれぶんど〔一緒にいるんだよ〕。
慶太　太一、ちょっとわかって〔わかった〕、やー〔おまえ〕はわかいんど〔わかるだろ〕。
太一　さかんけえ〔触るな〕、さわらんけえ〔触るな〕。

慶太が仲里に酒癖を出して絡んでいたのだが、それがあまりにもしつこいので太一が怒って、立ち上がってビールジョッキで机を叩き、慶太の胸ぐらをつかんで右手を振りかぶった。メンバーで最も体が大きく、格闘技の達人であり、数々の武勇伝をもつ太一が本気を出して暴れたら出入り禁止ではすまなくなる。完全に暴力沙汰になることは明らかであった。そこにいた全員が、慶太と仲里の言い争いは流しながら聞いていたところもあったが、太一が立ち上がった瞬間にその場にいた全員の血相が変わった。慶太も太一が振りかぶったあとに、すぐに自身のその日の言動について、「そんなつもりはなかったのだ」と丁重に訴えた。全員で太一をなだめ、太一はようやく落ち着きを取り戻し、暴行事件に発展すること阻止することができた。慶太たちはなぜか深刻な雰囲気になり、まじめに語りだした。

譲司　信用しれ〔しろよ〕、俺を。
慶太　誰も信用しない、わかってる、どうせ信用したら負ける。
……
譲司　あんち〔あんなに〕、こんなって〔こうして〕やってるの。やあ〔おまえ〕、こんなしょぼい人間なったら終わりだよ。はっきりし言って。
仲里　もっと心をでっかく持て。
慶太　わかってるそんなの。
……
仲里　でもやー〔おまえ〕も信用しないと、要は、好きなむん〔人〕だったら。
慶太　ううん絶対しないよ、ひとりで生きていくのに、ずっと決めてたのに、だったさ、ずっと、ひとりで生きてくって、ずっと決めてたから、それはあるよ。

仲里　じゃあ、ひとりで生きてくって、〔おまえにとって〕わー〔俺〕はなんか？

慶太　友だち、友だち、みんな友だち、決めてくって決めたから。

――信用はしてないんですか？

慶太　ううん、信用とか、そりゃあみんな裏切りってありますよ、友だちって、やっぱあります。だけどお互いに、信用ってあります？　お互いに。

太一　あるさあ、だから。

慶太　どんなふうっす、それ聞きたいっす。

太一　だからこんなって〔こうして〕深く一緒に語ってから、頑張ろうなって酒飲まんばー〔酒飲まないのか〕。やー〔おまえ〕別にどぅし〔友だち〕あらんたら〔でなかったら〕、エイサーも見に行かんやし〔行かないだろ〕。今日も言ったさ、暇やーたんばーよー〔暇だったよ〕って。だからわったー〔俺たち〕と一緒にエイサー見に行くの上等やし〔最高だろ〕。

仲里　たぶん、やー〔おまえ〕が思ってる信用ってのは、わー〔俺〕が思うによ、親子の関係までの信用までいってるばーよ〔んだろ〕。でも人間関係ってよ、わったー〔俺たち〕みたいのとかは、確かにやー〔おまえ〕が言ってるみたいに裏切りもある世界の友だち関係やし〔なんだよ〕。

慶太　みんな裏切りしかないのに。

仲里　でも人間て、要はこんなもんやんばーよ〔なんだよ〕、自分がさみしいから、この人のこと大事にすると思う。

慶太　ううん〔違うよ〕。

譲司　だーるぜ〔そうだよ〕。

慶太　でも大事にされたい。

仲里は「裏切りもある世界の友だち関係」だからこそ、人を大事にし信頼することの重要性を述べ、慶太は「裏切りしかない」からこそ信じていては「負ける」と述べる。仲里と慶太の意見は異なるものの、両者ともに自身が裏切りあう世界に生きていることについては認識が一致している。深酒とけんかの果てに思わずこぼれでた彼らの語りのなかに、その世界観を見てとることができる。基本的には誰も信頼できないまま、たまたま出会った地元の「どぅし」〔友人〕との関係性に頼って生きているようだった。

同世代からの距離化

太一たちのグループでは、この日のように宴会の場で酒癖が出ることがよくあった。その後も、慶太は不安定な時期が続き、彼女に暴力をふるったり、コンビニで「自動ドアが開くのが遅くて、自動ドアをパンチ」するなど、警察沙汰になることを繰り返した。その結果、慶太も太一も地元の同級生のつながりから孤立していった。

太一　だからわったー〔俺たちの〕同級生、わったー〔俺たち〕と付き合わんやし〔だろ〕、一応、はっきり言って慶太もよ。

譲司　だーるよや〔そうだなあ〕。

太一　同級生とあたらんさ〔気が合わないさ〕、こんなの〔酒癖〕もみせてるから、同級生もひんぎってる〔逃げている〕。でもわったー〔俺たち〕、〔気持ちが〕あついやし〔だろ〕。好きさ。だからあんなささんけえてから〔あんなことさせるなって言ってから〕。これは悪いんだよとかって〔お互いに〕言ったりとか。

譲司　〔俺たちは〕でーじ〔とっても〕嫌われもんど〔なんだよ〕、わったー〔俺たち〕同級生って、だから。

あの夜に見せた、あるいは数々の武勇伝でもわかるような太一のキレやすさや暴力的な性格は、いうまでもなく彼の地元でも知れ渡っていて、彼は地元エイサー青年団の正式なメンバーには入れてもらえていなかった。ただ用心棒役として参加することはあったが、それはメインの踊りとは関係なかった。

太一　〔ある青年団にエイサーを〕誘われてた、先輩に、「やー〔おまえ〕こいよ」と。助けにこいと、今日もエイサーがあるさ。青年会のおーらしあい〔ぶつかり合いの演舞〕があるさ、がーえー〔ぶつかり合い〕っていったら、ほんとに戦いやらんばあよ〔じゃないのよ〕。こんなしてからよ、要は地元でいうエイサーよ。で、なかにはちょっとした、なんか（いざこざ）があるみたい、「まーのしーじゃーがぬーぬーし〔どこの先輩が威張っているかとか〕、わったーしまんちゅ、うしえらりーくとぅ〔俺たちの地元が調子乗ってるのじゃないかって〕、なめられるから」。それで「おまえはセキュリティとしてこい」と、（言われて）呼ばれてるのよ。

太一は沖縄的共同体としてのエイサー青年団から距離をとられていた。この頃、仲里は沖組を辞めて、同じように沖組を辞めていた太一とつるむ機会が増えていった。

二〇一二年夏に行った調査の最終日、沖組の従業員が中心となって、私の送別会を開催してくれた。この日はあいにく台風が沖縄を直撃し、夕方から暴風域に入っていた。台風のため、居酒屋で飲んだあとは、自然解散となった。私たちの太一グループは、当分のあいだ外に出られないことを想定して牛丼屋によってから、仲里のアパートに帰った。私は、仲里、太一、慶太たちと泊まることになった。台風の風が徐々に強くなり、次の日の朝、そして昼までワンルームアパートに四名で閉じ込められる状態が続いた。私たちは、だんだんとやることも話すこともなくなり、沈黙が続いた。すると、太一が突然、調理用の包丁を振りまわし叫び始めた。

太一　打越、ぶっ殺すぞー。

——どうしたんですか！

太一　どうしたも、こうしたもないよ。（包丁をブンブン）

——マジ、マジ、マジで止めてください。マジで止めましょう。

太一　（包丁を振りかぶって）うわぁー。って、ビビった？

——マジどうしたんですか？

太一　冗談よ。

——いやいや、びっくりしましたよ。

太一　殺すと思った？

——いやいや、いきなり何が起こったのかと思いましたよ。

太一　おもしろいでしょ。

——いやいやー。

太一　打越もなんかおもしろいことしれ〔やれ〕。

このように交遊範囲も限定された結果、彼らはいつも同じメンバーで過ごすことが多く、互いの関係が煮詰まっていくこともあった。

彼らの日常的なつながりは、厳しい縦型の規範や暴力にいろどられていた。そんななかでお互い励まし合う間柄も形成していったが、彼らの共同生活は、互いに対する暴力をはらんでいて、そのうわさを聞き付けた地元の同級生、そして沖組の従業員などから、ますます距離をとられていった。

ある日の決闘[15]

Ｔ地区の人間関係から離れていった彼らは、互いに殴り合うだけでなく、たしまー〔他の地域〕の若者との「他流試合」を挑むようになった。二〇一三年の夏、太一、仲里、慶太の三人は、沖縄の中部地区の中心的な繁華街である中の町では、ほとんどの店で出入り禁止となっていた。彼らは中の町ではなく、その隣町に出向き、そこのキャバクラ店で隣のテーブルの男性客たちと暴力トラブルを起こしたことがあった。隣のテーブルの男性客は、太一たちより年上で、地元も異なるため、Ｔ地区の太一の噂を知らなかったようだ。仲里がにらみつけると彼らはそれに反応した。

私はその場にはいなかったが、後日私は仲里からその日の様子を聞いた。仲里は沖組を辞めたあと、すぐアスベストの仕事を始めた。転職した直後は、慣れない仕事を休むことが多く、ドライブしながら彼が薦めるあるパチンコ屋の食堂まで野菜そばを食べに行った。移動時間や待ち時間に、彼のいろいろな話を聞くうちにその場でＩＣレコーダーをまわした。

その頃、私は太一や仲里たちと、ほとんど共同生活のような日常を過ごしていた。そこでは改まったインタビューではなく、彼らの日常会話をその場でずっと録音させてもらっていた。私は当初ＩＣレコーダーを取り出して、彼らに確認をとって録音を始めていたが、彼らが話し込んでいるときに私が遮る形となることが続いた。それに対し、太一からこのグループのなかでは形式的な確認は不要であると言われ、彼らに見えるようにＩＣレコーダーを置くことで録音の確認をとるスタイルが確立されていった。この日の仲里との会話もこのような手順で進めたものである。その日の暴力トラブルを仲里は以下のように説明する。

仲里　最近あれだったってば。あれ、Ｍ地区（隣町）のヤツともめたとき。

——どうだったんですか？

仲里　大丈夫だった。

——もめたきっかけは？

仲里　飲み屋でよ、最初は俺がケンカ売られたわけよ、あっちのしーじゃに、「ぬーみーちきー

---

(15)　太一の暴力をめぐっては、地元のなかでいかに統制されていくのかという視点から考察したことがある（打越 2014）。地元つながりやそこで形成された小集団で、彼の暴力の一部は回避された。ただし、その後の経過を追うと、彼の暴力はその後も繰り返されている。むしろその繰り返されるメカニズムにこそ、焦点を当てるべきだと考えるようになった。したがって、本章では彼の暴力の継続性に焦点を当てる。

同様に太一たちの決闘の事例を、私は暴力が回避された事例として扱ったことがある（打越 2015）。実際には金銭のやりとりで決着をつけて暴力は回避された事例ではあるが、それは地元つながりによって回避されたのではない。むしろ決闘の暴力は地元で彼らが孤立し、距離をとられていくことで回避されたことがわかる。

このように、彼らの暴力について、かつてのように楽観的に捉えることはできなくなっている。

やー、みーちきー〔なににらんでる、メンチきってるか〕」とか〔言われたけど、俺はメンチきることなんて〕やってないさ。

――なにメンチきってるばみたいな？

仲里　うん、こんなふうじい〔感じ〕でやってるとき、すぐあれが、太一が飛びかかっていく勢いで、これであってからぐわー〔勢いを表す擬態語〕ってから。

三人は隣の男性客と目があったことをきっかけに殴り合いのけんかとなった。いつもは負け知らずの太一が、そのときは泥酔していて、しかも相手も強く三人がかりで集中的に攻められ、首を絞められ太一は気絶した。その後、太一はあばら骨を折られた。この状態で、やっと警察が到着しそのまま連行された。こういう場合、警察はけんかに勝った側も負けた側も連行するようだ。翌朝、警察からは解放されたものの、太一は路上でのけんかに負けたことがなく、気絶させられた間に三人がかりで暴行を受けたことが彼にとっては屈辱的な出来事であった。彼は「やられたらやりかえす」、「勝つまでが勝負」と言い張り、後日、再び決闘で決着をつけることとなった。

仲里　慶太とかもいたよ。

――最強メンバーじゃないですか。

仲里　M地区ってあれやんばーよ〔なんだよ〕、組織〔みたい〕だばーよ。しに〔とっても〕いっぱい人〔を〕集めてくるわけよ。あいつらよ。〔相手は〕俺らより何個上かな、四個上。でも、あっちが「ごめんって、いいよ」って言って、終わった。

——じん〔お金〕、とったわけですか？

仲里　まだとってないけど、太一、あばら〔骨〕折られて、ひび入ってるばあよ。〔先日のキャバクラ店で〕乱闘なったとき。だからひびとか入ってるし、めーも、まっくどー〔目もあざでまっくろに〕なってるばあよ。だからちょっとした慰謝料的なの払うって、言いよったから。だから逆に手ー出してあったー〔あいつら〕うちくるす〔打ち倒す〕よりも、要は株は上がった。あんな四個上が年下にここまで言われて、やらない、お金で済ませてくれって言ってるんだから、逆に株は上がった。

彼らの間では、日常のあいさつ代わりで何中学の何期かをきくことが多い。このけんかでも互いに地元と世代を伝えて殴り合ったので、後日知り合いを通じて、互いに連絡を取り合い相手の地元の公民館で再び決着をつけることとなった。M地区は集団の結束力が強く三〇名を超える若者を公民館に結集させていた。それに加えて、年齢も四歳も年上であった。圧倒的に不利な状況ではあったが、無傷で帰ることができ、仲里らのメンバーは「株を上げた」と喜んだ。

他方でこの決闘をめぐって内部で争いが起こった。この決闘のときに、T地区の健二も同級生の太一から誘われていた。しかし、今から相手の公民館へ向かうというときに、健二は決闘に参加できないと伝え帰った。太一はこれに激怒した。仲里は健二と太一の内輪揉めについて、以下のように説明してくれた。

仲里　要は（俺たちはこの日）乱闘なると思ってたから、はっちゃかめっちゃかなるって、予想してたから。これで要は、あのあれ（健二）がこんなって帰るって言って、（太一は）ブチ切れてるばあよ。わったー（俺たちは）は車、乗ってるんだよ。わー（俺）と譲司は、出るっていうときに、（健二は）「帰ろうなあ（俺は帰る）」って言ったんじゃない、これで、ふるあびーしてるばあよ（怒鳴っているんだよ）」、「やー（おまえ）なんで帰るかー、やーいちゅんどー（よし行くぞ）」ってから、健二が太一のところに近づいて行ってから、はっきりなに言ってるか聞こえんけどよ、たぶんそんな系（帰ることを伝えてる話）ばあよ。「子どもみないといけないから帰ろうなあ」ってたぶん言ってあるばあよ。そして、またあれ（太一）怒ってから、ふるあびーしてから（言いたい放題言ってから）、「じゃあいいよ、やーけーれー（おまえ帰れ）」ってから、「やーちかーらんやー（おまえ使いもんにならんな）」って、根性なしふーじーよ（みたいだな）。これきいて、まさかやーってから、それは（そこまで言っては）あかんぜーって。

……

仲里　今回のあれで健二と太一の仲が絶対悪くなってる。あれ（「根性なし」という言葉）は言ってはあかんかったぜ。わー（俺は）ありえんだろって思ったのに。それは言ってはダメだろうって。

——時間がたてばなんとかなりませんか。

仲里　一応、時間がたてばあれだけど、絶対言われた人って心に残ってるから、絶対忘れんから。たぶんだから、（今後は）健二から自分から誘って、あれ（太一）と遊びに行こうとは言わんと思うよ。

健二は沖組で働き続けながら、沖組を辞めた太一とも、また仲里と慶太が沖組を辞めたあとも、三名との関係を続けていた。ただし、三〇歳を超えての決闘をめぐって、太一、慶太、仲里らがそれで得るものより、健二にとっては失うものの方が大きかった。健二は数年後に、この日のことを振り返り、「中学生じゃないんだから（決闘なんて行けないよ）」とつぶやいた。これは、年齢を重ねるなかで暴力から卒業していく世界に生きる健二と、三〇歳を超えてもなお決闘などの暴力で「株を上げていく」世界に生きる太一たちとの違いが顕在化する出来事であった。

健二の他にも、年齢を重ねることで暴力から卒業したしーじゃの一人に光司がいる。彼は中学生の頃、うっとぅたちに頻繁に暴力をふるっていた。光司が暴力から卒業する過程を彼のうっとぅにあたる仲里は以下のように話す。

仲里　だから、力（は）関係ないじゃん。要はいつまでもこの人は、わー〔俺の〕の先輩だーって感じじゃん。だから光司にいにいとかでも、もう勝てるとか勝てないのレベルじゃないばあよ。先輩として偉大やんばあよ〔なんだよ〕。だから光司にいにいのすごさってこんな部分にもあるからよ、あの人も人一倍あれだからよ。俺もあれ何回も守ってもらったことあるからよ。要は光司にいにいよりさらに上の人とかによ、若いときにさ、「やー〔おまえ〕くるさりんどー〔なぐるぞ〕とか」ってやられたときとかも、すぐ先頭たってから、すぐ助けよった。「やー〔おまえ〕ぬーそーがー〔なにしてる〕。やーわったー〔俺たちの〕、わー〔俺の〕のうっとぅ〔後輩〕やんど、さんけー〔やるな〕」、そしてからすぐに、あれだったのに、「仲里いいよ、帰っとけ。わー〔俺〕がわー〔俺〕が話しとく。やー〔おまえ〕はもう帰っとけ」って〔言って、身代わりになってくれた〕。だから、要は俺らとか光司にいにい、光司にいにいって慕うわけよ。あの人はちょっとランクが違うばあよ。だから対応が違うだろ、光司にいにいに対しては。

――一日置かれてますよね。

仲里　光司にいにいが言ったら、「はい、はい」って感じさ。光司にいにいはなんかあるぜ。もってるぜ。

――はい。

仲里　なんか魅力がある。なんか怖さもあるけど、優しいばあよ。

――怖さのランクも桁違いですけど（笑）。

仲里　なんかいざってなったときのあの優しさよ。〔うっとぅの〕上地のこととかも守ってあげてたやし。あの人はちょっとすごいよ。

健二は、父親が沖組の社長であり、生活は安定している。将来は兄の裕太とともに沖組を引き継ぐ見通しが健二にはある。光司は実家に暮らし、一〇年以上沖組で働いてきた。定期的にうっとぅを飲みに誘うなど、下の世代からの信頼もあつい。健二も光司も、中学時代は暴走族で活動していたが、中学校の同級生たちとの模合に今でも参加している。模合は参加者で金銭のやりとりをともなう頼母子講のひとつであるが、最近の沖縄では親睦を目的とした模合が中心である。このように年齢を重ねていくなかで、生活と仕事の基盤が固まることで、暴力から卒業していく。これはかつての沖縄の多くの若者たちのライフコースであった。しかし、太一たちのグループは三〇歳を超えてもまだなお、暴力で「株を上げる」世界に生きていた。健二と太一たちの生きている世界の違いがここに存在している。

太一の「神格化」

太一は、地元の社会関係から徐々に距離をとられていった。ただそれは完全に排除されるというものではなく、「神格化」されることであった。普段の生活で、同級生や沖組従業員などの地元の友人は、太一との関わりがほとんどなかった。その一方で、地元の暴走族やヤンキーを代表して催される格闘技大会では、彼はT地区を代表して何度も出場している。T地区の人びとは彼と個人的に付き合ったりはしないけれど、彼の活躍を自分の知り合いのように誇らしげに自慢する。また地元で過去を振り返るときは必ず入り込む太一の武勇伝がある。このように普段は近寄りがたいものの、行事や大事なときには必ず持ち出される太一の地元での様子は「神格化」というべきものであった。このような形で、太一やその周辺メンバーは〈共同体からの排除〉を経験した。

〈共同体からの排除〉——空間と時間からの排除

彼らの生活では、たびたび暴力をふるい、またふるわれることが起きていた。三節では主に太一、仲里、慶太、健二の暴力をめぐるやりとりをみた。太一は「けんかに、どこの、いくつかは関係ない」と語り、地元のしーじゃでもお構いなしに暴力トラブルを起こしてきた。そしてT地区の人びととは普段の関わりはほとんどなく、彼は近寄りがたいが、大事なときには地元を代表する存在として「神格化」されていた。そのような彼に、地元のエイサー青年団の用心棒の役割はふさわしかった。

また仲里と慶太はアジトから沖組に定着した経験をもつ従業員であった。通常はある程度の年齢になれば、パシリや暴力からは卒業できるが、彼らは（他の従業員が）三〇歳を過ぎてもパシリの役をやらされることや、しーじゃから殴られたりすることに不満を抱いていた。彼らはヒエラルキーのなかで地位を上昇させることができず、結果として沖組を辞めた。そうすることで、経済的に困窮し、その憂さを晴らすために繁華街での暴力や決闘で株を上げる世界に残り続けていた。

太一と仲里と慶太は、地元で距離をとられていた。また沖組も辞めた。健二はそんな三人とずっと仲良くしていた。しかしそんな健二も、決闘をめぐって、太一とは関係が壊れかけた。健二は沖組で働き、そこで暴力から卒業できる世界に生きていた。それは繁華街でのトラブルを通じて「株を上げる」世界とは異なる世界であった。ここで三名と健二との暴力をめぐる態度が異なった。

太一、慶太、仲里は、同級生、そしてアジトや沖組といった地元社会からも、いわば空間的に排除された。そして、この三名の人間関係は、同じ中学で、そのときから変わっていなかった。地元社会から空間的に排除された彼らは、日常生活においてよく暴力をふるっていた。健二のように暴力を卒業するというライフステージが、彼らにはなかった。彼らはそのようなライフステージにのることができず、暴力から卒業できないままであった。彼らがいまだに暴力から卒業できないのは、経済的に将来の見通しがまったく立たないからである。つまり彼らは若いヤンキーが暴走族を卒業して、建築業を経験し、職人として一本立ちして、なかには独立して社長になるという標準的なライフコースから排除されている。これはいうなれば、標準的なライフコースからの時間的な排除としてとらえることができる。彼らは、沖縄的共同体からの空間的な排除に加えて、沖縄的共同体で積み重ねられていくライフステージからの時間的な排除も経験している。このように、アジトや沖組といった沖縄的共同体から、空間的にそして時間的に排除される過程を、ここでは〈共同体からの排除〉として描いた。

四　終わらないパシリ――〈共同体への拘束〉

四節では、上地の生活史インタビューと参与観察をもとに、沖縄の下層の若者の〈共同体への拘束〉の様子を描く。彼らが拘束されるのは、沖縄的共同体から排除されたのちに、再び作り上げられる、もうひとつの共同体である。

留置場での再会

改めて、上地について振り返っておこう。

私と上地が最初に会ったのは、二〇〇七年である。当時二〇代前半だった彼は、国道五八号線を暴走していた。派手に改造されたバイクを、縦横無尽に操る彼は、T地区だけでなく沖縄中で有名だった。当時、沖縄の暴走族の世界では、「雲の上」というべき存在であった彼に、私はあいさつをする程度の間柄だった。そんな私と上地が親密になったのは、私の留置場通いがきっかけだった。二〇一二年の夏、上地が元妻に暴力をはたらいて留置場に行ったことを、私は地元のしーじゃである裕太から聞いた。裕太から「(上地は)奥さんとは離婚してるから、(奥さんは)告訴取り下げないから、二回三回の拘留なるから。俺は(面会に)仕事で行けん。打越、おまえどうせ暇だろ。面会行ってこい」と指示を受け、留置場に通うことになった。

初回の面会に行ったとき、「裕太にいにいから（ここに入ったことを）聞いたよ。毎日行ってこいって言われたんだけど、来てええかな」と聞いた。留置場でさみしい思いをしていた上地は、私が面会に来たことをとても喜んだ。私はそれから毎日、上地のもとに通って面会した。留置場では、被疑者一人に対する面会が先着順で一日一組限定なので、できるだけ大勢の人たちと話ができるように、私は地元の友人を引き連れて一緒に面会に向かうようにし、先輩たちからのメッセージを伝えた。彼が拘留されていたのは二二日間で、それは一〇日を一単位とすると二拘留と呼ばれた。このうち面会が可能な日が一三日あったが、台風で行けなかった一日を除き、私は残りすべての日に面会ができた。私はいつも受付終了時刻である午後四時半直前に面会に行くようにしていたので、家族も含めて私以外の面会者はいなかったようだ。彼が逮捕された直後も、歯ブラシや着替えなどの差し入れは、しーじゃの健二が行った。健二が上地の家に着替えを取りに向かうと、父親と母親は移動手段をもたないため健二に頼んだという。健二は兄も含めて家族が面会も行かずに自身に気軽にお願いすることに対して、「でーじ、あふぁー〔とてもびっくりした〕」と話していた。上地が出所したとき、私は健二と一緒に迎えに行った。上地はとても喜んでくれ、私たちに感謝した。そして私は「今度、うちに泊まってよ」と言われた。

その約束はしばらく果たせなかったが、翌年二〇一三年の調査時に、上地の自宅に泊まらせてもらうことになった。私は上地の自宅の彼の部屋に泊まり込んで、昼間は同じ建築会社の同じ班で働き、そのあと夕食をとるのも、週末飲みに行くのも一緒に過ごした。このような一〇日間にわたる共同生活が始まった。

上地の家

夕方頃T地区の上地の家に着くと、上地は彼女と待ってくれていた。その場で上地のお父さんとお母さんにあいさつをして、お土産の日本酒を渡した。すると、上地に「酒はだめだよ。おとー（父親）、アル中だよ」と指摘された。私はお土産の選択を間違えてしまった。上地は私と父親が話し込んでいる隙に、その日本酒を私から取り上げると、父親に見つからないように台所の片隅に隠した。

上地からあらかじめ何も聞いていなかった両親は、私の登場に戸惑っているようだった。私が「しばらくの間お世話になります」と伝えると、驚いてきょとんとしていた。そこで改めて私からお願いした。

――上地君の知り合いの打越と申します。本日から一〇日ほど、（上地から）宿泊させてもらうという話は聞いてないですかね？

父親　はじめて聞いたさ。

母親　部屋、空いてるかな。

――そうでしたか。それでは突然押しかける形となり、すみませんでした。改めて説明させてもらいますね。一〇日間ほど沖組で働くことになってですね、上地君から誘ってもらって、そのあいだ泊まり込みで彼の部屋に居候させてもらうという話なんですが、お父さんとお母さんのご迷惑でなければ、ぜひ泊らせてほしいのですが。

母親　いいよ、泊っていって。布団あるかな。

——布団は、私が自分で準備します。日中は沖組で働いて、ごはんも上地と食べてから帰ってきますので。

父親　沖組で働くの大変だから、ここで寝泊まりしたらいいさあ。

——ありがとうございます。突然のお願いにもかかわらず、認めてくれてありがとうございます。

両親は戸惑っていたようだが、意外なほどあっさりと了解をえることができた。その後、上地と彼女と私は近所の食堂で夕飯をすまし、二人はデートに向かった。私はひとりで上地の自宅へ帰った。上地から先に寝ておくように言われたが、部屋の電気は必ず消して寝るように指示された。彼の家は地元のしーじゃたちにも知れ渡っており、彼の部屋に電気がついていると、しーじゃたちから個人的な送り迎えを頼む電話がかかってくるからだという。彼は携帯の電源も切ってデートに向かった。その日の深夜、上地が自宅に帰って携帯の電源を入れると、特定のしーじゃからツーリングの誘いで呼び出される留守電が二八件も入っていた。

ところで、夕食後に私がひとりで自分の原付バイクで上地の家に着いたら、ちょうどそのときタクシーから酔っぱらって降りてきた男性がいた。彼は家に向かって歩いていき、同じ家に二人で入りりかけた。その男性からすると、自分の家の前に原付をとめて、私が自宅に入ろうとする様子にびっくりしただろう。彼は上地の兄だった。「やあ〔おまえ〕、誰か？」と聞かれ、自己紹介と上地との関係と、今日から泊まらせてもらうことについて説明した。上地は兄にも私が泊まることを伝えていなかった。兄に、「俺は聞いてない、俺は認めない。帰れ」と言われた。夜も遅いため、謝罪して、そこをひきはらって、後日改めて謝罪に来ようと考えた。ただ、兄の怒りはおさまらなかった。私が荷物を取りに家のなかに入ると、その後ろに兄がついてきて、私は怒られ続けた。私はとにかく自分が何者なのかを懸命に説明した。上地とは以前からの友人で、彼が留置場に入っていたときに、面会に行っていたことを伝えた。三〇分以上、怒られ続けた。そのなかでT地区の若者の多くが働く沖組で、私も働いた経験があることを伝えた。その流れで、健二や慶太の名前も出た。すると、慶太がその兄の直接のしーじゃ〔兄貴分〕だった。慶太の名前を出した瞬間に、兄は「そうかー、おまえは慶太さんの知り合いなんだ」、「泊まるくらいだったらいいよ、泊まってけ」と、その日のうちから宿泊してもよいとの許可をもらった。急展開だったが、その夜は兄と一緒に泡盛を楽しく飲むことができた。兄はかつて暴力団事務所に出入りしていて、そこでは二年間、朝から晩までずっと花札の配布係をしていたという。その後は建築業に就いた。

兄に一時間以上怒られていたとき、上地の母はずっとテレビでドリフを見ていた。父は上地が台所に隠した私のお土産を探し当てて、酔っ払っていた。時々父は私が兄から怒られている場に入ってきて、「まあ、いいさあね」と助けようとしてくれた。ただ結果として、それで兄の怒りはおさまらなかった。母はテレビを見ながら時間がたつのをじっと待ち、慶太の名前が出て兄の怒りがおさまった頃になってはじめて、「よかったさー」と声をかけてくれた。

話は変わるが、翌年の調査で、この兄の人となりをよく表す状況に遭遇した。兄が手づくりのソーキ汁をつくったとき、私を自宅に招待してくれたのだ。父はその日も近くの公園で朝から泥酔し、路上で寝ていた。近所の人が父を発見し、自宅に電話がかかってきた。兄はその電話を受けて激怒した。泥酔した父が帰ってきたとき、兄は「やー〔おまえ〕、めーさませー」と怒鳴った。それはまるで親と子の役割が逆転しているようだった。酒にだらしない父親は、いつも長男から怒鳴られていた。そのときは、知り合いをたくさん呼んで、ソーキ汁をふるまっていたので、兄の怒りはすぐにおさまった。しかし彼は、まるで自分の子分やうっとぅにでも接するかのように、高圧的な態度で「次から気を付けろよ」と父に伝えていた。父親はそれを聞いて黙ってうなだれていた。

実は上地の家で、クーラーがあるのは兄の部屋だけだった。彼はその部屋を独占していた。ソーキ汁を食べてみんな汗をかいていたが、兄の友人のみがゆるされてそこに入ることができた。私は最初クーラーのある兄の部屋に入ることができたが、兄の友人が四、五名来ると私は定員オーバーとなり外に出た。大鍋でつくられたソーキ汁は美味で、私はおかわりした。食事代をおいていこうとしたら、「今日はいいよ」と言われた。

私が上地の家で兄から怒られていたとき、母親はまったく関与してこようとしなかった。黙ってテレビを見るという母の態度から、上地の家では兄を頂点とする主従関係がしかれていることが垣間見える。そして兄と私との宿泊許可をめぐるやりとりで、慶太の名前を出した途端に兄の態度が豹変したことからは、兄の地元社会での立ち位置もうかがえる。従うか従わせるかの違いはあるが、そこでは誰かが力をもち、周囲はそのような雰囲気を読み取り従うことが作法となっていた。上地も兄も、そのような地元社会の人間関係で育ってきた。そして家のなかもその関係性で貫かれていた。上地はこのような世界を生きていた。

一〇日間の住み込み調査期間中、私はずっと寝不足だった。私は上地と同じ部屋で寝ることになったが、彼のいびきは強烈でいったん起きたら、うるさくて寝付けなかった。また夜中にうなり声が聞こえたので台所にむかうと、隣の部屋で陽気なお父さんが民謡を歌っていた。私はほとんど睡眠をとれないまま、朝七時に彼を起こして一緒に仕事に出た。上地は沖組の運転手として、地元の先輩たちの家をまわって、八時までに今日の現場に向かう。仕事が始まると、そこらじゅうで「おい、うえちー」と声がかかる。彼は階段を使わずに足場をジャングルジムのように昇ったり下ったりして、しーじゃのもとへ向かう。そして休憩時間は私と一緒に飲み物を買いに行く。この頃は一〇代の従業員がいなかったため、このような雑用も彼の仕事だった。一〇本近くの異なる飲み物の種類を記憶するのだが、もし売り切れで希望する飲み物が買えなかったときの予備の注文も受ける。私は注文をメモしたが、彼はすべて記憶して処理していた。いつもやっていることで、しーじゃーの飲み物の好みは頭に入っているのだろう。夕方に仕事を終えても彼は一息付けない。現場号を管理する彼に、T地区や沖組のしーじゃから送迎のお願いが次々と入る。彼はシャワーも浴びないまましーじゃのもとへ向かう。

また仕事以外のしーじゃたちからの誘いも、彼は断れない。ある晩、沖組のしーじゃとその愛人のカラオケに上地と私は誘われた。しーじゃと愛人は、話し込んでいい感じになっていた。私はそのしーじゃが好きそうな曲や最近の曲を予約した。ヒルクライムの「春夏秋冬」がこの日のヒットだった。私は合間につなぎで歌い、上地は酒をつくり会話を盛り上げる。朝方までカラオケ屋で過ごして、数時間後には現場にいた。

私は予定していた一〇日間のうち寝不足と緊張感から耐えきれなくなって、一日だけ共同研究者の上間氏の自宅に逃げ込んだが、上地はこのようなパシリとしての時間を日常的に過ごしていた。常にどこからか呼び出され、地元社会から逃亡できない生活を彼は送っていた。

上地の生活史

調査当時に、私が目にした上地の生活は、上下関係に縛られた過酷なものであった。彼はどのような人生をたどってきたのだろうか。ここでは上地の生活史を振り返ってみよう。

彼は、一九八〇年頃にT地区で生まれた。彼には、建築業で働く父親と、建築現場の軽作業に従事する母親がいる。両親ともに朝早くから仕事で忙しかったために、小さい頃の彼は親戚のおばさんによって育てられた。そんな彼は小学校五年生から盗んだ原付バイクに乗り、万引きを繰り返した。窃盗で一回だけ鑑別所に行っているが、それ以外は暴走行為を含めて、なんとか捕まらずに逃げることができた。中学時代はほとんど学校に行かず、バイクとスケートボードに熱中した。地元のしーじゃに紹介してもらって、中学三年の夏休みに一カ月だけ沖組で働いた。そして彼の初給料はしーじゃにたかられた。

――上地はうっとぅーをくるしたり〔殴ったりすることは〕はあった？

上地　あったよ。

――どういうときにやったの？

上地　約束とかして、来ないときとか、かめーて〔探し出してから〕から、ヘルメットでくるしたりとか、あとホッパーの後ろとか。そんなにくるさなかったですけどね、〔自分は〕何回もくるされたことあります。三時間とかくるされたことあります。

――はあー。

上地　もう痛みがないんっすよ、まじで、シンナー吸ってる先輩が、ずっと。沖組の初任給は、先輩のシンナー代で消えました。

また一カ月働いた建築現場での仕打ちは相当厳しいものだった。作業中の現場の天井から安全帯のフックで体ごとつるされて、足で蹴ってくるくると回転させられた。休憩時間に、このようないじめで盛り上がることは常だった。

二〇一二年の調査時に、彼はそんな沖組から逃げることはできないと話していた。彼は沖組から「逃亡」を繰り返して、そこで働くのは三度目だった。彼は沖組のハードな人間関係に疲れはてて、何度も辞めていた。他に生きる道を必死で探し、本土にキセツに行ったが孤独に耐えかねて途中で帰ってきた。他のバイトを探しても、単純労働で待遇もよくないために長続きしなかった。その経験から、彼は逃げても逃げても、沖組に帰ってこざるをえないことを身をもって知った。地元でいくらしんどい目にあっても、お上に頼ったり、内側から現状を変えたりすることはできない。厳しい現状を引き受けたうえで、しーじゃとの容赦ない関係をその時々の「切り抜け」によって生き抜いていこうとしていた。

彼は二〇歳のときに、三年の交際を経て、リカという年上の女性と結婚した。翌年には子どもが生まれた。リカは売れっ子のキャバ嬢だった。彼女との共働きで、家計をやりくりしていた彼だったが、あるとき一カ月分の給料を落としてしまった。バイクで帰るときに上着のポケットに入れていた給料が、家に帰ったらなくなっていた。どこかで落としたようだが、探しても見つけることができなかった。

彼の妻はこのことを強くなじった。その辺りから、彼と妻との関係は悪くなっていった。一カ月分の給料を失ってしまい、ただでさえ自転車操業だった彼の家計は、より厳しくなった。そして、彼は運悪く現場でけがをしてしまう。上を向いて地面に落ちていた六五ミリの釘を、彼はまともに踏んづけてしまった。流血がひどく医師からは入院するように言われたが、三人目の子どもが産まれた直後で、経済的に厳しかった彼は、無理をして自宅に帰った。その後も厳しい生活は続き、結婚六年目に彼とリカは離婚した。離婚の直接の原因は経済的な理由であったために、リカと上地は十分な蓄えができたら、再婚することを二人で約束していた。

離婚したあと、上地は不定期ではあったが、可能な限り養育費を渡していた。二〇一二年、彼は沖組の給料から精一杯払える金額であった五〇〇〇円を持って、リカたちの住むアパートに向かった。玄関で彼がお金を渡そうとすると、リカはそんな金額では生活はできないと伝え、受け取らなかった。彼女はアパートのなかで子どもと会わすことも拒否した。上地は玄関の鍵を閉められたことで、なかに新しい彼氏がいて、彼女がかくまっているのではないかと思いこんだ。上地は、「ヤンキーの世界って、なめられたら終わりじゃないですか」と話し、いつか再婚すると約束した彼女を他の男に奪われたと考え、冷静さを失った。なかにいると思いこんだ男と決着をつけようとガラスを叩き割って侵入した。彼は抵抗するリカに手を出した。彼女も警察を呼び、その場で彼に「くまーられてこい〔刑務所に行ってこい〕」と挑発した。サイレンの音が聞こえ始め、これで終わったと思った彼は、さらに暴行を重ねた。上地は逮捕され前述のように留置場に入ることとなった。

出所祝いの激励会

T地区のしーじゃである太一は、上地が逮捕されたことを心配した。なんとか地元のしーじゃとして、上地を助けられないかを真剣に考え、そして行動した。

太一は私と一緒に留置場の上地の面会に行き、面会室で上地と話し込んだ。

上地　（留置場は）ご飯まずいっす。パンも小さい。罰金は三〇万いかないみたいっすよ。

太一　俺なんて、クーラーなし、若いの（同室者）とちゃーしこりー〔よくオナニーしたよ〕（笑）。差し入れにスケベ（エロ本）入れさせてよ。

上地　ホームレスがいて、めっちゃ臭うんですよ。おじさんだけ、三日連続で風呂入れてるけど、臭いとれないっす。

……

上地　いなぐー〔彼女〕はもう会わないっす。

太一　ただ子どもは会いたいだろ？　俺もそうだからわかる。いつか会わしてくれるから、それまでは（奥さん、子どもに会いに）行くな。バイクなんか買わんで、子どもの誕生日プレゼントおくれ。そしたら子どももお父さんってわかるさー。子どもも会いに来るさー。絶対会えるようになるから、それまで我慢しれよ。な。

面会の帰りの車内で、太一は「いちむどやーになったらだめさー。そうなったら人間終わり、そこでしか生きれなくなるわけよ」と語った。前述したように「いちむどやー」とは、刑務所に行ったり来たりする人という意味である。彼は自身に対しても、そして地元のうっとぅに対しても、そのような人間にはなってはならないという教訓として話してくれた。

面会を終え、私たちは仲里のアパートに戻り、二人で上地のこれからについて話し込んだ。面会のときに、子どものことではなくバイクの話を楽しそうにしていた上地に対し、太一は不安を感じたようだった。彼は今後どのように上地と接するべきか、建築現場は仕事中であるにもかかわらず、しーじゃの裕太に電話をかけて相談した。

太一　（裕太との電話にて）あのーなんねえ、今日もラストの面会行くかあって言ってから、上地の面会、自分も行ったわけよ、〇〇署に（打越と）一緒に行ってからに、一応、（上地は）元気そうではあったんだけどよ、でもあれだねえ、裕太さん、出てきたあとの上地（の面倒を）みないといけないんじゃない、自分なんかがよ、だから。これ逃げたら、人生終わるさーねえ。もう次はないから、だから俺が言うから、絶対。明日。明日は明日で仕事、今日はたまたま休みだったかもしれんけど、仕事だけど、一応は仕事終わったあとに、絶対こっち（仲里と太一が同居するアパートに）来いよって言ってあるから、あれ、いってーあびらんと（一度、怒鳴らないと）いけんよねえ、でーじ（強く）怒る人がいないとつぶれると思うわけよ、あれ。ほんとねえ、ほんとにねえ。心配してくれてる先輩がいるのに、こんなしてるの？　大変だねえ。あーごめんねえ、裕太さん、お疲れさまでした。

……

太一　（裕太との電話を終えて、私に向かって）おまえ（太一）が怒らんと誰も聞かんって。やっぱり、裕太さんも言いよった〔言っていた〕。やー〔おまえ〕が怒らんと、聞かんよーって。なめてるからよ。わったー〔俺たち〕やし、しに〔強く〕更生して欲しいやし〔のよ〕、あんなやしがー〔だけど〕、あれがその気がないんだったら、わったーからしたら、バカらーさいさーね、バカみたいさあね。仲間がいなくなったとき、さみしいよ。大変ど、そのときの仲間っていうのは、悪い仲間しかいないからさ、わかるでしょ、打越さん。

上地が出てきたら、太一たちのグループで、上地の今後について話し合い誓い合う場を設けることになった。次の日、上地の留置場からの出所祝いを、太一、仲里、そして私で、仲里のアパートで開催した。私たちは警察署へ上地を迎えに行き、沖組の事務所で出所の報告と謝罪を関係者に済ませた。その後、アパートで冷凍食品のチャーハンを上地にふるまい、参加者で乾杯した。太一も留置場に行った経験があるため、その経験に基づいて話は展開していった。

太一　（留置場に行ったことは）社会勉強よ。

仲里　社会勉強には、なってるよ。やー〔おまえ〕は、ちょっとはこの行く前とは、ちょっとは気持ちは違うはずよ。

太一　でもさ、慣れって怖いわけよ。人間よ。今出てきて、今日出てきてるんでしょ。この気持ちは、常に初心に戻って一回、戻った方がいい、もし一回よー、また一応慣れるばあよ。わーやて〔俺だって〕三年くらいあんま〔あそこ〕から離れてるからよ、あれやっさー〔あれだな〕と思って、初心に戻るようなときの気持ち。一回バカなったときとかあるさー、これから先よ、やー、あれはないからよ。次はないからよ。

上地 はい。

太一 わかってるさあ。

上地 はい。

太一 もう次なんかちょっとでも悪いことしたら、はっきりいって、すぐ刑務所。

上地 〔留置場の担当者が〕すぐ警察って言ってました。気持ち変えないといけないです。

太一 ほんとよ、えっ。

……

太一 いろんな社会勉強してから、大人になれよ、上地。

上地 また第二の人生、歩みたいっすね。

太一 わー〔俺〕もだよ上地、上地、頑張ろうな。わーもど。

上地 どっかがおれないとダメですね、趣味変えたらいいのかなあって思うんですけど。

太一 まだバイク〔は〕ましよ。わーより。わー酒な。ふらー〔バカ〕なってるさ。

仲里 一応よ、わーは思うけどよ。やー〔おまえ〕はよ、人間が生まれた欲でやし、ぬーよらあ

〔なによりも〕、誰かのために辞めるとかて、こんなのって、相当なくんち〔根気〕とかこんなのがないと無理やし、ましてや女と、女ははっきり言って、女は奥さん、一回は結婚したかもしれんけど、他にもいるやし〔だろ〕、一応子どもはかえらないけど。だから、よ。あれやんばあよ〔あーなんだよ〕。離婚しれとは言わんけど、要はるー〔自分〕にあった女は世の中いるよ。

太一　いるよ。だから上地、上地、切り替えて、子どもは子ども、つながってる。

上地　はい。

太一　やーのことをもっと、やーのことを、やーを（ひき）たてる女はもっといる、探せ。(16)

(16)　太一たちの語りや価値観には、女性への抑圧や暴力を肯定するものが含まれる。調査者としての私が最も困難を感じる瞬間である。彼らは一言でいうと、社会構造の犠牲者ではあるが、女性に対しては暴力の加害者になることがしばしばある。両方の側面を併せ持つ彼らを、私は主に犠牲者の視点から描いてきた。そのような視点をとったのは、本土社会に生きてきた私が、自身の立場を自覚し、自身に不都合な事実を直視することを重視するためである。彼らの女性への抑圧や暴力は肯定できるものでは決してない。しかし、彼らの加害には私たち本土の人間が沖縄の不安定な政治状況や産業構造にもとづいて搾取し、それをいまだに放置していることと決して無関係ではない。ゆえに彼らによる女性への抑圧や暴力を理解することは、彼らの加害性を免責するためではなく、私たち本土の人間の責任を明確にすることである。そのような理由から、私は彼らの抑圧や暴力を理解することが重要なことだと考える。

同じような経験をしている地元のしーじゃからの激励の言葉は、上地の心を勇気づけた。彼はしーじゃたちからの言葉を終始真剣なまなざしで受け止めた。

仲里のアパートで上地の激励会を終え、私たちは近所のキャバクラに行った。上地の知り合いの女性が働く店に行くことになった。上地は出てきたばかりだがさっそく、その女性たちに地元のしーじゃと行くから、接待をよろしく頼むという根回しの電話をしていた。店に着くと、ボーイは太一の顔を見て驚き特別サービスを提案してくれた。出所したその日に、上地はすでに地元のうっとぅとしてしーじゃを接待する役回りについていた。接待された太一と仲里は上機嫌でアパートに帰った。上地と私も、その日は仲里のアパートで眠った。私と仲里の二人はダブルベッドで寝て、上地は玄関側の床で寝た。朝方起きたら、なぜか上地はいなかった。太一は「あいつはこういう（あいさつもせずにトンヅラする）ところがある」と機嫌を悪くした。

上地に集中する暴力

上地は留置場から出てすぐに沖組で働き始めた。しかし建築現場での彼への厳しい仕打ちは変わらないばかりか、沖組で一〇代の従業員が定着しないことでより厳しくなっていた。上地が仕事に復帰した日の午前中、彼はさっそく現場で班長にヘルメットの上からだが、ハンマーで激しく頭部をうたれた。

上地　なんか最近、（現場で）殴られたのわかります？

——最近っていうか、しょっちゅうだよね。しーじゃたちが現場で自分たちから「上地を殴った」って話をしよったから、（俺は）「そうなんですか」って聞いて。あれもやった、これもやったって、あれもやらなあかん、これもやらなあかんって（言ってた）。

上地　（しーじゃたちは）悪いとは思ってない。

——うーん。

上地　けどあのときは、俺が悪いっす。

——（約束の時間に遅れて）電話に出なかっただけやろ？

上地　（電話しなかった次の日の）朝、謝ったんっすよね。「（昨日は）すいません」って、そしたら「ううん、大丈夫だ」って（その場では言われていたけど）、それで材料セットしてるのがバーンって崩れたんですよ。

——あの材料、組んだのおまえだば？

上地　じゃないっす。違うんっすけど、他の人がやったんっすけど、ちょうど、隣いたんっすよ、俺。

——うん。

上地　やー電話もとらん、ブシ（ハンマーでヘルメットを殴る音）って。

——思い出されたんだ？

上地　八つ当たりっす。〔自分は〕二階で作業してたら、〔一階で〕ダンダンダン〔って崩れて〕。

――あれ、Aさんが悪いじゃろ？

上地　Aさんです。けど言えないじゃないですか。「Aさんだよ」なんて言ったら、「〔Aさんに〕やあ〔おまえ〕なんで、チクってるばあって、わからんって言えばいいやし」って〔怒られる〕。

――Aさんはあんとき、一階いたよな。〔参与観察で同じ現場にいた〕俺も怒ってるのは見えたわけよ。ヤバい〔班長が〕きれてるなみたいな。けど初日だったんで、周りを見る余裕もなくてから。

上地　自分、〔実は〕崩れたとき隣にいないんっすよ。崩れたから、一緒に直してあげようってからに、わざとちょっと離れてるとこから来た〔向かった〕んですよ。行かんかったらよかったです。

またその次の日も別のしーじゃから、留置場に行って休んだことを理由に「最近、調子のってるなあ」と言われて五発ほど殴られた。顔が腫れて目が充血した。慶太、仲里も休んでいたが上地だけがやられた。仲里も「上地〔現場で〕かわいそうってな。なあ。ちゃーくるさりんどー〔ひどい暴行を受けている〕」。要は沖組の、しーじゃとかに、ちゃー〔たくさん〕殴られーって。だから最近沖組〔の〕仲がおかしいって、雰囲気悪くなってるさあ」と当時の現場の雰囲気を心配した。上地は「〔留置場の〕外の方が厳しいっすね」と私につぶやいた。このようにして、彼は沖組の現場に復帰したのだが、むしろ留置場より厳しいほどの環境が待ち構えていた。

現場における暴力のはけ口は、一〇代の従業員がいなくなったことで上地に集中し、このような状態が続いた。このときの様子を、私は仲里と話した。

仲里　あれ（上地）、ほんと辞めたいはずよ。

――上地もそろそろ三〇でしょ。あの歳で殴られると、もう辞めますよね。

仲里　普通辞めるよ。

――もたんじゃないですか、気持ちが。

仲里　俺いくら親父に借金してても辞めるよ。

――今、上地一人じゃないですか、やられるの。それこそ、ヤバいんじゃないです？

仲里　だからあれ、要するに八つ当たりの的になってる。俺と達也にーにとかが辞めてるさ。だから要は仕事できる人間が辞めてるさ。だから負担が増えてるばーよ。俺なんかがいるときは俺なんかが考えるじゃん。あっち出そうとか、こんなのとかやるさ、だからなんていうの、ちょっと自分が楽できてた部分があるわけ。今こんなってやったら、自分が全部こんな段取りもやらんといけなくなるさ。

――ほいで今、若いのばっかりじゃないですか。

仲里　その一〇代のやつもこんなやり方したら、絶対辞めるからよ。

そして建築現場における上地への暴力を含む厳しい仕打ちは、普段の生活にまで拡大していった。

上地　（慶太が）もうイライラ、イライラしてた。自分も車、運転してたんですけど、後ろから首絞められてからや、「殺すぞ、おら」、ドーンドーンっとか、やばいんですよ。で、やばいなあと思って。

——二人っきりだった？

上地　二人っきり。二人っきりで三時間ぐらい。車のなかで、エンジン切りっぱなし。もう汗だく。

……

上地　（慶太が自分の）彼女とケンカして、（彼女に電話で）「ええ、やー（おまえ）、やーのせいでこれ（上地）、人質なってるぜ」って、意味わからんこと言ったんですよ（笑）。彼女に電話して、あ、「上地、人質なってるぜ」って。で、ほんとにね、ほんとに「骨折ろうな」って。もう、ほんとにやばかった。ほんとに。逃げようかなあって、思ったんですけど、（慶太は）毎日筋トレしてるから、逃げてもまたやられるから。

——なんで上地だわけ？

上地　今の（彼女の）旦那さんか、前の彼氏の名前が、上地なんですよ。そしたら自分も上地じゃないですか。

——うん。

上地　（それで）気にくわんとかって。

慶太は自身の彼女とのけんかの際に、上地を三時間にわたって人質として拉致した。上地は慶太の彼女と面識もないにもかかわらず、二人のけんかに巻き込まれた。その理由は、「名前が同じ」という理解しがたいものであった。このように建築現場でも、また普段の生活でも、理不尽な仕打ちが上地に集中することとなった。

そしてその頃、元妻への暴行についての罰金刑が確定した。ただし彼はその罰金三〇万円を期限までに納めることができなかった。その罰金を納めることができない場合、那覇の労役場というところで三カ月ほど収監され封筒張りなどの軽作業を勤めることになる。彼は労役場に行くつもりでいた。それは罰金が払えないという理由だけではなく、三カ月ほど地元の人間関係から途切れることができれば、しーじゃたちに拘束される状況から解放されると考えたためである。ただし、労役場に行くことを伝え聞いた沖組の社長は、上地を呼び出し、「働きながら返したらいいさあ」と伝え、罰金を肩代わりした。そして、彼はますます地元に拘束されていった。このような状況で、彼は冒頭の言葉をはいたのである。

上地　正直、この年（三〇歳前後）で、（建築現場や地元でのしーじゃからの仕打ちは）きついっす。時々、自分なんなんだろって思います。

彼は、現実の過酷さに加えて、それがいつまでも終わる見通しがないことを嘆いた。

逃げられない上地

彼は地元社会にはめ込まれており、彼に依存しているしーじゃもたくさんいた。ゆえに上地は沖組で厳しい仕打ちにあいながらも、そこから逃げることができなかった。そんなとき、彼は交通事故にあい長期間入院することとなった。事故の後遺症によって、彼は沖組で働くことができなくなった。しかし、それでも彼は地元から逃れることができなかった。

二〇一四年の年末に沖組の忘年会があった。私はお酒を飲まず送迎係を担当した。一次会は夜の八時から深夜一時まで、居酒屋でダービーレースという削りくじの賭博を一七名でずっとやった。私は早々に所持金を使い果たし、その後はずっと見物だった。この日は一〇代の金髪の新米の従業員がたまたま一人いて、彼が五時間にわたり全員のお酒を延々とつくった。私が手伝おうとすると、「俺の仕事なんで、今日は自分がやります」と言われた。心強かったが、いつまでもつか心配になった。数カ月後、彼は沖組を辞めていた。

くじ賭博の方は、あるうっとぅの従業員が途中まで、四万ほど大勝ちしていたが、光司の集中攻撃で最終的に光司のひとり勝ちに終わった。光司の「あと一回、最後よ」という誘いがこの日も一〇回以上あった。だんだん参加者の半数以上の財布が空になり見物にまわっていくと、若い子たちはもりさがっていき一次会は終わった。二次会は送迎係の私が運転しクラブに行くこととなった。

この集団とは別行動をしていた健二は、事故で沖組に顔を出していなかった上地を誘って飲みに行こうとした。上地が繁華街に出てくると、沖組の集団とたまたま遭遇した。よしきが、上地を見つけ「沖組辞めたもんがなんで来てる」と突然キレて、彼は殴られそうになった。これに対して、健二は「上地やるんだったら、まず俺をやって」と言い、とめようとした。その他の従業員も暴行をとめようと間に入った。ひろしは負傷し顔から流血していた。

交通事故であっても彼が地元から距離をとろうとすることは難しく、しーじゃたちは彼をつなぎとめようとした。上地は、いつまでたっても何が起こっても、地元社会から逃げられなかった。

〈共同体への拘束〉——終わらないパシリ

沖組は一〇代の従業員がいない事態が続き、上地はしーじゃたちによる暴力のターゲットになっていた。彼は一人ではなく複数のしーじゃのパシリとして、またそれだけではなく、現場を辞めていったしーじゃのパシリもさせられていた。彼は仕事も生活もその他の時間も、常にしーじゃたちの世話係として、地元社会に埋め込まれ、がんじがらめで逃げたくても逃げられない状況が続いた。太一たちからの上地への働きかけは激励であると同時に、地元社会から排除された太一たちが上地をつなぎとめるものであった。彼があの日の朝に誰にも何も言わずにそっと帰ったのは、やはりそういう関係が彼にとっては重荷になっていたからかもしれない。

〈共同体からの排除〉を経験した太一たちは、たびたび暴力トラブルを起こし、ますます孤立していった。そして彼らは、相互の信頼関係ではなく、強い拘束にもとづく、もうひとつの共同体を作り上げた。しかし、そこにはさまざまな社会的資源が、圧倒的に乏しかった。たとえば、地元の若いうっとぅはさまざまな頼みごとができるパシリとして貴重な存在であったが、少子化によってそもそも地元でのヤンキーの若者の供給は途絶えてしまっていた。たとえば、上地が遊びに出かけた際に彼の携帯電話に二八件も留守電が入っていたのは、当時三〇歳前後であった彼が地元で貴重なパシリとして重宝されていたことを表している。そのような上地は格好の「ターゲット」となっていた。

上地は、沖組や太一たちから距離をとろうとして労役場に行こうとした。しかし、地元のうっとぅを沖組は簡単には逃さなかった。彼は再び沖組に縛り付けられた。このように、〈共同体からの排除〉を経験した太一たちが相互に強くつながりあい、上地を沖組や太一らが支配下につなぎとめようとした。このことを本章では〈共同体への拘束〉と表した。このように終わらないパシリの日常を生きる上地の事例において、〈共同体への拘束〉をはっきりとみることができる。太一や上地たちは、共同体からの排除を経験して、自分たちで新たな共同体をつくろうとした。そして彼らは自分たちでつくった共同体に、自分たちで自分たちを縛り付けていった。

五　沖縄の下層の若者と共同体

最後に本節では、ここまで述べてきたことを振り返りながら、沖縄の下層の若者にとっての共同体について述べる。

沖縄的共同体の外部を生きる

沖縄をめぐる社会学の先行研究のなかでは、「沖縄的共同性」が何度も言及されてきた。それは、沖縄の人びとを温かく包摂し、厳しい経済状況から守る、ある種の「保護膜」のようなものとして描写されてきた（谷 1989）。それは、沖縄特有の地縁・血縁にもとづく、相互扶助を特徴とする共同体である。たとえば、エイサーなどで活躍する地域ごとの青年団がある。沖縄のエイサーは多くの地区で活発な活動が展開されている。そしてその主な担い手は、学校に従順な若者だけではなく、飲酒や喫煙を繰り返す「やんちゃ」な若者もその中心メンバーである（上間 2007）。沖縄的共同体においては、さまざまな資源が共有され、蓄積されている。青年会のエイサー集団は、基本的には「上を尊敬し下の面倒をみる」という互恵性によって維持される関係である。そして本章で描いてきたことは、その共同体の外部で展開される物語であった。そこには資源が圧倒的に足りない。それゆえに、建築現場では若い従業員がなかなか定着しづらく、時には暴力がふるわれた。しかし、そのような状況に対し、彼らは自分たちでなんとか生活や労働現場を作り上げてきた。T地区のアジトには、T地区だけでなく隣町の下層の若者も集まっていた。そこから多くの若者が建築労働者として沖組に流れ込んだ。沖組を辞めたあとの若者は、アジトにたまり場として集まっていて、そこに関係性が維持されていた。このように若者たちはアジトと沖組を行ったり来たりしていた。アジトや沖組はT地区周辺の下層の若者の居場所として機能していたが、そこでの人間関係は非常にハードだった。

しーじゃうっとぅ関係の構築——明確な主従関係にもとづいた依存関係

沖組は、地元の若者たちを従業員として囲い込むことで、厳しい建築業界を生き抜いてきた。沖組は、刑務所や少年院から出てきたうっとぅたちも積極的に雇っていたが、その分、賃金はおさえられていた。ただし、このやり方は経営者にも労働者にも利点があった。社長が不当に搾取していると不満をこぼす従業員はいないし、むしろ前借りができることや期日通りに満額の給料が支給されること、そして給料日に班ごとにふるまわれる寿司は従業員に喜ばれていた。

そしてアジトでみられたしーじゃとうっとぅの上下関係は、沖組における囲い込みにぴったりはまった。それは「明確な主従関係をもとにした相互依存関係」というものである。主従関係とは建築現場では必然といっていい関係性であった。従業員の間には、明確な指揮系統があり、うっとぅはそれに従う。アジトでその基礎を身につけていた若者たちは沖組でも同様の関係性で働くことができた。他方で相互依存関係は、沖縄の型枠解体業の沖組でこそ必要なものであった。数に限りのある地元のうっとぅを、しーじゃたちは、自身の作業で使うためにある程度の時間と労力をかけて「兵隊」として、作り上げる必要があったのである。そこに教育的な意図や愛情はなかったが、徒弟制のような関係があった。できあがった「兵隊」にしーじゃたちが頼る形で厳しい労働環境や生活をよりよいものにしようとしてきた。うっとぅからしてみても、荒々しいやり方ではあったが、いったん付いたしーじゃのところで「兵隊」となり、いつか自身も「兵隊」を従わせる方が合理的だっただろう。なぜなら、そうすることによって、自分がいつかしーじゃになって、うっとぅを使える立場になれるからである。

しかし二〇〇〇年代に入りこの構造に亀裂が入った。主な原因は二つあった。

ひとつは建築業界の再編にともなう現場の小規模化である。工事の受注規模が減少したことで、大規模工事から小中規模の現場が増えた。ホテルやマンション、軍港などの大規模な現場から、三階建て程度のアパート建築が増えた。この変化は、一〇代の従業員が一人前となる仕組みも壊した。一〇階を超える建物は一年以上かけて建てるので、新米は一日中単純作業をしながら仕事の見通しをつかめるようになる。言葉で指示を出し合うことの少ない現場では、この過程で何らかの技術や見通しを習得する。だが、現場が小さいと、単純作業を班のメンバー全員でやって次の作業に移るが、その次の作業は難易度が高く新米は役に立たない。結果として作業を間違えたりすることで、しーじゃから厳しく怒られたり、暴行を受ける。そしてその建築会社をいったん辞める。このようにしてうっとぅが沖組に定着することが困難となった。

もうひとつは、少子化である。ヤンキーの若者たちが、一人前となる過程で、その地元の下の世代が次から次へと送り込まれることが重要である。しーじゃたちの厳しい接し方はなかなか変わる見込みはないため、それに耐えうるためには、下の世代からうっとぅが供給されないと建築業はもたなくなる。沖組は一〇代のうっとぅが現場にいない状態が続き、結果として暴力の矛先は、中堅の従業員になった。そしていつまでも続くパシリの境遇に耐えきれなくなり、中堅従業員の数名は沖組を去った。

このように、入ってきても仕事を覚えることが難しく、そもそも下から入ってこない状態が沖組では続いている。建築業界の縮小と少子化という、どの地方でも起きていることではあるが、それは沖組の従業員を囲い込むための「明確な主従関係をもとにした依存関係」を集中的に壊すものであった。そしてその関係によってなんとかもちこたえていた沖組は、新米だけでなく中堅従業員が抜けるといった困難に直面することとなった。

〈共同体からの排除〉／〈共同体への拘束〉

仲里と慶太は、沖組を辞めたことによって地元社会から決定的に排除されることになった。それに加えて、一人前になっていくというライフコースから外れていった。つまり彼らは地元社会に流れる時間からの排除を経験したのである。それにより、追いつめられた太一たちは、自分たちの間にも、またたしまー〔他の地区〕の若者たちにも暴力をふるい、ますます地元社会から孤立していった。これが〈共同体からの排除〉である。

このような状況で、太一のグループは自分たちだけで、もうひとつの共同体を作り上げた。孤立していった彼らは、今まで以上に互いの結束を強固なものとしていった。また沖組のうっとぅであった上地も、徐々に暴力のターゲットとなっていく沖組の現場で、またその後に沖組を辞めたあとにも、地元のしーじゃたちから拘束されていった。沖組を辞めても彼のパシリとしての役割は終わらなかった。それは一〇代の頃の終わりのみえる拘束とは異なる、終わらないパシリの現状であった。この排除された者が相互に強くつながりあうプロセスと、沖組の若者たちが上地のようなうっとぅを支配下につなぎとめておくことが、〈共同体への拘束〉である。

両者に共通しているのは、時間感覚の欠如である。時間感覚について、説明する。労働現場や生活場面で時間感覚があるとは、一点目に将来への見通しがあることである。今だけでなく、将来にわたって時間に幅のある視角をもって働く、生活を営むことを指す。また現在と将来の幅をもつということは、二点目に出来事が通過儀礼として機能するということである。ライフステージをのぼっていく際に、時を刻んで今までとこれからの生活や自己、地位などを自覚する機会がそれによって生じる。実質的にのぼっているかどうかより、時を刻んでのぼっていくという自覚があることが大切である。そのような振り返りの機会がなく、祝日もなくただただ同じ一週間を繰り返し、夏休みや旧盆などの年中行事もない、のっぺりとした時間が進む生活は時間感覚がない状態といえる。

〈共同体からの排除〉では流れている時間に置いていかれたスポットとして、時間感覚が失われる。そのスポットでは、中学以降の時間が止まっているようにみえる。また〈共同体への拘束〉では、時間は流れているがそれがどこに向かい、またどこまで進むのかといった見通しがないという意味で、時間感覚が失われていた。

エピローグ

埼玉へ

二〇一三年、太一、慶太、仲里は、突然、埼玉へ出ていった。彼らは地元での生活に限界を感じていた。彼らはそこで、太一の知り合いの紹介で建築の仕事を現在もしている。その年の年末に、私は広島から三人に会いに行った。ＪＲ東川口駅で待っていると、小さな軽自動車からはみ出そうな、太一と慶太が迎えに来てくれた。会うなり、あいさつ代わりの肩パンチをくらい、私はうずくまった。仲里も合流して宿舎でお好み焼きパーティをした。３ＤＫの宿舎には沖縄から来た彼らを含む九名の男性が生活していた。その日の晩は、私も台所に泊まらせてもらった。本土では泡盛の値段が高いため、味が近くて安価な眞露を毎晩飲んでいたようだ。

埼玉を訪問してしばらくたってから、埼玉の太一と仲里から電話がかかってきたことがある。太一が「打越、ヤクザに追われている。やばい殺される。うわーー、今すぐお金払わないと俺たち殺される。打越、貸せんか?」と電話口で叫んでいた。太一が誰かを殺しかけることはあっても、彼がやられることはないのですぐに寸劇だとわかった。「お金に困っているのですか」と聞くと、家賃を払わないと追い出されるという。三人とも元気に楽しくやっているようだった。

翌年、再び埼玉へ行くと、仲里は行方不明となっていた。太一と再び殴り合いのけんかをして飛び出ていったようだ。沖縄のT地区のメンバーに連絡をとっても、仲里とはみんな連絡がとれないと言っていた。慶太と太一も別々に生活していた。慶太は3DKのアパートに残り、太一は共同生活から抜け自分でアパートを借り、うっとぅを一人引き連れて生活を始めた。私が冗談でそのうっとぅに「よく太一さんと二人で住みますね。何人も地元でうっとぅくるされてますよ。気を付けてくださいよ」と伝えると、彼の顔は引きつっていた。そのうっとぅは、太一の武勇伝を知らない様子だった。太一は笑っていた。

この日は太一と彼と同居するうっとぅ、慶太と私の四人で焼肉を食べに行った。焼肉屋のスタッフが生でも食べられるくらい新鮮な肉だと説明すると、太一は牛タンやカルビをそのまま生で食べた。慶太はその場でお金が少し貯まって、沖縄の実家に初めて仕送りした話をしてくれた。「打越、俺（実家に）仕送りしてさあ。おかあがすごい喜んでんだよ。それでねえねえ〔姉〕の子どもにおもちゃ買ったらしいんだよ」という話を酔っぱらいながら五回は聞かせてくれた。姉が結婚して、警察沙汰のトラブルが続いた慶太は、家族から煙たがられていた。実家から追い払われるように、本土に行ったと聞いていたので、その話は何度聞いても嬉しかった。

その後も、太一から別れた奥さんとの子どもが全国大会に出るから資金造成（遠征費を援助する仕組み）に協力してくれと連絡があった。また慶太もいまだに年に数回連絡をくれる。T地区のみんなは元気かと聞かれ、みんなの近況を報告すると喜んでくれる。私がT地区のメンバーにも慶太のことも伝えておきますねと言うと、それは必要ないと強く言われた。

文献

谷富夫、1989、『過剰都市化社会の移動世代――沖縄生活史研究』渓水社

打越正行、2014、「沖縄的共同体の外部に生きる――ヤンキー若者たちの生活世界」谷富夫・安藤由美・野入直美編著『持続と変容の沖縄社会――沖縄的なるものの現在』ミネルヴァ書房、108–131

――――、2015、「暴力を飼い慣らす――沖縄の下層若者の生活実践から」『生活指導研究』32：13–23

上間陽子、2007、「「伝統」の再創造――エイサーへとりくむ若者たちへの聞き取りから」『教育』国土社、57（11）：75–81

［謝辞］

ウチナーグチ（沖縄方言）については、翁長久弥氏にアドバイスをもらいました。また本章のもととなった調査は、龍谷大学人権問題研究委員会（研究代表：岸政彦）と、JSPS科研費（25590128［研究代表：宮内洋］／26780300［研究代表：打越正行］／26381136［研究代表：上間陽子］）から助成を受けました。最後に本章で取りあげた若者たちは、快く調査を引き受けてくれました。これらの方々に心から感謝申し上げます。

第五章　排除Ⅱ——ひとりで生きる

上間陽子

はじめに——沖縄の地域社会

沖縄はゆいまーるの島だといわれる。ゆいまーるとは地域共同体が織りなす相互扶助的なネットワークのことであり、そうしたネットワークのもとで、家族の生活も子どもの成長も下支えされているとされている。そしていまなお、沖縄にはそうしたゆいまーるにもとづく社会をつくることができるかのような見方がある。たとえば次のように。

沖縄はユイマールをはじめとした助け合いの精神を有しており、人と人とのつながりや地域の課題等を共有し、協働で解決を図りながら生活を営んできました。このような、県民性や沖縄の持つ地域資源を掘り起こし、育てていくことによって、沖縄の特性を生かした地域づくりを行い、優しい社会を創っていく必要があります[1]。

だが私が調査で出会う子どもたちの育ってきた環境に、そのようなネットワークがみられたことはほとんどない。私が調査で出会った風俗業界で働く若者調査(二〇一二年〜二〇一七年)や若年出産女性調査(二〇一七年〜)の女性たちの多くは、幼いころから孤立した家族のなかで育ち、一〇代のうちに風俗業界で働きながら自分ひとりで生活しようとしていた。そうやって彼女たちが自分ひとりでつくりだした生活は、十分に守られているものでもなく、十分に安心できるものでもなかった。それでも彼女たちはその生活で起こる数々の困難を自分でなんとかするべきだと考えて、大人に頼ることなく生活しようとしていた。

春菜もまたそのようにして育った子どものひとりだ。春菜の父親は家のなかで暴力をふるう人であったが、学校の教師も地域の大人も春菜の家で起きていることに気づくことはなかった。春菜が高校一年生の一五歳のときに家出したときも、学校の教師も地域の大人も春菜がいなくなったことに気づくことはなかった。

家出をしたあと、春菜は民宿などを転々としながら、インターネットの掲示板で「援助交際」の客を募り、生活費を稼ぎながら生活していた。客から暴行をうけたときも、春菜はひとりでそれをなんとかしようとしてきた。

お客さんと会って、ホテルに向かったら、ホテル入った瞬間に、「トイレ行く」って、相手に背中向けた瞬間に、思いっきり髪の毛、引っ張られたんですよ。

――あ！　怖い。

「わぁ、何が起きてるんだろー」と思って、で、引っ張られてベッドまで連れて行かされて、殴りかかられそうなって、でも、必死で抵抗して、蹴ったり蹴飛ばしたりしてて、そしたら相手あきらめて。なんか多分ＤＶのケはあったみたいで。

――そういうのが好きな人？

うーん、なんか、この人が言う話なんて信用出来ないんですけど、「自分が、前付き合ってた彼女がこういうことしてて、そういうオンナ見たらなんかイライラする」っつって。

――意味よ（意味がわからないね）！

「だったら、なんでお前、ここに募集かけてんの！」って思って。「最初はそういうつもりなかったんだけど」って言われて、よく言うよー！　で、結局「とりあえず帰して」、って言って、ホテルから出たら、いきなり手握ってきて、「ほんとにごめん、こんな思いさせないから、もう一回ホテルに戻ろう」って言われて。そんなの信用出来ないから、「とりあえず、ここでいいか

（1）「沖縄21世紀ビジョン基本計画――沖縄振興計画　平成二四年度～平成三三年度」沖縄県、二〇一二年。

ら降ろして」。このとき、五八（ごっぱち）（号線）に降ろされて。

客の車から米軍のフェンスに囲まれた深夜の国道に降ろされた春菜は、人通りのない道を歩きながらタクシーを探し、友だちと住んでいた民宿までひとりで帰った。

それから春菜は、友だちと組んで援助交際をする客を探すようになった。女性二名に男性客一名という3Pでセックスをするという形態ならば、客から暴行を受けても自分たちでそれを防ぐことができると春菜は考えたからだ。

暴行を受けたあとも、春菜は警察に相談することも家に帰ることもしなかった。春菜は子どものころから家のなかで起こっていることを誰にも助けられずに育ってきた子どもだからだ。春菜の周りにゆいまーるなどない。

一　援助交際開始・前

傷つきすぎたはじめての失恋

春菜が一五歳のときに、援助交際を始めたそもそもの理由はなんだったのだろうか。それにつながる最初のできごとは失恋だったと春菜は話す。春菜は一四歳のときに、年上の男性とつきあい始めた。

だがある日、恋人から「別れた彼女とよりを戻すことになった」と一方的に別れを告げられて春菜は失恋した。

生まれてはじめての失恋で日常生活を営むことが難しくなるほど、春菜は傷ついたのだという。

……一か月、……約一か月ぐらい、ご飯もまともに食べられなかったし、毎日泣いてて。

春菜は、そのような日々にケリをつけようとして、とにかく家の外に出るようにした。そして、インターネットのサイトのひとつ「中狂連合」を使って、行きたい場所に連れて行ってくれたり、一緒にご飯を食べる男性を探すことで時間を潰そうとした。インターネットに年齢が未成年だとわかるように書き込むと、春菜と会いたがる男性は多かった。だが、そうした男性は食事やドライブの見返りとしてセックスをすることを求めた。春菜は大抵の場合、それに応じた。

中狂（連合）で（探して）アシカメー（足代わりをつかまえて）。大体、中狂でこんなして（＝こんな風に会うことに）なってたら、男側は大体こういうこと（＝セックス）するとかだったから。

……「別にいいや、遊べれば」って。そんな感じだった。

そうやって男性たちと会い続けることは、失恋を克服したからではなく、本当に遊びたかったからでもなく、ただ単に自暴自棄になっていたからだと思うと春菜は話す。

別れたとき、もう自分がちょっと精神的に食らいすぎて、「毎日、大丈夫ねー？」とかだったけど、ふと立ち直って遊び始めたときは、ただ、「元気になったんだ」と思っただけだったと思う。「自分はもう別に誰でもいいよ。もう、遊ぼう、はいー」みたいな感じだったから。

——別に（悲しみが）終わったって感じでもなく。元気になってるわけでもなく？

うん。「どうでもいいよねー」みたいな。

現金一万二〇〇〇円

そうしたなかで、春菜は遊び仲間の和樹から、男性客とセックスをしてお金をもらう援助交際を持ちかけられる。和樹は、女性のふりをして性交渉を持ちかけ、性交渉の中身や金額を決定して女性をその場に出向かせて紹介料を取るという「打ち子」をしていた。だが春菜は知らない男性と金銭を介していきなりセックスをすることには抵抗感があった。それを聞いた和樹は、フェラチオ（フェラ）をすることで七〇〇〇円を支払うという条件の客を春菜に紹介する。

春菜はその客とふたりきりで会った。てっきり車内で射精をさせて現金をもらうものだと思っていたが、駐車場で落ち合ったその客の車で、春菜はラブホテルに連れて行かれたのだという。

フェラだけでやるはずが、気づいたらホテルにいて。で、ホテル行っても別にそんな、本番行為をするわけでもなく。で、それも、一時間ぐらいで。で、帰るときにお金渡された。

——お話するだけ？

うーん、だから、その。

——フェラはあったんだよね。

うん。やって。

——だけど、挿入は無かったってことだよね。

そう。で、帰るときになって。多分、条件が七〇〇〇円ぐらいだったんだけど、帰って、見たら一万二〇〇〇円あって。「なんでー？」みたいな。

——いっぱい入っていたんだ。

だから、「ラッキー！」みたいになって。ここから、「こういうことって、こんなして簡単にできるんだ」って。

最初に決めた性的行為以外のことは要求されず、そのうえ最初に約束した金額よりも五〇〇〇円多くもらえたことで、「援助交際は簡単なことだ」と春菜は思ったのだという。というのも、春菜にとってセックスはそれまで移動手段や食事の対価として要求されてきたものだったからだ。

しかし春菜にとってお金を得ることは、それで欲しいものが思う存分買えるというようなことではなくて、もっと切実な意味があった。春菜は一万二〇〇〇円を手にしたとき、「これで、おうちを出ることができる」と思ったのだという。そのころ、春菜は父親の恋人である女性とふたりで暮らしていた。

沖縄——春菜の家族①

春菜が一緒に暮らしてきた家族は、何度も替わっている。

春菜の実の父親と実の母親は、春菜が幼少のころに離婚した。ふたりが離婚したのは父親の暴力だと思うと春菜は話す。春菜の父親は、春菜の母親が妊娠している子どもは別の男性の子どもではないかと疑い、暴力をふるっていた。

　お母さんが春菜を妊娠したときに、お父さんはお母さんに対して、「これ、俺の子どもじゃないだろう」って言ったみたいで。で、なんか堕ろす（＝流産させる）つもりでケンカしてて、手出してしまってたみたい、とっても。

　——誰が？

　お父さんが。お母さんに対して。

だがちょうどそのころ、春菜の父親は、小さな女の子の夢をみて自分の妻を殴ることをやめた。

なんか、お父さんが夢見た………。寝てるとき、夢みたのが、誰かもわからない小っちゃい女の子が、「パパ！　パパ！」って来てて。で、「はぁー？」と思って。結局、春菜を産んで、見たら「自分の子だ！」みたいな。

子どもは無事に産まれた。父親は産まれた子どもをみて驚く。それは、自分にそっくりの女の子だった。

東京――春菜の家族②

春菜が生まれたあとも、父親と母親の関係は変わらなかった。ふたりは離婚し、春菜の兄は父親がひきとり、春菜は母親がひきとることになった。春菜の母親は沖縄を離れ、自分の実家のある東京に春菜を連れて帰った。父親は定期的に養育費をおくっていたというが、春菜の母親は送金されてくる養育費をパチンコなどで使い果たしてしまい、春菜の面倒を見ることもなかった。

結局、生まれてすぐお父さんとお母さん離婚してて………。で、自分、お母さんが春菜を連れてて。……夜間保育園とかに、二週間とか、普通に放置されてて、自分。お母さんの存在自体、もう無いから、記憶の中に。で、自分にある記憶では本当に嫌な人だったから。もう、パチンコ屋に連れて行かされて、とか。内地にいたときは、しょっちゅうおばあちゃんのお家に預けられて、とかだったから。

そうしたなかで、母親には新しい恋人ができて、春菜には父親が違う弟が産まれた。その後も母親は、春菜を預けてたびたびいなくなった。春菜と弟は、祖父母宅に預けられることが多くなった。しかし、祖母は夜勤のある仕事をしていたので、夜になると、春菜と弟はふたりで家に残されることになった。

夜、仕事行ってたから、誰もいないのが当たり前だったわけ。……で、自分が、弟みてたから、ずっと。

──春菜、何歳？

弟とね、多分三つぐらいしか離れてないから。多分（春菜が）四、五歳のときで、（弟が）一、二歳ぐらいだから。結局、おばあちゃんが仕事でいないときは、豚の貯金箱があって。（中略）お家は線路沿いの団地で。線路またいだら、セブンイレブンがあるわけ。五〇〇円持ってセブンイレブン行って、お菓子を買いに行って、とか。おじいちゃんと東京タワーに行ったのとかは覚えてるけど。………これぐらいしか覚えてない。あと、セブンイレブンが臭かったっていうのと。うーん、なんか、春菜は沖縄にいた記憶は無くて。………ちっちゃいときのは、………ちっちゃいときの記憶は、雪が降ってたのと、弟が家から脱走したのとか。

だが、東京での生活も突然終わりを告げる。春菜が小学校にあがる前の年、祖母から春菜の父親に入学手続きのための問い合わせがあった。祖母は、いま、春菜の母親と春菜が一緒にいないこと、そのため自分が母親の代理で入学手続きを進めていることを父親に告げた。それを聞いた春菜の父親は激怒し、すぐに東京に向かったのだという。

だが、祖母の暮らす団地の住所しか知らなかった父親は、団地の建物の前まで辿り着いたものの、春菜の住む部屋を探しだせなかった。

夜になった団地の棟の前で、父親は春菜に電話をかける。

春菜は覚えてないけど、お父さんが言うには、「この団地の中から、どうやって春菜を探そう」と思って、春菜に電話して、「お父さんだけど、この、電気、チカチカってやって！」みたいな。そして、チカチカーってやったら、お父さんが春菜、見つけて迎えに来て。そっから沖縄に、そのまま直で連れてって。

――で、見つけて連れて帰った？

うん。もうこのまま。たぶん、「春菜を置いていったらわからない」って。もう、なんていうの、結局お金とかもいれてたみたい。養育費。でもお母さんが、それを全部自分のことに使ったりとか、パチンコとかに使ったっていうから。「だから無理」って。「裁判も起こして親権もとった」って言ってたから。

まだ幼くて、自分の部屋の番号がわからない娘に、電気のスイッチを入れたり消したりして点滅させることを父親は指示する。たくさんの部屋のなかから点滅する部屋を見つけ、父親は娘のいる部屋をつきとめた。父親は、そのまま誰にも会わずに春菜を連れて沖縄に帰った。異父きょうだいである弟は東京に残された。春菜はそれっきり母親と会っていない。

沖縄――春菜の家族③

父親の手によって沖縄に連れてこられた春菜を待っていたのは、新しい家族だった。父親はすでに再婚しており、父親の家には妻となった女性と、異母きょうだいである弟と、春菜の実の父親と実の母親から産まれた兄とが一緒に暮らしていた。新しく始まった暮らしのなかで、春菜は父親の再婚相手の女性を、「お母さん」という意味である「マーマー」とよぶようになった。

（お父さんは）マーマーと結婚してて、もう家族っていうのが出来てて。もう、なんか、お父さんもやっと家族が出来て、春菜のそばにもお兄ちゃんいて、弟いて、お母さんいて、みたいな。

父親はその後、生活のために、たびたび本土に出稼ぎの仕事に出かけた。そのため、三人の子どもたちは新しい母親と一緒に過ごすことが多かった。春菜の新しい母親となった女性は、子どもたちの面倒を見てくれたので、春菜はその家族を「暖かい家族」だと思っていた。しかし、その生活も突然終わりを告げる。お酒を呑んだ父親がマーマーを殴るようになったのだという。

小学校高学年ぐらいのとき、マーマーとお父さんがしょっちゅうケンカしてて。で、お父さん、このとき、酒ぐせ悪くて、(2) とっても。(中略) 自分が小さい小学生のとき、ケンカしてるとき、殴ってるのとか見てたから。だから「お父さんって、手出す人だったんだー」みたいな。でも、子どもには絶対出さなかったし。元々女の人に手出す人ではないんだけど。お父さん、怒り溜めて爆発する人だったから。

春菜が五年生になったころ、父親と、二番目の母親であるマーマーは離婚した。大人たちによる協議の結果、長男である兄は祖父母宅に、春菜は父親宅に、弟は母親宅に引き取られることになった。子どもたちはみんなばらばらになった。

---

(2) 沖縄では、お酒を飲み暴力をふるう人を、「酒ぐせが悪い」と称す。その言葉は、たまたまお酒を呑んだため、暴力が発生したとみなすものである。その言葉によって、暴力があたかも自然発生的に発動したとみなし、暴力を行使したものの責任を曖昧にする機能がある。

沖縄――春菜の家族④

父親とふたりで暮らすようになった春菜は、小学校が終わると、ひとりでこっそりバスに乗ってマーマーと弟の暮らす家に通った。週末は、春菜はマーマーたちの家に泊まることが離婚時の取り決めになっていたが、春菜は弟やマーマーに会いたかった。それに加えて、弟が「春菜はどこ？」といって、家中を探しまわり見つからないと泣いていることも聞いた。春菜は、「いとこの家に遊びに行く」と父親に嘘をついて、毎日、マーマーの家に行って弟と遊び、夕刻になるとまたひとりでバスに乗ったり、マーマーに送ってもらったりしながら家に帰るという生活を続けた。

だが、その暮らしも唐突に終わりを告げる。父親が、「彼女」と称する新しい恋人を家に連れてきたのだ。そして春菜は、父親からその女性と一緒に暮らすことになったと告げられた。春菜の五度目の家族は、また春菜の意志とは関係のないところで決まり、始まった。

沖縄――春菜の家族⑤

五度目の家族は、春菜にとって「最悪に近いもの」だった。父親の恋人は何かと口うるさく春菜に接し、春菜はそのたびに「アカの他人に文句を言われている」と感じていたのだという。さらに、父親が内地に出稼ぎに出てしまったことも状況を悪くした。春菜は、父親とマーマーと兄と弟の五人で暮らしていた家で、父親の恋人とふたりきりで暮らさなくてはならなくなった。

中学生になると、春菜は年上の恋人をつくった。家に居づらかった春菜は、年上の恋人の家で過ごすことでそれをのり切ろうとしていた。でも、その恋人に失恋したあと、春菜の居場所はなくなってしまった。春菜にとってはじめての失恋は、自分の居ることのできる唯一の場所を失うことでもあった。そうした状況で、春菜はインターネットで募った男性たちと会い続け、和樹の紹介で最初の援助交際も体験することになる。それでも春菜の周りには、春菜の寂しさに気がつく人は、だれもいなかった。

春菜はついに、内地に仕事で出かけている父親と電話で大喧嘩をする。

　この、彼女と喧嘩したときに、なんか自分からしたらそのときは、彼女は、「アカの他人なのに、なんで、あんたに言われなきゃいけないの」って言って。で、お父さんに電話して。「お前、何がしたい?」って言われて。「別に何もしたくない」って言って。「お父さんの人生の中で、春菜がこうやって生まれてきたから、お父さん、こんなして、春菜が沖縄にいるから生活しないといけないと思って、仕事してるんでしょう?」って。「嫌々ながら、いつも内地に行くさ」って言って。「だったら、春菜があなたの人生の中から消えた方が、気が楽になるんじゃない?」って言って。「そしたら春菜のことも考えないでいいし、別に彼女のことだけ考えて、沖縄で仕事したらいいさ」って言って。「だから、いままでごめん、心配とか苦労かけてごめんなさい。だからもういいよ、バイバイ!」って言って、ぶちって電話、切って。

父親との電話のあと、春菜は家を飛び出した。家にはもう帰らない。ひとりで生きていくと春菜は決めた。

二　家を出る

一時間一〇〇円の宿

春菜が家を出たころ、春菜の友だちの薫も家を出た。近所に住んでいて、毎日一緒に学校にかよった薫にもまた、家で暮らすことのできない事情があった。春菜と薫はふたりで相談して、一緒に暮らすことになった。ふたりとも家を出てきたと和樹に話すと、和樹は自分の実家近くの民宿「パール」をふたりに紹介した。

パール自体は、和樹が。「ここら辺に、近いところない?」って言ったら、「こっちあるよ」、みたいな。「安いし」って言って。最初のときは一泊三〇〇〇円で。

――高いよね?　でも。

でも、一泊三〇〇〇円で、延長料金が一時間一〇〇円とか。なんかもう尋常じゃないくらい安くて。出入りも、普通のビジネスホテルとかあんなのじゃなくて、(自由に)できたし。おばさんもめっちゃ良い人で。

——ひとつの部屋にひとりで住んでた？

ううん、ふたりで。

——ってことは（料金は）半分？

そうそう！　だから、「安いから、いいんじゃゃん」って言って。

——広さ、どれぐらい？

広さ、結構……。この部屋の……（中略）。これの何個分かぐらい、この部屋三つ、四つ。こっちが入り口だとしたら、こっちにお風呂があって、ベッドがあって、ソファーがあって、冷蔵庫とテレビ。結構広かった。


この民宿の宿泊料金は、一泊目が三〇〇〇円で、それ以降は一時間一〇〇円だった。ふたりで暮らすと部屋代が半額になり、一日一二〇〇円で暮らすことができた。さらに、民宿のおばさんは、一五歳の春菜と薫がここで暮らしている理由を詮索することもなかったので、警察に通報されて、家に帰される心配もなかった。

住む場所を確保したあとは、生活費を稼ぐ必要があった。そのため、和樹が打ち子となって客を集め、春菜か薫のどちらかが客と会って性行為をするということにした。もう客との性行為の内容に、注文をつけている場合ではなかった。

そのような日々のなかで、春菜は和樹のことを好きになっていることに気がついた。春菜は薫に相談し、和樹に告白する。

この薫に「どうすればいいのかな?」みたいな。「この気持ち言うべき?」みたいな。で、「春菜、もうとりあえずメールで言うから、帰ろうねー」って言って。で、帰ってメールで。そのときかーずーって呼んでたから。「かーずーあのさー」、みたいな。「話があるんだけど」「なぁに?」、みたいな。「春菜、好きだわけ」みたいな。「付き合ってー」みたいなこと言ったら、「ごめん、いま、忙しいから後から連絡する」みたいな。

――うふふふ（笑）。

ああーみたいな。「ああ、フラれた、いいやー」と思ったら、ちょうど一二時ぴったしに、「さっきのあれ、返事OKだよー」、みたいな。「なんでじゃあ、あのときOKってすぐ言わなかったの?」って言ったら、「記念日の数字が四っていうのが嫌だったから」って。

――あはは（笑）、かわいいー。ちょっとかわいいー。

「あ、かわいい、こいつー」とかって思って（笑）。

仕事を続けるための工夫

ひとりで暮らすために本格的に援助交際をはじめるようになった春菜は、援助交際をしている未成年のグループの先輩から、客と性行為を行うときに注意しなくてはならないことを教えてもらった。まず教えてもらったのは、避妊と性病の予防のやり方だ。コンドームの使用を徹底することに加え、性病を予防するためには、客の性器の状態を確認する必要があると聞いた。

先輩に言われたのが、この、「もの（＝性器）を見て、ぶつぶつがいっぱいできてる人は、アウトだから」って言われて（中略）。ジーっと見て、「これはじゃないよな」とかって思って、「あー大丈夫だ」とか。

また、未成年者を補導するという理由で、警察がインターネット上で男性客と偽って女性と会い、女性の方を補導するという「おとり捜査」を始めていることも先輩から教えてもらった。金銭の受け渡しがあった時点で援助交際は成立するとみなされる。でも性行為が終わってからお金を受け取れば、おとり捜査の男性もまた援助交際の加害者であるとみなされて、補導を免れると先輩から聞いた。春菜は必ずそれを実行するようにした。

何もしてなくて、お金をその場でホテルに入ってその場で受け取ったら、もし相手が警察だったら、これで援助交際が成立してしまって捕まるから。自分はそんなことを聞いていたから、最初に金を渡そうとされたら、「じゃあ、テーブルに置いといて」とか言って、こと（＝セックス）

すまして、お金とるとか。

——見えるところに、お金を置いて。

そうそうそうそう。終わったら「じゃあ、ありがとうございました」って。

さらに春菜が気にかけていたのは、性行為を行う場所である。援助交際の相場は一万数千円程度だったが、客の自宅に行けば、ホテルの休息料金の数千円程度を上乗せして渡すと交渉がなされることがあった。だが客の自宅は、あらかじめ仕掛けられたビデオカメラなどによって性行為を盗撮される危険性や、複数の男性が待ち伏せしており輪姦される危険性もあった。春菜は「この人は無害だな」と判断できるまでは、客の自宅には行かないようにしていた。そして、客から自宅へ誘われた場合には、もしリピーターになるのであれば次回は自宅に行ってもいいと話すことで、やんわり客をかわしていた。

——ホテル以外で相手のアパートとかってあるの？

行ったことある。（中略）沖縄でも内地でもあった。

——怖いよね、やっぱ？

うーん……なんか、自分の中で（この客にだったら）「心がまだ開けるかな」っていう、この、「安心かな」っていうのが、何回かあって（そういうときに行っていた）。（はじめての客に）「ホテル代もったいないから、その分（お金を）あげるからお家行こう」とか言われたら、「うーん、じゃあ次、会ってからねー」とか。

――ああ、なるほど。

こんなして言って。で、「（二回目に）会うときに、次はお家行こう」とか言って。

春菜はそのようにして注意深く「危ない客」を避けていた。ホテルに入った後もカバンを手元に置いている客は、盗撮の可能性があるとみなし、客をお風呂に誘導してカバンから遠ざけることで盗撮用のカメラのセットをさせないようにした。またどんな仕事をしているのか、どのような性癖を持っているのかといった客の情報は、同じ仕事をしている同級生や先輩たちと共有しあうことで、あらかじめ危険な客を回避するようにした。

それでもいくつか暴行事件が起きていた。

こんなして（掲示板で）一緒に（客を）探してるときに、（友だちが）「この人、会ったことあるー？」みたいな（ことを聞いてきて）。「わかる！　自分、会ったことあるし、良い人だったよー、条件もいいし」って言って。だけど（客に）会ったら、この人、泣いて帰ってきてて。

――え？

もうめっちゃ泣いて帰ってきて。もう怯えてて。「なんで？」って言ったら、なんか、ホテル入ってお風呂入って出てきたら、「お前、お金盗んだだろ、財布から」みたいなこと言われて。「はー?」って言って。で、そのときこの人たまたま自分の財布の中にお金入れてて。「俺が盗まれた金額分、(お前の財布に)あるけど」みたいな。この客は、元々はめる(=だます)つもりでやってたみたい。……これでもう、殴られたり、とか。ムービーとか全部取られたり、とか。

そして春菜もホテルで客に暴行を受けた。客からなんとか逃れたものの、ホテルを出て道路に降ろされたあとしばらく、春菜は客を取ることができなくなった。でも春菜には帰る場所はなかった。

仕事の再開

客から暴行を受けたあと、女性ふたりと客ひとりで性行為を行う3Pで客を取ることを、春菜は考え始めた。もし、客と女性ふたりで客と会うことができれば、暴行などの危険なことが起こりそうになったときに、ひとりのときより対応がしやすくなる。3Pで客を取ることになると、相手の女性には、性行為の一部始終を見られることになるが、「別に自分は、薫とならいいから。ふたりだったら怖くない」と春菜は考えた。薫も承諾したので、ふたりで組んで客とセックスをすることになった。また、ふたりの年齢やプロフィールが一致しなかったら困るので、客と話をするのは春菜だけにした。

「ひとりでこんなして会うよりは3Pの方が楽じゃない？」って（薫に）言って。

——あ、3P？……ふたりで相談して決めたの？

うん。だから……結局、「3Pに行った方がいいよねー」ってなったら、やっぱり自分の方が（立場的に）上にいるから。こういう話、ちょっと合わせて。お客さんと一対二でしゃべってたら、どっちかがボロ出したら危ないから。もうとりあえず、自分だけがしゃべるとか。


春菜と薫のふたりと性行為を行った客のなかには、もう一度、春菜とだけ会いたがる客も多かった。春菜は、「どうせ一緒に時間を過ごすんだったら、相手にもいい時間を過ごしてもらった方が自分も気が楽」と考えており、「ただセックスをするだけ」ではなく、客との「会話を楽しんだり」、客を「リラックスさせようとしたり」してきたからである。そうやって客を取ることによって、春菜はリピーター客を増やしていった。


——（春菜の場合は）リピーターが多いってことだよね。

うん。友だちとかと3Pしてて、なんか別に自分はしゃべるのが好きだからしゃべるけど。サバサバしてる人は、友だちとか、あんましゃべらないでホテルついたらたばこ吸って、お風呂入ってお風呂から出てきて、（客を）お風呂入らして、出てきて、ヤって（＝セックスして）、「はい、帰ろう」、みたいな感じだけど。自分は友だちがお風呂入ってる間に、「ねえ、どこの人ー?」とか、「子どもとかいるの?」とか「奥さんいるの?」とかこういう話してて。で、自分は(客と一緒に)お風呂入って。で、やること終わって友だちがお風呂入ってる間に、(客が)「どっちがサイトから連絡した子?」みたいな。で、「自分じゃないよー」って言ったら、「そっちの連絡先教えてー」、みたいなかんじが多い。

春菜には、定期的に会う客もできてきた。そのなかにはセックスが目的ではなく、ただ春菜と話したいという客もいた。客に何度も会うなかで、未成年だと話した客や、実名を話した客もいた。それは春菜にとっては単に、何度も会う客なので、自分の名前や年齢やプロフィールを偽り続けることが「面倒くさくなったから」という理由だった。それでも春菜の「秘密」を知ったことで、「俺は未成年とヤっていたのか」と喜ぶ客もいたし、春菜に告白してくる客もいた。

勘違いする人がいて、「自分のもの」って思う人がたまにいて、この人もそういうタイプで、自分が本当に頻繁に会ってるときがあって、この人金額も大きくて、で、一八か、一七の誕生日のときに会って、そしたら二時間ぐらいしかいなくて、いつもこの人、一回会ったら二万ぐらいで。そしたら、あの、冗談で、「自分、今日、誕生日ってばー」って言ったから、「あ、じゃあ、なんか買え」って言われて、五万ぐらいもらって、「あー、ありがとう」って話してたら、「お前、俺のこと好きだろう」、って言われて、「ん?」って思って、「なに、勘違いしてんの?」って。

——ふふ（笑）。

「だから、俺以外の奴と会わないでくれ」って言われて。

——告白だね、それはね。

「なんで？」って言ったら、「俺はそれが嫌だから」っつって。そのときはもう、仕事しないと生活できなかったから、「じゃあ、自分の生活支えてくれるの？」っつったら、黙りこんで。

リピーターの客が増えることは、安全面からいっても、収入が安定するうえでもよいことだった。だがそもそも客ひとりあたりの単価が安く、なかなかお金を貯めることができなかった。そのうえ、一緒に過ごしていた仲間どうしでは、金銭的なトラブルが頻繁に起こっていた。

仲間たちとの金銭トラブル

春菜には、援助交際や打ち子をしながら暮らしている、年齢が同じくらいの女性と男性からなる仲間たちがいた。春菜はそうした仲間たちから、避妊方法や警察情報などを入手したり、客の情報も共有するなどしてきた。そのなかには、家庭に居場所がないなどの生育環境が似ている人もいて、マンスリーマンションやゲストハウスで一緒に暮らしている時期もあった。育ってきた環境が似ていて同じ仕事をしている仲間たちは、春菜にとって居心地のよい関係だった。それでも、その仲間たちとの関係は常にいいものではなかった。金銭的なトラブルは常に起こっていた。たとえば、一緒に出かけた場所で、だれがその場のお金を払うのかをめぐる揉め事は、何度もあった。

和樹とこの先輩と友だちが、男同士で飲み屋行って、「飲みに行ってくる」っつって、「今日は俺のおごりだから」っていう感じで言って、で、自分は、一応おごりでもお金が足りなくなったら怖いから、一万円渡したんですよ、和樹に。「そしたらなんかあっても大丈夫さぁね」っつって。そしたら、次の日帰ってきて、お金請求されたんですよ、

——へえー、おごりって言ってたのに？

言ってたのに。しかも和樹のお金を見たら、もう一〇〇〇円も余ってなくて、一万円使ってて、この人は、「三万、四万、使った」って言って。で、和樹の合わして五万、でまた、和樹から一万請求して。「（全部で）六、七万使った」とか言い出して。「ありえない」と思って。和樹は覚えてない、酔っ払ってるから。これで喧嘩になって、「お前、大の大人がこんなして自分でおごるって言ったくせにあとからせびるわけ？」っつって、「お前、恥を知れ！」っつって。それで、（後日）民宿にいたときに部屋までお金取りに来てて、「あんた、なにしに来たの？」って言ったら、「は？ お金取りに来た」っつって。で、結局このお金取りに来た理由が、この男の彼女が怒って、「なんでこんなして（お金を）勝手に使う」って、これで喧嘩したみたい。

——それで来たんだ。

うん。で、自分は、「じゃあ、お金返せばいいわけ？」って言って、「あんたたちがお金なくて

死にそうになっても、じゃあいっさい助けんからね！」つって、これで言い合いして。「じゃあいいさ、お金渡せばいいんでしょ」って、「はい！」って。お金、投げたんですよ、わざと。

――かっこいい！

もうほんとに嫌だったから。で、自分の中で、「これで、お金とったらもうなんか終わりだな」って思ったら。（そしたら、お金を）拾って、壁、殴って出て行って。

――かっこわるい！

あー、で、「もうこの人とはないなー」って。


春菜は結局、この男性の要求するお金を払った。そして、この男性の恋人と組んで3Pで客を取ることもあったがその関係を解消した。

春菜は、「お金の貸し借りは本当に嫌だ」と思い、できるだけそのやりとりを避けるようにしていた。とはいえ、お金の貸し借りを回避したからといって、金銭的なトラブルがなくなったわけではなかった。春菜と和樹は、仲間たちと一緒にゲストハウスで暮らしていたが、そのゲストハウスではたびたびお金が盗まれていた。


この、ゲストハウス（に一緒に）住んでたときも、みんな一時期お金盗まれてたんですよ、内地（に出稼ぎに）行く前の話で、これは。自分も和樹とお金貯めてて、隠してる場所があって、あんまり最初気づかなくて、「なんか一万、少なくない?」「二万少なくない?」。……これがどんどん金額が大きくなっていってて。で、友だちも盗まれて、あとひとりの友だちも盗まれてて、結局、この（お金を盗んでいた）人たち、内地に行くって決まったのに、仕事の本数がつかなくて、お金が貯まらないって。

——で、盗ってるわけ?

で、盗ってた。

春菜のお金を盗んでいたのは、男性が打ち子をして女性が客とセックスをするという、春菜たちと同じ形態で仕事をしているカップルだった。そのカップルは、出稼ぎにいくための飛行機代を貯めていたが、そのお金が貯まらないという理由で、同じような境遇の一緒に暮らしている仲間のお金を盗み続けていた。

春菜たちは、そのカップルをゲストハウスから追い出した。でも盗まれたお金は返ってこなかった。

序列づけと自己責任論

仲間たちのなかでは、金銭トラブルに加えて内部の人間の序列づけも起こっていた。春菜の仲間には家出をし、中卒や高校を中退した女性や男性が多かったが、そうしたなかには比較的安定した生活をしながら、高校も卒業している男性もいた。その男性は、しばしば春菜たちが中卒であることや、高校を中退したことをバカにした。

この遊んでるメンバーの人で、とっても自分が嫌いな人がいて、自分たち周り大体この、遊んでるメンバーは、中卒で、高校も中退してる人とか、そんなのが多くて、この人は、浪人してまで高校卒業して、で、「自分はいい職につくんだぞー」みたいな、「お前たち、いまからの世の中、中卒じゃ生きていけないいんだよ」、とか。

――男?

男で、もう、めっちゃ見下す人がいたんですよ。

――へえー。上から目線だね。

で、なんかこんなして、上から目線で言うくせに、遊んでるときにいっさい自分でお金出そうとしないんですよ。

――サイテー。

で、結局この人は昼の仕事し始めて、で、お金あるじゃないですか。なのに、遊んでたら、ま、ダーツしに行ったりしたら、なんか、「じゃあ、一緒にダーツやろうぜ」、って、「ああ、いいよー」っつって、「じゃあ、春菜、一〇〇円入れればいいんだよね、自分の分だから」っつったら、「あ、俺も入れないといけないの?」って。「はぁ?」みたいな。「お前がなんで行くって言ったくせに、なんで春菜が出さんといけんの?」。で、もうほんとにこの人こんな性格で、もう大っ嫌いで、もう死ぬほど。なんかもう、人間を見下されてる感があって。

春菜はダーツの料金を支払わせようとするこの男性の振る舞いから、遊ぶときの料金は春菜が持つべきだという、自分が上で春菜は下だという男性の考えを読み取り、憤りを覚えていた。一緒にいる仲間だからといって、それがただちに共感や互助的な関係にはならない。その内部においては、誰が上で誰を下に見るかという形で序列づけが行われていたのである。

こうした序列づけは、仕事における性的接触の程度をめぐっても行われていた。春菜が客とセックスをすることでお金を得ていることは、仲間うちでは公然の事実だった。また、和樹のように、自分の恋人に客とセックスをさせて生活費を貢がせている男性は他にもいた。だがそうした男性のなかには、客とセックスをするよりも時間あたりの単価の安く、性的接触の程度が軽いとされているセクキャバ（＝セクシーキャバクラ）のお店で自分の恋人を働かせている男性もいた。その男性は、客とセックスをしている春菜よりも、セクキャバで働く自分の恋人が稼いでいる金額の方が高いといって、「俺のいなぐ（＝恋人）、すごいあんにー（＝すごいだろう）、こんだけ稼ぐぜ」と自慢気に話してきたのだという。春菜はその男性の言動に怒りを覚え、客とセックスをしている自分のことを「バカにするんだったら、すればいいさ」と思ったというが、直接その男性に怒りを伝えることはなかった。

それでも春菜はその後、風俗で働く友人に、その女性が稼ぐ金額から推察できる性的サービスの内容を問い合わせた。それまでもいろいろな種類の風俗店で仕事をしてきた春菜の友人は、その金額はおそらくセックスがなされているはずだと答えている。

（そいつの彼女が最初に働いていたのは）セクキャバかなんかそういう系で。で、最初、一日の日当の話を和樹がさりげなく聞いてて、「一万円」とかだったのに、二、三週間後なったら、「二万、三万」ってじょじょにあがってて、こんなのって、最終的に言えば、裏で（セックスを）ヤってるんですよ。

――そうなんだ。

自分こんなの（＝店舗に所属することを）経験してないからわからなくて、友だちに聞いたら、「ヤるところもあるし、ヤらないところもある」って。だけど、「大体、こんなに金額いくんだったらヤってるよ」っつって。

しかし春菜は、友人から得たそれらの情報によって、自分をバカにしたその男性をやりこめることをしなかった。春菜は、その男性と女性の関係は、いずれ男性が女性に寄生し、女性の方が苦しむような関係になると考えていたが、黙ってそれをみていることにした。その理由を春菜は、こういうことは人にアドバイスされることではないからだと語っている。

この人（男性）もちょうど仕事やめた時期で、彼女に「貯金はあるある」って言ってるけど、彼女に食わせてもらってるみたいで、春菜からしたら、「こういう奴、徐々に落ちていくんだぜー」って。「仕事するする」っていって、結局半年ぐらい仕事してなくって、彼女も本当に、根が、多分真面目な人だったんで、こういうのに落ちていったら、普通に戻るまでが、やっぱりとっても時間がかかるのわかるから、なんか見てて、「あーかわいそうだな」って思って。でも何も言わなくて（中略）。結局、こうやってじょじょに、じょじょに、多分、この男の彼女もお金に欲が強いタイプだから、和樹と話してるときから、「最初こうやってセクキャバとかおっパブやってても、お金に欲が強くなってって、どんどん、デリヘルとか、今度はソープとかなっていくよ」っつって。「でも、自分がとめたってどうにもならんから、相手が経験しないと。だからいいんじゃない？」って。

春菜の予想したとおり、この女性はソープランド店に勤務しながら恋人である男性にお金を貢ぎ続けるようになった。

後日、仲間のひとりから春菜に電話があった。その電話は、その女性が自分の恋人と別れて仕事をやめたいと思っているので、春菜にその相談にのってほしいというお願いだった。それでも春菜は、それは「自分でなんとかすること」だと話して、その女性と会うことを断わった。

それまで春菜を助ける人はだれもいなかった。そのなかで春菜は、一五歳で家を出て、生活するために援助交際を選び、客からの暴力や性感染症や妊娠というリスクをひとりで引き受けながら仕事をしてきた。その春菜にとっては、自分が起こしたことがらの責任を取るべきなのは、ただそのことがらを起こしたその本人のみだと認識されているのだろう。それは、自分の行動の責任はただ自分ひとりで引き受けるべきで、他人の助けをかりるべきではないという自己責任の考え方だといってよい。春菜にとってそれは、自分自身でつくりあげてきた生活から導きだされた感覚であり、その生活をつくりあげてきた自負でもある。だがその捉え方は、同じ仕事をする女性に起こることをすべてその人自身のせいでそのようになったとみなし、互いのあいだで助けの手を差し伸べるきっかけを潰してしまうことにもなる。春菜は自分と似たような境遇の女性の相談にのることを、それは自分でなんとかするべきことだと言って断わった。そのような形で彼女たちの世界からも、自生的なかたちで自己責任論の感覚が生まれていく。

高額の貯金とお金のゆくえ

沖縄で仕事をしていてもなかなかお金を貯めることができないなかで、春菜たちは九州に「出稼ぎ」に出かけることにした。沖縄では、客ひとりあたり一万数千円だが、内地ならば客が多いことや、単価が一万五〇〇〇円から二万円と高くなるので、もっと効率よく稼げると思ったのだと春菜は話す。

最初の出稼ぎは、春菜は薫と和樹と三人で出かけ、毎日、集中的に客を取ることでお金を貯める予定だった。だが、一回目の出稼ぎでは、稼いだお金をすべて使い果たしてしまい、貯金ができなかった。

二回目の出稼ぎは、「もう一回、リベンジする」と考えて、今度はそれまで「あらゆる種類の風俗の仕事」をしていた女性と組んで、和樹と三人で出かけた。

その地区で春菜たちはたちまち有名になって、客を装う同業者から「沖縄の子やろ？　うちにこない？」「絶対、ナンバーワンになれる」などとスカウトもされたり、連絡先をもらったりしていた。客のなかには「危ない客」もいて、「いま、3Pをしている、お前もこない？」とどこかに電話をかける客や、ホテルの部屋のドアの施錠がオートロックではなく、外から開けられる部屋に連れていく客もいた。危険なことが起こりそうな場合、どの時点で逃げたらいいのか、そうしたことに常に注意を払いながら春菜は仕事をしていた。そして、どんなに条件が良い話を持ちかけられたとしても、危ないと感じたときは、ただちにその場から逃げることにした。春菜はそれによって、客からの暴力を回避できるようになっていた。

最初の条件では一人一万二〇〇〇円ずつ。「でも、気にいったからプラス一万するよ」、って（客に）言われてて。でもこの一緒にいた女の子は、結構、いろんな、ソープとか、いろんなの、デリ（ヘル）とか経験してたから、お金に関してとっても厳しいわけ。「あげる」って言われたら、絶対取らないと気が済まない人だったから。とりあえず怪しかったから、「ホテルから出よう！」って言って出たら、「コンビニで降ろす」って約束だったけど、コンビニ行ったけど、ずっと電話してて。「ああ、危ないな」と思って。

――すごい。よくわかったね。

で、この帰り際に、「拾ったところで降ろして」って言ったら、通り過ぎて。「あ、やばい！」と思って。でも友だちは、「早くお金ちょうだい！」みたいな。こんなの言い合いしてて。自分が、「えー、お金はいいから、最初の条件通りに取ってるから、別に。いま、ここで多分降りないとやばいことになるよ」って言って。走ってる、車走ってるけど、そこから飛び降りてふたりで。

――すごい。これって打ち合わせしたの？

いや、もう。後ろにふたり乗ってるから。（春菜は）「ちょっと、危ない危ない」って言って。（その女の子は）「はー？　なんで？」みたいな。「とりあえず、やばいから降りよう」って言って、「わかった！」って言って、ふたりでパッて、ドア開けて、パッと降りて。

――両サイドから？

両サイドから降りて。

そのようにして稼いだお金を春菜は残らず和樹に渡して、その管理を任せた。二度目の出稼ぎで春菜には一五〇万円の貯金ができた。生まれてはじめて手にした高額の貯金とともに、春菜と和樹は沖縄に帰った。

だが、九州から戻ってきたふたりに貯金があることを知った和樹の母親は、そのお金を貸して欲しいと和樹に話し、春菜は結局、そのお金を貸してしまうことになった。

自分、あっちの親にお金貸したんですよ。

――親に？

一七のとき。この一五〇万ぐらい貯めたときに、帰ってきて、あっちの親に、親にっていうか、お母さんに、「お金貸してほしい」って言われてて。でも、あっちの親はわからないじゃないですか、自分がこんなことしてるって、だから、この貯金は、ふたりの貯金って思われてて。

――そこから「貸してー」って言われたんだ！ ふたりで内地に行ってたお金だから。

だから、「ふたりのだから大丈夫でしょ」みたいな、「一応、春菜にも聞いてみて」って言われて。で、貸して、「その年のボーナスで返すよね」って言われて。

和樹の母親に貸した残りのお金で、和樹は自動車の教習場に通って免許を取った。そして、和樹はそのお金で車を購入した。

気がついてみたら、春菜の手元には二〇万円程度しか残らなかった。そのお金も、和樹の名義の口座にあった。

孤独感と罪悪感

春菜はずっと仕事をしてきた。

同じ仕事をしている女性のなかには、客に妊娠させられたり、性病をうつされたり、ひどい暴行を受けた人もいた。だが、春菜は、妊娠したことも性病をうつされたこともなく、「暴行も一回だけだった」ので、「ラッキーだった」と思うと話す。それでも春菜はときどきひどく仕事を辛く感じたのだという。

ふと思ったときの、この、なんだろう、孤独感と罪悪感が、とてつもなく、いきなり襲いかかってきて（中略）この薫っていう子と一緒にいたときも、急にこんなの（＝パニック）があって、もう、息が出来ないぐらい泣きじゃくってた時期があって。（中略）あのとき、「仕事は仕事」（ってわりきっていた）、でも辛かったし。

家出した春菜に、父親や父親の恋人からの連絡はなかった。しかし深夜になると、二番目の母親であるマーマーから電話がかかってきた。マーマの声を聞くと泣き出してしまう春菜のことを、マーマーは車で迎えに来て、それから自分の家に連れて帰ってくれた。だが春菜は、マーマーが寝静まった明け方にもう一度ひとりで家を出て、薫の待つ民宿に戻っていった。

たまーに、自分のマーマーとかに、家に引き戻されてた。何回か。……二、三回ぐらい。

——電話、かかってくるの？

電話かかってきて、やっぱり、話してたら泣いてしまうから。マーマーが「じゃあ迎えに来るよ」って、迎えに来て。でも、迎えに来てもらったことに安心感覚えて、ふぅって（楽に）なって。「あっ、やっぱ、いいや」ってなって。それで、マーマーなんかが寝てるときに、家の鍵閉めて、荷物だけ持って、パーって出て行って、また薫のところに戻っていって。「ただいまー」みたいな。……薫は「大丈夫？」みたいな。「全然、大丈夫」みたいな、「いつものこと」みたいな。


その後、春菜と薫は別々に暮らすようになった。薫は、別の街に移動し、ソープランドやデリヘル派遣の風俗店に所属して働くようになった。春菜は、和樹の親戚の家や民宿、レオパレス、ゲストハウスといった場所で、同じように援助交際をして暮らしている女性と打ち子をしている男性のカップルなどの仲間たちとともに、転々と場所を替えながら暮らしてきた。

春菜の仕事は、仲間の女性と組んで3Pで客を取ったり、リピーターの客を相手にひとりでセックスをすることが多くなり、安全なものになっていった。それでも、仕事の辛さがなくなることはなかった。それは毎日起こるようなものではなくときどき起こり、起こったときにはどうしようもなく辛く感じる類いのものだった。

――どんななのかな。……やっぱり仕事辛かったの？

これがとっても激しかった。辛いときと、別に楽なときと。

――これは、客次第とかではなくて？

自分の気持ち次第。とっても。嫌な客に当たってても、嫌な客に当たったとしたら自分の中では、「早く終わらせて早く帰ればいいんだ」っていうのがあったから、良かったんだけど。気分が嫌なときは、どんだけいい人に当たってても、もう一分一秒がとっても長く感じる。

――ふーん。もう話もしたくない？

うん、話もしたくないし。なんかもう、ひとりで、ここからいなくなりたいけど。

どうしても辛くて仕方がないときは、客と待ち合わせをしている駐車場まで和樹に連れて行かれても、春菜は客と会わないようにしていた。

待ち合わせのときに、本当に嫌だったら、もう駐車場の隅っこに隠れて「いないよ」とか。目の前に（客が）いるけど、和樹に（電話をかけて）、「いないよー」とか。「ああ、これ、なんていうの、サクラじゃん？」とか言って。………駐車場で、車の下にしゃがんで、隠れて。

対立

春菜は家を出てからの四年間、自分の生活費と、途中からは和樹の生活費とをひとりで支払ってきた。稼いでも稼いでもお金が貯まらないので、春菜は和樹を頼らずに、自分でお金を貯めることにした。春菜は一〇〇円均一ショップに出かけ、そこで豚の貯金箱をひとつ買った。そして、客ひとりと会ったあともらった千円札を豚の貯金箱に貯金することにした。

仕事ついた本数に対して千円札入れていこうみたいな。って言っても、自分、これ入れるのが楽しくて。仕事行ったらとりあえず千円札全部入れてたわけ。なんかもうギュウギュウになって。

――あははは（笑）、豚がね。

そうそう（笑）。このちっちゃく折りたたんだ千円札がどんだけ貯まるのかなーみたいな。っていうのをやっていって。で、気づいたら結構貯まってて。で、「あっ、お金って貯めれば、いいもんだよな」みたいな。「減りはするけど、別に貯めてたら損はないや」って思って。

そうした生活のなかで、春菜は和樹が働かないことや、和樹が欲しいものがあったりやりたいことがあるとすぐに春菜に仕事させることに、次第にうんざりするようになっていた。

でも後々、和樹のお金の管理が適当になってきて。もうなんか自分がやりたいって思ったら、

「ねえー、春菜ぁ」、みたいな感じだったから。

内地から帰ってきてからは、和樹の実家や和樹のいとこの家に仮住まいをさせてもらいながら、いずれふたりだけで暮らすためのアパートの資金などを貯めることにしていた。だが、和樹にお金を渡すと和樹はそのお金を全部使ってしまい、お金はなかなか貯まらなかった。

春菜は次第に和樹にイラつくようになった。

自分に自練（＝自動車教習場）通わすためとか、アパート借りるってだったけど、そこまで貯まらなくて。結局半年くらいで出て行く約束が一年ぐらいいて、（いとこの）アパートに。それでも全然お金が貯まらなくて、それに対してとかもイラついてて。

それでも春菜は、和樹と別れることは考えていなかった。和樹のことを「好きかどうかはわからなくなっていたが、情はある」と感じていたことに加え、仕事のことも含めて「自分のすべて知っている人はこの人しかいない」と春菜は思っていた。

春菜は和樹も仕事をするように何度も話をして、和樹はホストの仕事を見つけた。ふたりは和樹の仕事場に近いウィークリーマンションに住むことになった。だが、そのウィークリーマンションは、それまで春菜と和樹の暮らしていた街からは遠く離れた場所にあった。和樹が仕事に出勤する夜になると、春菜は自分の知人や友人がいない街で、ひとりで和樹の帰りを待ち続けるようになった。春菜はしばらくそれに耐えていたが、あるとき、「お前、いい加減、昼の仕事すれば？　女にばっか頼ってないで！」と大喧嘩になった。大喧嘩のあと、和樹は自分の地元で昼の仕事を探して、その仕事を始めることになった。だが、その給料が入るまでの一か月はお金がなく、結局、春菜が仕事をすることになった。

（和樹が昼の）仕事し始めて。で、（和樹の）実家からも出たんですよ。この和樹のいとこのアパートに移って。でも、結局、和樹が仕事しても給料が入るの、一か月後じゃないですか？　それでまた、結局、自分が毎日仕事して。

それでもこの一か月の生活は、これまでとは違っていた点があった。今後も長くふたりで暮らしていくことができるかを考え始めた春菜は、自分たちがどんなことにお金を使っているのか、お金の流れを正確に把握するために家計簿をつけ始めた。

一か月たったころ、春菜は愕然とする。和樹の使うお金の総額は思ったよりも多かった。

やっぱり一緒に住んで、ふたりで住んでいくっていう気持ちだったから、そのときは、全部、この、家計簿とかつけてたんですよ。そしたら、和樹が、仕事、給料もらうまでのあいだに、四

○万くらい使ったんですよ。

――なんで？

結局、もの（＝フィギュア）とか全部集めたりとかしたりしてて、なんか気づいたらそれぐらい使ってて。

――家計簿つけてるからわかったんだね、ちゃんとね。

もう、エグい金額なってて、やばいなーと思って。

和樹の使いたいときに使われるお金の一か月の総額を知った春菜は、この先ずっと、和樹と暮らしていくことは不可能だと考えるようになった。また、自分の親に和樹を会わせるというイメージはどうしても抱けなかった。春菜の仕事のことは、春菜の家族全員が知っていた。和樹が春菜の稼いだお金で暮らしていることも、家族全員が知っていた。春菜の家族は、和樹のことを春菜を「こういうところに追い込んだ、連れていった犯人」であると思っており、「春菜は和樹に利用されている」と思っていた。もし和樹と結婚すると家族に告げれば、どれほどの軋轢を生むことになるかは春菜もわかっていた。ちょうどそのころ、春菜の二番目の母親であるマーマーから連絡があった。それはマーマーのお店で働かないかという誘いだった。昼間の職業に移りたいと思っていた春菜は、マーマーのお店で仕事を開始することにした。昼の仕事を始めたころ、今度は父親から連絡が入った。父親は、実家の管理を春菜に依頼した。

和樹も結局四年付き合って、一回も春菜たちの親に会ったことなくて、だから、結局、四年付き合って、これから、もし、続いたとしても、結婚までってなるじゃないですか、自分は、そのなかで、「こいつは、無理だな」と思って。（中略）なんかもう自分も、和樹のこと、好きかもわからなくなってて、で、「おうちから出たい」と思ってるときに、お父さんからちょうど連絡が来て、この彼女が、内地に三年間行くから、結局お父さんも仕事、単身赴任だから、おうちにいる人がいないから、最初は「一週間に一回くらい、見に行ってくれない?」って言われてて。「それか、あれだったら、お前が別に住んでもいいよ」って言われて。

春菜は、自分の仕事が客とセックスをすることであると知られている状態で、「父親にどんな顔をして会ったらいいのかわからない」と長年思っていた。でも、「誰も住んでいない家だったら、帰ることができる」と思った。春菜は和樹と別れて、家に帰ることにした。

返済されない借金

春菜はできる限り、和樹からお金を取り戻そうと考えた。でもそれまで和樹が浪費し続けてきたお金のことは、問題にしないことにした。春菜は、和樹の免許代と、車を購入した貯金の残金である二〇万円前後のお金と、和樹の母親に貸したお金を全額返して欲しいと和樹に言った。しかし、和樹はその話に逆上した。

自分、別れるときに、「この貯金も全部持って行くよ」って言って。

――当然。

でもそれでも、結局あったの、二〇万、二五万とかぐらいで。プラス、「お前の親に貸したお金全部返してもらうよ、それ以上は何も求めないから」って言ったら、逆ギレされたんです。「なんでお前が貯金持っていく」って。

――おお！

「いっしょにアパートに住んでて、家賃出したの誰か？」とか言われて。家賃とか言われても知らないですよね、しれてるんですよ、五、六万ぐらいで。生活費ってそれ以上に使うじゃないですか、これで、ブチ切れて。でもそのとき、自分が通帳も全部持ってて、最初、和樹の口座に入れてたけど、これも全部抜いて、春菜の通帳に変えてたんですよ。

――かしこい。

で、これで、「お金は持って行くから」って言って。「あと、この、親に貸したお金、お前が自分でこのお母さんに言えないんだったら、春菜が言うか、お父さんか、お兄ちゃんにでも言わすよ」って言ったら、「俺は言えないから、じゃあ、俺が返す」って言われて。「月、いくらで返すの？」って言ったら、「一万ずつしか払えない」って言われて、「は？　ふざけてる？」って。

和樹の母親に貸したお金を返済してもらう見通しはなかった。でも春菜は、和樹と付き合い続けることはもう嫌だった。春菜は和樹ときっぱり別れた。そして、一五歳のときに家出してから一度も戻らなかった実家に帰り、ひとりで暮らすようになった。

三　家に帰る

地元の友人、新しい恋人、そして薫

実家に戻ってから春菜は、ときどき地元の友人にも会うようになった。地元の友人には、地元にいなかった四年間は別の街でキャバ嬢をしていたと話している。

友人たちと会うと、生活の話がよく話題になる。そうなると誰かがお金がないと言い、そうすると誰かが「もう、ソープで働こうかな」と言い出し、最後に誰かが「風俗だけはやめた方がいい」と言うのだという。そうした話題になるたびに、風俗の仕事に対して「そこまで偏見するのか」と思い、春菜は居心地の悪い思いをするのだという。

だが、地元の友人のなかにも、風俗の仕事を否定しながらも、その仕事をしている人はきっといると春菜は考えていた。

自分は中学校の普通の友だちとかとは、心が全部開ききれなくて。

――あー、そうか、そうか。

やっぱり好き、こういう仕事好きっていう人は、いないと思うから。でも自分からしたら、絶対隠れてやってるって人はいるっていうのはわかってるんだけど。別にそこを自分がどうのこうの言う立場でもないから。

春菜には、最近、新しい恋人もできた。その恋人はデートのときに、春菜に食事をごちそうしてくれるのだという。四年間、和樹との生活費をすべてひとりで稼ぎ続けてきた春菜は、「とってもそれが嬉しい。大事にされているみたいで」と話している。

だがその一方で、春菜は「仕事のことがばれたら終わり」とも思っていた。自分では生きるために選んだ道だと思っているが、新しい恋人がそれを理解することは難しいだろうと思うのだという。

――いまさっき、ちょっと言ってたけど、不安かな？　新しい恋人に知られるのが。不安？

うん。不安。……うん。不安だし、多分、本当にいままで付き合って浅いけど、好きって思えるし、なんか、もう、別に偏見されるのはイヤじゃないんだけど、でも、これがばれて、なんか離れていかれるの……はもう、自分から離れるイコール、「こういうのが無理だから」っていう。なんだろう。「汚い」って思われるから、周りからしたら、わからない人からしたら。（中略）なんか、なんだろう、バレてしまったら終わりっていう考えも持ってるから、いまとっても。

――そうか。

なんか、なんて言ったらいいかわからない不安。「相手にどう思われる?」とかも、結局、口では「別に」、って言うけど、考えてしまうし。この人が、いま、もし自分を抱いてるってなったら、どういう気持ちで抱いてるんだろう?とか思うから。

風俗の仕事への違和感を表明する中学時代の友人や、春菜のこれまでの仕事をいっさい知らない恋人と過ごしながら、春菜は不安を感じていた。そして、そうした不安が高じると、風俗の仕事への偏見の少ないであろう昔の客と話したくなるのだと言う。

結局ひとりになったから、別に仕事する意味もなくなったし、自分がやりたいことができるってなって、ずっとしてない。でもたまに、うん、お金がほしいとかじゃなく、この、会話が恋しくなるっつったらおかしいけど。なんか、多分、(客は) みんながみんな年上だからだと思う。話したいときに話せる人がいるって。……なんか、別に自分はこんな風俗とかソープとか、こんな援交とかに対して、あれはないんですよ。

――あれってなあに?

なんていうの?……あの、あの、なんだ、嫌っては思わない。

――あ、抵抗感って感じかな?

は、ないんですよ。自分がやってるのもあるし、理由は、人それぞれであるって思うけど。自分の場合は、みんなといたかったから、お金がほしかったから、っていうのもあったけど、最近だったら、ただしゃべる人がほしいって感じになってて。

それでも、もしも自分がもう一度客を取ることになるのであれば、その話はいずれ、和樹にまで知れ渡ってしまうだろうと春菜は思っていた。もし和樹に知られれば、「春菜はやっぱり、こういう仕事をやめられない」と和樹に思われてしまうことになる。「それがイヤだからもう仕事をやることはない」と、春菜はそう話している。

それまでの仕事をやめてから春菜が会うようになったのは、一時期、一緒に仕事をしていた薫だ。春菜が実家に帰って来たころ、薫もまた家に戻っていた。中学校のころのように、春菜と薫はまた隣近所で暮らすようになった。

——こんなのって誰に相談してるの？

この同級生の薫っていう子がいて、いまは近くに戻ってきてるから。

——薫も実家の近所にいるんだね。

うん。だからこの子に話したり、とか。お兄ちゃんはそこまで仕事に関しては触れないから、大体、友だちに言ったりとか。

――相談したら、なんて言われる？

うーん、相手も別に同じことしてたから、対等な立場で、全部アドバイス言ってくれるから。

――あぁ、作戦会議！ お互いに、そのことについて相談できるんだね？

うん。（中略）多分、自分、友だちいなかったら、多分、普通に、生きてなかったなーって。いまがやっと元に戻ってきて、イチからスタートしようとしてるから。いまが、踏ん張りどきだなって。

――そうか。

めっちゃ、そう思う。

編み直される家族との関係

家に戻ってきてから、春菜と家族の関係も変化した。小学校のころから離れて暮らしていた兄とも、春菜は頻繁に会うようになった。

お兄ちゃんもいま、この家族っていうか、「きょうだいを大切にしようと思った」って言ってて。それまで全然会わなかったし連絡も取ってなくて。でも、もう暇なときになったら、「お前、なにしてる？」って、「ドライブしに行こう」とかって。夜、「悩んでるから、話聞いてー」とか、「おうち来ていい？」とか。

そのようにして会うようになった春菜の兄は、借金返済のために、春菜と和樹が毎月会うことをひどく心配したのだという。そして兄は、春菜の携帯電話の使用料を和樹に支払わせることで、借金を返済させることを提案した。

お兄ちゃんとかと話してて、考えて、いま、自分の携帯の名義、彼氏（＝和樹）のなんですよ、「だったら、携帯代払わせて、一年分」って。そしたら、払わなかったら自分の名義がつぶれるじゃないですか？

——なるほどね。

だから、携帯代払わせて。

父親は、普段は内地に出稼ぎに行っていて沖縄にいないが、旧盆には、春菜が住んでいる自分の家に帰ってきた。そのときに父親は、「小さいときから、おまえには苦労をかけてごめんな」と春菜に謝罪したのだという。そして春菜が家出をしていた四年間のあいだ、自分が何を考えていたのかという話をした。

なんか、お父さん、酒に酔ったときじゃないと、ほんとに、自分の思ってること、感情を表に出さなくて。で、話してて、で、「そういえばお前がこうやって家出したとき、小さいときから、探しに、追っかけても追っかけても遠くに行ってしまってた」って言われて、そのときはもうお母さんが春菜を連れ回してたから。で、「お前が家出して、死ぬほど心配で、また、こうやって、捜索願いとか出して、必死で捕まえようとしたけど、この、昔のこと思い出して、また、お前がどっかに、見えなくなるところに行ってしまったら、余計に嫌だからっていって、追っかけきれなかった」って言われて。「でも、こうやって、いま、お前は目に、目が届くところにいて、俺はほんとに安心だわけさー」みたいな。泣かれて、言われて、自分も泣いて。「もう、ほんとに親不孝だな」って思ったし、でも、お父さんこの仕事に関していっさい触れてこないから、なんか、逆にイヤ。だけど、うーん、なんか、自分の中で、たぶん悪いことしたって思ってないんだけど、そのときの環境に合わせて、自分が生き抜く道を探してしまったのがそこだったから、悪いだけであって。……だから。

春菜は、自分が家に居られず家出したことを、家族のせいだとは考えたくないのだという。

なんか、自分の中で嫌なのが、「この家庭環境のせい」とか、「あんなだったからこんなだったから」って言うのが嫌いなんですよ。自分も確かに周りから見たら複雑な家庭環境だったかもしれないけど、「それがあってこそ、いまの自分じゃない？」って思うから、とっても。なんていうの、普通の家庭見てて、「ああ、幸せそう、いいなあ」って思うけど、もしそれをうらやましがってもどうにもならんし、「いま、ここで起きて経験したことは、ただ、周りよりも早く経験したことであって、別にいいんじゃない？」って思うから。

ここからは春菜が、自分の育った環境や自分に起きたことを、ふたつの解釈の方法で納得しようとしていることがわかる。そのひとつは、過去の出来事があったからいまの自分になったと捉えることで、過去の出来事を肯定的に捉えようとするやり方である。そしてもうひとつは、自分の身に起こってしまった体験は、人生という長い時間のなかでは、おそらくすべての人が体験することであり、自分はただ若いうちに体験したにすぎないとして、了解しようとするやり方である。そうしたふたつの解釈の方法で、自分に起こった出来事を捉えることによって、自分に起きたことがらの原因は、家族や家庭環境にあるのではないと春菜は考えようとしていた。

春菜は家に帰ってきてから、月曜日から土曜日まで毎日朝九時から夜七時まで、二番目の母親のマーマーの職場で働くようになった。以前、援助交際をして生活しているときは、客と会っているあいだは何も考えないようにすることでやり過ごしていたが、朝から夜まで働くいまの仕事は、身体はきついけれど、自分の頑張りに手応えを感じる日もあるのだという。

帰るおうちがあって、逃げれる場所がある、で、みんなに会いたいときに会えるし、なんか、そんなのがあるから、いまは別に、苦しくもないし、違う意味では苦しいけど、でもこんな精神的な面では苦しくもないし、いまが楽しいし。逃げなくてよかったな。

――「逃げなくてよかった」っていうのは、どこから？

うーん。現実から。……なんだろう、自分が、なんかこの仕事をしてしまったら、なにも考えなくてすむ、っていうのがあって、この短時間のあいだに、とりあえずこの人としゃべって、まあ、そういうことして、終わればいいんだ、っていう自分の中でこれが逃げ道になってしまってて、前までは、この（和樹と）別れる前は。だけどいまはこうやってやることがちゃんとあって、毎日仕事行って、帰ってきて「疲れたぁ」っていうのも、たまにはいいなあって。……なんか違う。気疲れとかじゃなくて、こんな体力的な面で頑張ったな、っていう証拠だって、なんていうか、感じてる。

それでもいまの春菜の給料は、手取りで十数万円程度だ。「マーマーは、身内だからってひいきしない」「仕事に対して厳しく、人使いがあらい」と言って春菜は笑うが、免許を取るために自動車教習場に通うことをマーマーは応援してくれており、教習場の時間に合わせて仕事を切り上げさせるように調整してくれることは、助かっていると春菜は言う。

そして春菜は、一四年前に東京で離れ離れになった弟との関係も復活させ、それを継続していた。

東京に残された弟

春菜の弟の広也は、春菜が沖縄に帰ったあと、ひとり東京に残された。

春菜の父親にとっては、春菜の異父きょうだいである弟は自分の子どもではないのだから、春菜だけ引き取るのは自然の成り行きだったのだろう。だが育児放棄されて育った幼いころ、春菜が一緒にいたのは弟であり、弟が一緒にいたのは春菜だった。

その弟が「春菜と連絡をとりたがっている」と、実母の親戚であるいとこから連絡があったのは、まだ春菜が和樹と暮らしていたころだった。いとこに教えてもらった電話番号にLINEでメッセージを送ると、弟からはすぐに返事が返ってきた。

電話番号登録したらLINEとか出てくるから。LINEしてから。……弟の名前、広也っていって。「あんた、広也ねー?」って言ったら、「春菜ちゃん? 春菜ちゃん? 春菜ちゃんなの?」みたいな。

春菜がいなくなったあと、春菜の母親とその恋人は、弟をネグレクト状態で放置し、弟は児童養護施設に預けられたのだという。子どものころの生活を、弟はあまり話さないからなにがあったのかわからないと春菜は言うが、おそらく施設を出たりはいったりしながら育ち、施設から家に戻ってきたときも、父親と母親に邪険にされていたのではないかと感じていると話す。

なんかもうふたりともパチンコにはまってて、弟、育てきれないって施設に入れてた。結局、この彼氏もお母さんもマシン（＝パチンコ）ばっかりしてて。機嫌が良いときには、「弟、弟」して。悪いときには八つ当たりとか。結局、機嫌伺いながらずっと生きて来てたはずだから。だから人を信じないし、弟は。

弟は中学校を卒業して施設を出るとすぐに建築現場にはいり、鳶として働くようになった。だが、その給料を弟はたびたび「親にたかられて」取り上げられていたのだという。そのため弟は親と縁をきるためにひとりで東京を離れ、雪の深いある地方に移動して、いまもまだ、鳶として働き続けているのだという。

弟が生まれてはじめて沖縄にやってきたときも、春菜は兄と一緒に弟に会いにいった。

なんか（弟が沖縄に）来るってなってて。お兄ちゃんと一緒にいとこのおうちに行って、「どうする？　どうする？」みたいな。「春菜たちの弟だぜー！」みたいな。「だからよなー、俺はわからない」って、お兄ちゃんが。お兄ちゃん自体、弟がいるってわかってたけど、多分ちゃんと見たことがないと思うわけ。「記憶にない」って言ってたから。「えー、春菜たちの弟見てこよう」って（いとこのおうちに）着いたら、もうー、いとこのおうちの前に行ったら、こんなーして（うろうろしながら）家の前で待ってるわけ（笑）。

――あははは（笑）。

「どうする！　これがあんたの弟だよー！」って（笑）。

兄はじめてあった弟を食事に誘い、三人でドライブに出かけたのだという。そしてドライブの途中で、三人はマーマーの家にも立ち寄った。

お母さんは自分とお兄ちゃんみて、説教し始めて。

――あはは（笑）、うん。

なんか説教し始めて。あーだ、こーだ言いだして。お兄ちゃんと、「あの人、うるさいねぇ」みたいな。「一〇年経って、いまさら何言ってんだろうねぇ」みたいな。こんな感じで受け流してて。弟はずっと春菜とお兄ちゃんの隣にいて。ひとりで写真とって、カシャカシャみたいな。

マーマーは、久しぶりに会った兄と春菜を前にして、一〇年前にかけられた苦労話を話し出した。血のつながりのないふたりの子どもにかけられた苦労話を、親の苦労話として語るマーマーの姿をみて、「なんか、春菜のお母さん、いいね」と弟はつぶやいたのだという。その弟に春菜たちは、沖縄に来るように声をかけた。

「お父さんと離婚しても、結局、マーマーもいるけど。こうやって、離婚して、本当に自分の子どもじゃないけど、春菜とかお兄ちゃんが「お母さん、お母さん」って来る限りは、私は自分の子どもだと思うし、それで離れてったら別になんとも思わないけどー」ってマーマーが言って。「だからあんたも沖縄に来て、春菜たちのマーマーのこと、ママって思えばいいさー」って。マーマーも、「いいよー」ぐらいだったから。「あんた、弟、沖縄に来させた方が幸せなるよ、絶対」ってマーマーが言って。

沖縄に滞在中、弟と春菜はほとんど一緒に過ごした。弟は春菜と和樹の暮らすアパートにもついてきて、夜は春菜と手をつないで、子どものころの記憶を話しながら眠りについた。弟にとって、幼いころの自分のことを話せる人は、いまはもう春菜だけである。

弟の春菜の記憶は、「階段から突き落とされた」って(笑)。だから、「あっー、ごめんねぇ」って。「だから、俺、こっちに傷あるんだよ」って。「あんた、男の子だからいいでしょう」って(笑)。

弟が自分の家に帰る直前に、春菜がふたたびいとこの家まで送り届けると、弟は帰りたくないと言って駄々をこねたのだという。

ずっとひとりだったからだはずだけど、どこ行くにも、「春菜ちゃん、春菜ちゃん、春菜ちゃん」。ずっと、離れない。……あ、なんか、帰る一日前ぐらいに、和樹と先輩と一緒に送りにいったら、もう車の中でずっとこうやって手つないで。「嫌だ、帰りたくない！」みたいな。「あんたもう早く帰って！」って言って、「荷物持って！　はい、いってらっしゃい！」って言ったら、なんかガラガラ荷物引きながら、こうやってずっと後ろ振り返って、「嫌だ、春菜ちゃんと離れたくない」って言って。「お兄ちゃんとも離れたくない」って。

弟はそう言いながら、自分の住む雪の降る街に帰っていった。

いまも毎日のように、ひとりで暮らす弟からは、メールや電話で連絡がとどく。弟には友人も恋人もいるというが、それでも「信用できるのは、春菜とお兄ちゃんだけだよ」と弟は言う。そして、もしふたりに会えてなかったら、自分はどうなっていたかわからないと話している。

弟が、「春菜ぁー」って。「なーに？」って言ったら、「俺のいまの支え、何かわかるー？」って言って。「うーん？」って言ったら、「春菜とお兄ちゃんなんだよー」って言って。「俺、このきょうだいと連絡取れてなかったら、俺、いまごろ、生きてるかもわからないよー」って言って。

仕事が終わった夜、弟からはメールや電話がある。その弟の話を春菜はひとつひとつ聞いてあげていた。

——どんな系の連絡?

なんか、どうでもいい内容（笑）。「いやさぁー、なんかさぁー」って。「なぁにー?」って言ったら。

——あは（笑）、優しい。

「熱、出て、ぶっ倒れそうなんだよねー」とか。……「ふーん、そうなのー」って（笑）。

——ふふふ（笑）うーん。

（別の日には）「なんで俺だけ、こうやって、こうやってならんといけないの?」みたいな。

——拗ねるんだ?

うん、すぐ！　とっても拗ねるわけ！　だから「そんなこと、どうのこうの言ってても、仕方ないさ、あんた一歩階段上ってるだけさ」、みたいな。「周りは子ども、あんたは大人、それでいいでしょう」って言ったら、「そりゃそうだけどさー、でもさ、周りはさー、親にばっか、頼ってさー」とか。「仕方ないさー」って言って、「いまのうちに苦労してたら後々楽になるよ」って言って。……「でも、あんた幸せなるよ」って言って。「えー、俺、幸せなるのー」、って（弟が）言って。「なるよー、あんた、春菜と結婚する?」って言ったら、「する！　する！　春菜ちゃんとだったら結婚する！」って（笑）。

弟からの電話は、そういう他愛のないおしゃべりですらなく、ただ眠りにつく直前の電話のときもある。

「たまには、電話しようよ、春菜ちゃん」って（メッセージがあって）、「早く！　いま！　電話、電話、電話」っていうから、電話したら、そしたら眠るわけさ、いっつも。「あんた、人の声聞いたからって安心して眠らないで」って言って。

子どものころは、夜になるとふたりでお母さんの帰りを待っていた。セブンイレブンは臭かった。家から弟が脱走した。おじいちゃんと東京タワーに登ったことがある。雪が降っていた。

おなかをすかせて線路を渡るふたりの子どもに、大人は誰も気がつかなかったのだろうか？

五百円玉を握りしめて線路を渡る春菜は、まだ四歳か五歳だったという。春菜のそばにいた弟は、一歳か二歳だったことになる。東京に住んでいたころの春菜の記憶はもうとぎれとぎれになっている。子どものころのことを春菜はもう、ほんの少ししか覚えていない。

四　帰ってきた場所といま

いま、春菜の家族は春菜のことを気にかけながら暮している。春菜の二番目の母親であるマーマーは、一緒に仕事をしながら何かと助けてくれている。兄は春菜をドライブに連れ出してくれたり、相談にのってくれたりしている。父親は、春菜に住居を提供し、これまでのことを謝罪している。そして春菜もまた、ひとりで暮らす弟を気にかけて暮らしている。

春菜はこうした日々のなかで、家に帰ることができずに援助交際をしながら生活していたことを、自分が生きるためにやったことだったと話し、そのように生きたことは家族のせいではないと語る。それでも春菜がひとりでつくりあげた四年間の生活には、家族の影響が色濃くみられる。そもそも春菜は母親に育児放棄されて育ち、父親に保護されてからも二番目の母親に暴力をふるう父親の姿を何度も目撃させられ、ケアをされて懐いた母親と父親が別れたあと、父親が連れてきた恋人と暮らすことを強いられるなかで、ひとり路上に押し出された。家族こそが子どもを育てるべきであり、それさえあれば子どもは育つとみなす脆弱なケアシステムしか持たないこの国のなかで、家族からのケアを受けられない子どもを気遣う人はだれもいなかった。沖縄とて例外ではない。生活のために出稼ぎに出かける父親を持ち、頻繁に家族がかわるなかで育つ子どもの孤独に気づく学校教師も地域共同体の大人もいなかった。そうした家族の内部で暴力は繰り返し現れたが、春菜にはその家族しか拠り所はなかった。

でも春菜は、自分にはまだ拠り所があっただけよかったのだと次のように話している(3)。

春菜って、結局戻る家はあって、家はお父さんいるから、いまこうやって生活できてるから。なんかまだ甘えられてる方だな……。薫はもう、……お母さんもほんとに連絡つかなくてどこにいるかわかんないし、きょうだいも……。結構年離れてるわけ、きょうだいも元気にしてるかわからないし、……お父さんはお父さんでもう連絡、会いにいったら「会いに来ないで」みたいな感じで言われた。だからもう、ねえ、……あれは頼る人が周りにいないから、自分でどうにかするしかないっていうのもあるから。

春菜は、一緒に仕事をしながら暮していた自分の友だちには家族がなく、いまはもう帰る家もなくなったのだと話し、それと比較しながら、自分は「帰ろうと思ったら、家に帰ることができた」から恵まれている方なのだと話している。

（3）　春菜へのインタビューや取材は、二〇一四年九月四日、同年一〇月二日（打越正行同席）、二〇一七年七月二九日、同年八月二五日。二〇一五年に執筆した本原稿の読み合わせを二〇一八年五月一七日に春菜と実施。春菜とは一時期連絡が途絶えていたが、二〇一七年に春菜に関する記述を含む本が出版されたあと、本を見かけたといって本人から連絡をもらい、関係がふたたびつながった。

沖縄では、未成年が風俗業界で働いている。二〇一三年の夏、福島県や宮城県に中学生を含む未成年者一三人が暴力団に送りこまれ、売春をさせられていた事実が明るみに出た。[4] その翌年には、中学生への買春容疑で教育庁幹部が逮捕され、[5] 二〇一七年には暴力団による中学生の少女買春事件が明らかになった。[6] 被害にあった少女たちひとりひとりの家庭環境がつまびらかにされたわけではない。でも、なかには春菜のように育った少女もいるのだろう。家族のみが子育てを担う社会において、その家族の脆弱さが子どもの育ちに強い影響を与えている現状のなかで、かつてあったかもしれないゆいまーるを称揚しようにもそれが成立する基盤などどこにもない。私たちがまず手がけなくてならないのは、子どもが自身の生活を話すことをできるようにすることだ。自分の家族のなかで起こっていることを、自分の寂しさをどうにかしてもらえるはずだという信頼感を子どもたちのなかに育むことなくしては、子どもの困難は発見すらなされない。春菜はかつて沈黙していた子どもだった。そして私たちの隣には、いまなお沈黙している無数の春菜たちがいるはずである。

（4）　二〇一三年八月二四日沖縄タイムス・琉球新報。未成年一三人を含む一九人の女性が、福島、宮城（仙台）などで売春させられていた事件。

（5）　二〇一四年七月三一日沖縄タイムス・琉球新報。県の教育庁幹部が一四歳の中学生を買春し逮捕された。

（6）　二〇一七年六月二八日沖縄タイムス、二〇一七年六月二九日琉球新報、琉球新報取材班『夜を彷徨う貧困と暴力――沖縄の少年・少女たちのいま』（朝日新聞出版、二〇二〇年）。

あとがき

本書の表紙の写真は、敬愛する写真家である宇壽山貴久子さんの作品です。二〇一八年に撮影されたそうです。場所は、那覇の農連市場の解体現場です。

今回、特にお願いして、この写真を表紙に使わせていただきました。那覇の、あるいは沖縄の歴史的変化や流動性、多様性をよく表した、とても象徴的な写真だと思います。

まず誰よりも、私たちの調査にこころよく協力してくださったすべての皆さまに、心からお礼を申し上げます。

また、本書の調査をおこなうにあたり、さまざまな方がたにたくさんのサポートをいただきました。沖縄の地元の友人や知人たち、研究仲間、行政やメディアの方がた、社協や老人クラブなどの地域の方がた。ここで皆さまのお名前を書くことは差し控えますが、これらの皆さまにも、深く感謝いたします。

本書のもとになった調査が、岸政彦と打越正行と上原健太郎の三名によって最初にスタートしたのは、二〇一二年のことでした。途中で上間陽子も合流し、二〇一五年には調査は一段落し、二〇一六年には原稿もほとんどできあがっていました。

しかし、そこから刊行するまでに、四年もかかってしまったのです。その間、私（岸政彦）が刊行をストップさせていました。私は、自分自身が「ナイチャー」の社会学者として、沖縄の内部の「複雑性」を描き出すような本を出版することを、深く迷い、恐れ、悩んでいました。

この四年間のあいだ、私の逡巡と躊躇に付き合わせてしまった（そして出版を強く促してくれた）共著者の三名に、心からお詫びします。もちろん、そのあいだ何もしなかったわけではなく、それぞれが追加の調査を継続し（それはいまも続いています）、何度も研究会をおこない、本書の出版が持つ意味について、徹底的に議論しました。

そうしているうちに、調査開始から、実に八年もの年月が過ぎてしまいました。共著者の二名は大学に就職し、私自身も職場を変わりました。そして、沖縄でもたくさんの出来事がありました。また、本書に登場する人びとも、実はその人生に大きな変化がありました。それは別の物語として、別の機会に描きたいと思います。

私たちの調査は、とても小規模な、ささやかなものですが、それでもそれは確かに「沖縄の人生」のひとつの断片を描いたものだと思います。本書に収められた物語はどれも、限られた資源と社会的条件のもとで必死に生きてきた人びとの物語です。それらは、沖縄の戦後史や経済状況に深く規定されているという意味で、沖縄固有の人生の物語です。そして、それと同時に、与えられた環境のなかで必死で生きているという意味では、とても普遍的な物語でもあります。

私たちは、すでに序文でも書いたとおり、とりあえずは安定層の「距離化」、中間層の「没入」、不安定層の「排除」というキーワードを出発点として、それぞれの経済的条件のもとで「沖縄的共同性」がどのように経験され、生きられるのか、ということを描こうとしました。しかし、本文を読めばすぐにわかるとおり、それはそれほど単純な話ではありませんでした。

安定層の生活史では、地元共同体からただ離脱し距離を取るのではなく、そもそも「地元」というものがなかった方も含めて、むしろ沖縄的なものに対する（批判も含めた）強い憧憬や愛着が何度も語られました。中間層の若者たちは、共同体に没入しているだけでなく、那覇の繁華街という新たな領域において、果敢にそれを構築・再構築していました。打越正行と上間陽子が描く物語は、本書に限らずいつもとても過酷ですが、そこでは、建築労働者の男性たちや、売春をして生きてきた女性が、共同体的なものから徹底的に排除されながらも、それでも懸命につながりを回復しようとしている姿が描かれています（しかし、それでもなお、彼ら／彼女らの物語は、過酷です）。

そろそろ私たちは、沖縄社会を「理解」しようとするときに、一枚岩的な共同体のイメージから抜け出して、ここに厳然と存在する階層格差という現実、あるいはジェンダー格差という現実を、直視する必要があると思います。本書はそのための、ごく小さな、おずおずとした一歩なのです。私たち共著者四名は、とにかくもここから始めなければならない、と思っています。

沖縄について何か書くときは、ナイチャーのくせに何が書けるんだろうといつも思います。そして、本書を書いているときほど、それを強く思ったことはありません。しかし、そんな私の背中を押してくれるのも、いつも沖縄の人びとです。本書の原稿もたくさんの沖縄の方に読んでいただきました。厳しいご意見をいただくこともありましたが、ほとんどの方から、これは大事な本になります、楽しみにしていますと言っていただきました。

最後に重ねて、本書に登場するすべての方がた、調査にご協力いただいたすべての方がた、原稿を読んでご意見をくださったすべての方がたに、共著者を代表して、心よりお礼申し上げます。ほんとうにありがとうございました。

本書の調査プロジェクトを遂行するにあたり、以下の研究助成を受けました。

龍谷大学人権問題研究委員会研究助成（研究代表：岸政彦）二〇一二〜二〇一三年度
科研費（25590128／研究代表：宮内洋）二〇一三〜二〇一五年度
科研費（26780300／研究代表：打越正行）二〇一四年度〜二〇一七年度
科研費（26381136／研究代表：上間陽子）二〇一四〜二〇一六年度
大阪国際大学国際関係研究所特別研究費（研究代表：上原健太郎）二〇一九年度

岸 政彦

◎著者紹介

岸　政彦

一九六七年生まれ。立命館大学大学院先端総合学術研究科教授。社会学。専門は沖縄、生活史、社会調査方法論。主な著作に『同化と他者化――戦後沖縄の本土就職者たち』（ナカニシヤ出版、二〇一三年）、『街の人生』（勁草書房、二〇一四年）、『断片的なものの社会学』（朝日出版社、二〇一五年、紀伊國屋じんぶん大賞二〇一六受賞）、『質的社会調査の方法――他者の合理性の理解社会学』（石岡丈昇・丸山里美と共著、有斐閣、二〇一六年）、『ビニール傘』（新潮社、二〇一七年、第一五六回芥川賞候補、第三〇回三島賞候補）、『はじめての沖縄』（新曜社よりみちパン!セ、二〇一八年）、『マンゴーと手榴弾』（勁草書房、二〇一八年）、『社会学はどこから来てどこへ行くのか』（北田暁大・筒井淳也、稲葉振一郎と共著、有斐閣、二〇一八年）、『図書室』（新潮社、二〇一九年、第三二回三島賞候補）など。

『同化と他者化』では、戦後の集団就職や単身出稼ぎなどの「本土就職」をテーマに生活史の聞き取りをおこなった。当時の本土就職者たちのほとんどは、後に沖縄県内にUターンしている。高度成長期の好景気にわく沖縄から、東京や大阪に憧れて内地に渡った若者たちは、なぜUターンしたのか。その「ノスタルジックな語り」から、沖縄的アイデンティティの歴史的構築過程を考察した。

本書の調査に続いて、現在は「沖縄戦と戦後の生活史」というテーマで聞き取り調査をしている。沖縄戦の体験だけでなく、戦前から戦後、そして現在にいたるまでの「人生の語り」を聞き取っている。沖縄戦から戦後にかけて沖縄の人びとが経験した「秩序の解体」が、現在の沖縄的社会規範を形成したのではないか、と考えている。

打越正行

一九七九年生まれ。和光大学現代人間学部講師、特定非営利活動法人 社会理論・動態研究所研究員。専門は、社会学、沖縄、参与観察。主な著作に『ヤンキーと地元――解体屋、風俗経営者、ヤミ業者になった沖縄の若者たち』（筑摩書房、二〇一九年）、『サイレント・マジョリティとは誰か――フィールドから学ぶ地域社会学』（川端浩平ほか編著、ナカニシヤ出版、二〇一八年）、『最強の社会調査入門――これから質的調査をはじめる人のために』（木下衆ほか編、ナカニシヤ出版、二〇一六年）、『持続と変容の沖縄社会――沖縄的なるものの現在』（谷富夫ほか編著、二〇一四年、ミネルヴァ書房）など。

『ヤンキーと地元』は、二〇〇七年から継続している沖縄の暴走族やヤンキーの若者たちの一〇年間を記録したエスノグラフィーである。彼・彼女らは地元の人間関係にもとづいて、仕事に就き、生活をつくりあげた。他方で地元は厳しい上下関係や暴力が振るわれる場所でもあった。彼・彼女らが、地元に集い、地元で働き、地元で生活をつくりあげる過程を調査にもとづき描いた。

建設業を基幹産業とする沖縄社会は、規模が大きく安定した製造業に支えられた本土社会とは異なる歴史を経験してきた。現在は、そのような沖縄固有の構造や歴史を踏まえて、彼・彼女らの生活や人生を読み解き、それにもとづいた沖縄社会論を展開することに関心がある。

上原健太郎

一九八五年生まれ。大阪市立大学大学院文学研究科単位取得退学。博士（文学）。大阪国際大学人間科学部心理コミュニケーション学科講師。社会学。主な専門は沖縄の若者の就労問題。主な著作に、『社会再構築の挑戦』（谷富夫他と共著、ミネルヴァ書房、二〇二〇年）、『ふれる社会学』（ケイン樹里安と共編著、北樹出版、二〇一九年）、『いろいろあるコミュニケーションの社会学 Ver. 2.0』（有田亘・松井広志と共著、北樹出版、二〇一八年）、『持続と変容の沖縄社会――沖縄的なるものの現在』（谷富夫他と共著、ミネルヴァ書房、二〇一四年）などがある。現在、沖縄の若者が「大人になっていく」過程を追跡調査している。なかでも、本書で取り上げた若者集団に対する継続調査を通じて、那覇の繁華街で働き、暮らしている若者たちの社会的現実に関心がある。他にも、沖縄の高齢者に対し、生活史調査を実施している。

上間陽子

一九七二年生まれ、東京都立大学博士課程退学、琉球大学教育学研究科教授、専攻は教育学。これまで学校から逸脱する少年・少女や沖縄の貧困などについて学校内・学校外から調査してきた。主な著作に、『若者と貧困』（湯浅誠・冨樫匡孝、仁平典宏との共編、明石書店、二〇〇九年）、『裸足で逃げる――沖縄の夜の街の少女たち』（太田出版、二〇一七年）、『沖縄貧困白書』（加藤彰彦・鎌田佐多子・金城隆一・小田切忠人との共編、かもがわ出版、二〇一七年）、『誰も置き去りにしない社会へ』（平松知子・鳫咲子ほか共著、新日本出版社、二〇一八年）などがある。本書で取り上げた二〇一二年に開始した沖縄の風俗業界周辺で働く若者調査に加えて、二〇一七年から現在は、沖縄において若年で出産した女性の調査を行っている。

地元を生きる
沖縄的共同性の社会学

2020年10月20日　初版第1刷発行
2022年9月20日　初版第4刷発行

著　者　岸　政彦　　打越正行
　　　　上原健太郎　上間陽子

発行者　中西　良

発行所　株式会社ナカニシヤ出版
〒606-8161　京都市左京区一乗寺木ノ本町15番地
TEL 075-723-0111　FAX 075-723-0095
http://www.nakanishiya.co.jp/

カバー写真＝宇壽山貴久子
装幀＝白沢正
印刷・製本＝亜細亜印刷

Printed in Japan.　ISBN978-4-7795-1497-5　C0036